UN CŒUR INDOMPTÉ

Winnie MADIKIZELA-MANDELA

UN CŒUR INDOMPTÉ

Carnets de prison et correspondances

*Traduit de l'anglais (Afrique du Sud)
par Claude Mamier*

PHOTO DE COUVERTURE : le 14 septembre 1970,
jour de la libération de Mme Winnie Madikizela-Mandela
(Bailey's African History Archive/Africa Media Online)

Ouvrage publié sous la direction de
Jean-Louis Festjens

Pour la petite Zenani Mandela,
mon arrière-petite-fille,
décédée le 11 juin 2010.

Sa mère, toute la famille et moi-même avons beaucoup souffert de cette disparition. J'ai senti ma foi vaciller et j'ai secrètement interrogé le Seigneur pour lui demander quel degré de souffrance il était possible de supporter.
J'ai trouvé une consolation dans une phrase lue sur la couverture d'un livre offert par ma fille aînée, Son Altesse royale la princesse Zenani Mandela[1], ambassadrice d'Afrique du Sud en Argentine. Max DePree y évoquait la manière dont nous nous dirigions « vers l'illumination à travers les ténèbres de la douleur et de la perte ». Je m'accroche donc à ma foi, car je sais que Dieu saura rendre justice à ce deuil insoutenable.

---

1. En 1973, Zenani Mandela a épousé le prince Thumbumuzi Dlamini, fils du roi du Swaziland Sobhuza.

« *J'ai dû attendre deux semaines avant de pouvoir t'envoyer mes plus vives félicitations pour avoir accompli tes 491 jours d'incarcération et en être sortie avec le même entrain et la même élévation d'âme qu'avant. Je vous souhaite un bon retour, à toi et à tes vaillants camarades ! Si j'avais été à la maison pour t'accueillir, j'aurais volé une chèvre à un homme riche et l'aurais sacrifiée avec du ivanya ne ntloya*[1] *pour l'accompagner. N'est-ce pas la seule façon pour un mendiant tel que moi d'honorer ses héros ?* »
Extrait d'une lettre de Nelson Mandela à sa femme, rédigée le 1er octobre 1970, peu après la fin des 491 jours.

« *D'une certaine façon, je me suis sentie très proche de toi ces deux dernières années. C'était la première fois que nous partagions aussi longtemps les mêmes conditions de vie. Manger ce que tu mangeais, dormir sur le même genre de paillasse, me réconfortait en me donnant l'impression d'être à tes côtés.* »
Extrait d'une lettre de Winnie Mandela à son mari, rédigée le 26 octobre 1970 peu après la fin des 491 jours.

---

1. Bière traditionnelle au lait aigre.

Préface

par Ahmed Kathrada

J'ai rencontré Mme Winnie Mandela en 1957 ou 1958, juste avant son mariage avec Madiba[1]. Peu de temps après, elle s'est retrouvée en prison pour la première fois, alors qu'elle était enceinte de cinq mois. Au seuil de ce qui aurait dû être une vie de couple heureuse et paisible, aucun des deux époux n'imaginait les soubresauts à venir.

Zenani, leur première fille, naquit en 1959, puis la seconde, Zindziswa, en 1960.

Deux ans après son mariage, Madiba continuait à assurer sa défense dans l'interminable « procès des traîtres » : il faisait partie des trente derniers prévenus d'une affaire initiée en 1956. Obligé de se rendre tous les jours à Pretoria, il quittait son foyer alors que les filles étaient à peine levées, et revenait à l'heure de les mettre au lit.

Suite au massacre de Sharpeville en 1960[2], le gouvernement décréta l'état d'urgence, emprisonna les accusés du procès des traîtres pendant cinq mois, puis interdit

---

1. Madiba est le nom clanique de Nelson Mandela, utilisé également en signe d'affection.
2. Massacre commis par la police sud-africaine dans un township du Transvaal suite à une manifestation, qui causa 69 morts et 179 blessés.

purement et simplement le Congrès national africain et le Congrès panafricain. Oliver Tambo partit en exil, provoquant la fermeture du cabinet d'avocats Mandela & Tambo qui assurait les revenus de Madiba, pourtant soutien de famille.

Le procès des traîtres se conclut par un acquittement général le 29 mars 1961. Madiba se lança alors dans des actions clandestines, menant neuf mois durant une vie de fugitif qui l'empêchait de rentrer chez lui. Après quoi il partit lui aussi à l'étranger et ne revint qu'en juillet 1962, peu de temps avant son arrestation.

Cette succession d'événements transforma Winnie en mère célibataire pratiquement dès la naissance de Zenani. De 1959 à 1961 les filles virent encore leur père de temps en temps, mais à partir de l'arrestation de Madiba, le 5 août 1962, jusqu'à sa libération vingt-sept ans plus tard, le 11 février 1990, Zenani et Zindzi grandirent sans père – de même que leur demi-sœur et leurs deux demi-frères nés d'un premier mariage.

C'est un grand honneur pour moi de rédiger la préface de cet ouvrage. Winnie et moi connaissons bien la prison et les ordonnances judiciaires limitant nos déplacements, mais chaque cas reste singulier malgré de nombreuses similarités.

Winnie fut arrêtée, détenue ou jugée une bonne dizaine de fois. Elle fut aussi placée en résidence surveillée et enfin, pire que tout, bannie dans la petite ville rurale de Brandfort, dans l'État libre d'Orange. Sur une période de treize ans, elle ne connut que dix mois de vraie liberté de mouvement. Lors de l'une de ces arrestations, la police l'interrogea même pendant plusieurs jours et plusieurs nuits d'affilée, malgré ses problèmes cardiaques. Elle avait été interpellée, en mai 1969, au titre de la loi antiterroriste, en compagnie de vingt et un camarades. Deux autres détenues, Nondwe Mankahla et Shanti Naidoo – dont le père était au procès des traîtres – refusèrent de dénoncer Winnie et furent condamnées à deux mois de prison. Quant à Caleb Mayekiso, il mourut sous la torture. Lui aussi se trouvait à mes côtés sur le banc des accusés du procès des traîtres. C'était un homme que j'admirais profondément ; l'annonce de son décès m'a bouleversé au fond de ma cellule de Robben Island.

Dans ce contexte, seuls les idéaux, la loyauté, le courage et la détermination de Winnie lui ont permis de sortir la tête haute de cette terrible épreuve.

Chaque incarcération subie par cette femme est une histoire qui mériterait d'être racontée, mais ce livre décrit l'un de ses exploits les plus significatifs, peut-être même sans précédent : la tenue d'un journal secret durant son séjour en prison. Elle le confia à ses avocats et finit par l'oublier jusqu'au jour où, quarante et un ans plus tard, Greta Soggot, la veuve de l'un de ses défenseurs, se présenta à son bureau parlementaire et lui remit l'objet.

Winnie a vécu des moments horribles aux mains de la police, mais elle n'a jamais renié ses idées ni son amour pour son mari, emprisonné loin d'elle à Robben Island. De son côté, Madiba s'inquiétait jour et nuit de ce qui pouvait arriver à sa bien-aimée. Je l'ai vu souffrir, présenter d'innombrables recours auprès des autorités. Et il ne s'inquiétait pas moins du devenir de ses enfants.

Madiba écrit ceci dans une lettre adressée à Winnie depuis Robben Island :

« Depuis l'aube de son histoire, l'humanité a rendu hommage aux gens honnêtes et courageux, des hommes et des femmes tels que toi, ma chérie – une fille ordinaire issue d'un lointain village [...]. Mon dévouement envers toi m'empêche d'en dire plus dans cette lettre [...]. Un jour viendra où notre intimité retrouvée nous permettra de partager les tendres pensées qui restent enfouies dans nos cœurs [...]. »

Il en profite pour citer une lettre que Winnie lui avait adressée juste après sa condamnation à cinq ans de prison en 1962 :

« Notre vie de couple fut courte, mon bien-aimé, mais toujours pleine d'espoir [...]. Mon amour pour toi n'a cessé de grandir tout au long de ces folles années de violence. »

Madiba décrit ainsi l'importance du soutien de sa femme :

« Je garde précieusement avec moi la première lettre que tu m'as écrite [...]. Cela fait six ans et demi que je la relis sans arrêt, et les sentiments qu'elle exprime restent aussi forts et merveilleux qu'au premier jour. »

Je ne cesse d'être étonné par l'intérêt que suscitent encore nos séjours en prison, vingt-trois ans après ma propre libération. L'une des questions les plus fréquentes est celle-ci : « Comment avez-vous pu garder le moral ? » J'ai alors une réponse simple mais sincère.

Les vingt-six ans passés à Robben Island et à Pollsmoor ont été très difficiles.

Les treize ans de travaux forcés, à la pelle et à la pioche, huit heures par jour, n'ont pas été évidents non plus. Sans oublier l'écrasante monotonie de la nourriture, dix ans de douches froides, quatorze ans à dormir sur deux tapis posés par terre, seize ans sans journaux, deux lettres et deux visites annuelles autorisées au début de notre détention, et bien sûr l'absence des enfants. Dans mon cas, il s'est écoulé vingt ans avant que je puisse de nouveau embrasser l'un des miens !

Je tiens à le souligner à nouveau, la prison n'est pas une sinécure. Ce furent sans aucun doute de longues années d'angoisse et de privations.

Alors donc : comment garder le moral dans de telles conditions ?

De plusieurs manières, dont certaines qui sembleront sans doute difficiles à croire. En premier lieu, nous nous efforcions de nous rappeler que, malgré la souffrance et les épreuves, nous étions quand même protégés ! Que ce soit à Robben Island ou à Pollsmoor, aucun policier n'allait surgir pour nous tirer dessus. Nos camarades libres ne pouvaient pas en dire autant : ils menaient la lutte sans la moindre protection. Je pourrais parler ici de Winnie Mandela. Des six cents écoliers sans défense massacrés pendant la révolte de Soweto en 1976. Des membres et dirigeants du Front démocratique uni ou du Congrès des étudiants sud-africains. Individuellement et collectivement, ils ont porté haut le drapeau de la liberté face aux pires dangers.

Leur courage et leur sacrifice ne doivent jamais être oubliés.

Vingt ans dans la vie de Winnie Mandela

1957 : Winnie Madikizela, travailleuse sociale de vingt ans originaire de Bizana (Transkei), rencontre Nelson Mandela, un jeune avocat sous le coup d'une ordonnance judiciaire et accusé de haute trahison.

1958 : elle l'épouse quand il réussit à faire lever pour quatre jours l'ordonnance judiciaire qui le retient à Johannesbourg. La cérémonie a lieu à Bizana, son village natal. Enceinte de cinq mois, elle participe à une manifestation contre les restrictions de mouvement imposées aux Noirs ; elle est arrêtée et passe deux semaines en prison.

1959 : naissance de leur première fille, Zenani.

1960 : naissance de leur seconde fille, Zindziswa. L'ANC (Congrès national africain) est déclaré illégal et ne peut donc plus défendre officiellement ses idées.

1961 : le procès pour haute trahison se solde par un acquittement. Son mari se lance dans des activités clandestines.

1962 : une ordonnance judiciaire l'empêche de quitter Johannesbourg pour une durée de deux ans. Nelson Mandela est arrêté et condamné à cinq ans de prison.

1963 : Winnie est arrêtée, puis relâchée, pour avoir assisté à un meeting en dehors de Johannesbourg. Son mari se retrouve de nouveau face aux juges, accusé cette fois de sabotage.

1964 : Nelson Mandela est condamné à la prison à vie ainsi que Walter Sisulu, Ahmed Kathrada, Govan Mbeki, Raymond Mhlaba, Denis Goldberg, Elias Motsoaledi et Andrew Mlangeni.

1965 : une nouvelle ordonnance judiciaire la confine pour cinq ans dans le ghetto noir d'Orlando et lui interdit de rédiger le moindre document. Elle demande une autorisation spéciale pour rendre visite à son mari.

1966 : les autorités lui interdisent cette fois de participer à l'élaboration de tout document imprimé.

1967 : accusée d'avoir résisté aux forces de l'ordre, Winnie Mandela est de nouveau acquittée. Elle est ensuite condamnée à vingt mois de prison pour avoir refusé de donner son nom et son adresse à la Police spéciale. Après quatre jours de détention, la peine est finalement mise en sursis pour trois ans.

1968 : elle assiste aux funérailles de sa belle-mère, puis rend visite à son mari à Robben Island pour la dernière fois avant sa propre arrestation.

1969 : le 12 mai à 2 heures du matin, la police l'arrête à son domicile au titre de la loi antiterroriste. En juillet, toujours en prison, elle apprend la mort de son beau-fils dans un accident de la route. Elle est inculpée pour avoir diffusé la propagande de l'ANC.

1970 : les charges qui pèsent sur elle sont abandonnées le 16 février, mais elle est de nouveau arrêtée dès sa sortie du tribunal. Le procès suivant se solde encore une fois par un acquittement le 15 septembre. Elle demande l'autorisation de voir son mari et reçoit un permis de visite pour le 3 octobre. Le 30 septembre, son ordonnance judiciaire est renouvelée pour cinq ans, assortie d'une mise en résidence surveillée : elle doit rester chez elle de 18 heures à 6 heures du matin en semaine, et de 14 heures à 6 heures du matin les week-ends et jours fériés. Elle ne peut en outre recevoir aucun visiteur à part ses enfants. Le juge local lui refuse la permission de quitter Johannesbourg pour se rendre à Robben Island. En octobre, la police découvre chez elle sa sœur Nonyaniso et son beau-frère, ainsi que Peter Magubane, lui-même sous ordonnance judiciaire. Elle est inculpée pour non-respect de son ordonnance, tandis que sa sœur est arrêtée pour « présence illégale » à Johannesbourg et son beau-frère inculpé pour défaut de laissez-passer. Elle parvient enfin à rendre visite à son mari – ils se voient pendant trente petites minutes.

1971 : elle est condamnée à douze mois de prison avec sursis pour avoir accueilli chez elle une personne sous ordonnance judiciaire. Son avocat fait appel.

1972 : le 25 avril, elle remporte le procès en appel concernant les événements d'octobre 1970. La condamnation est annulée.

1973 : Winnie Mandela est condamnée à douze mois de prison assortis d'un sursis de trois ans pour avoir déjeuné avec ses enfants dans une voiture en présence d'une personne sous ordonnance judiciaire.

1974 : sa peine est réduite en appel à six mois, qu'elle passe à la prison de Kroonstad.

1975 : sa troisième ordonnance judiciaire arrive à terme. Elle quitte la prison de Kroonstad en avril.

1976 : elle est détenue pendant quatre mois sans procès, suite au soulèvement de Soweto.

1977 : l'ordonnance judiciaire est renouvelée pour cinq ans. Sur les treize dernières années, Winnie Mandela n'a bénéficié que de dix mois de « liberté » hors de ces dispositions. Elle est cette fois exilée à Brandfort, une localité rurale de l'État libre d'Orange, où elle ne connaît personne et où personne ne parle sa langue natale ; elle retournera illégalement à Soweto en 1985.

Introduction

Quarante et un ans après avoir achevé ses seize longs mois de détention, Winnie Madikizela-Mandela reçut une visite surprise dans son bureau parlementaire en la personne de Greta Soggot, veuve de David Soggot, l'un de ses avocats de l'époque. Celle-ci arrivait tout droit d'Angleterre, munie d'une liasse de papiers qui n'était autre que le journal tenu par Mme Madikizela-Mandela durant son séjour en prison du 12 mai 1969 au 14 septembre 1970, alors qu'elle était détenue avec ses camarades au titre de la loi antiterroriste, ce qui leur valait une mise à l'isolement sous le contrôle total des forces de police.

La réapparition de ces documents fit resurgir chez cette dame de soixante-quinze ans les terribles souvenirs de l'époque où, jeune épouse et mère de deux fillettes avec un mari condamné à perpétuité pour sabotage, elle avait décidé de continuer à lutter pour la liberté en Afrique du Sud — et en avait payé le prix. Elle avait par exemple été interrogée par la tristement célèbre Brigade antisabotage, en particulier par Theunis Jacobus « Rooi Rus » Swanepoel, dont la réputation d'extrême brutalité ne cessait de grandir.

Après six mois d'emprisonnement, Winnie Mandela et vingt et un autres prévenus comparaissaient de nouveau, au titre de la loi de répression du communisme. L'État prétendait, entre autres, qu'ils appartenaient à l'ANC désormais interdit et préparaient des actions de sabotage en repérant des cibles potentielles telles que trains et voies ferrées, même si aucun acte de violence effective n'était retenu contre eux.

L'accusation affirmait détenir quatre-vingts témoins à charge, mais n'en présenta finalement que vingt. La plupart de ces personnes avaient elles-mêmes été mises à l'isolement et torturées, parmi lesquelles Shanti Naidoo et Nondwe Mankahla, deux activistes antiapartheid et membres de l'ANC, qui refusèrent de témoigner contre Mme Mandela.

Au cours de ce qui resta dans les mémoires sous le nom de « procès des vingt-deux », ou plus officiellement « l'État contre Samson Ndou et vingt et un autres prévenus », la défense s'insurgea contre l'utilisation de la torture pendant les interrogatoires. Les accusés furent acquittés quatre mois plus tard, mais la police s'empressa de les arrêter de nouveau à la sortie du tribunal. Winnie Mandela était en prison depuis un an quand elle commença à rédiger son journal, qui recueillit d'abord les souvenirs encore frais de sa première incarcération et de son procès. En juillet 1970, dix-neuf prisonniers parmi les « vingt-deux » se virent accusés des mêmes charges, au titre cette fois de la loi anti-terroriste. Ils furent jugés en compagnie de Benjamin Ramotse, un agent de Umkhonto we Sizwe qui n'avait aucun rapport avec leur affaire[1] – ce qui n'empêcha pas ce second procès de s'appeler « l'État contre Benjamin Ramotse et dix-neuf autres prévenus ».

---

1. Ramotse fut l'un des premiers membres de Umkhonto we Sizwe, la Lance de la nation, branche armée de l'ANC créée le 16 décembre 1961. Blessé dans l'explosion d'une bombe à Soweto – qui tua son camarade Petrus Molefe –, il quitta le pays avant son procès et entama une formation militaire à l'étranger. Enlevé au Botswana par les services secrets rhodésiens, il fut ensuite rapatrié en Afrique du Sud.

Les « dix-neuf » furent acquittés le 14 septembre 1970, laissant Ramotse seul sur le banc des accusés où il se vit infliger une peine de quinze ans de prison. Winnie Mandela et quelques-uns de ses camarades assistèrent à la lecture du verdict pour lui apporter leur soutien moral.

Le journal, rédigé sur des feuilles volantes, n'est pas publié ici dans l'ordre chronologique strict. Il s'accompagne de lettres échangées avec Nelson Mandela, alors prisonnier à Robben Island, ainsi que d'autres courriers relatifs à cette terrible période.

Première partie

Journal

Chapitre 1

L'arrestation

Le lundi 12 mai 1969, par un froid matin d'hiver, alors que le soleil n'était pas encore levé, la police pénétra dans la maison de Winnie Mandela à Soweto et l'arrêta sous les yeux de ses deux filles.

À cette époque, une ordonnance judiciaire l'empêchait de quitter le ghetto d'Orlando et donc de rendre visite à son mari, Nelson, condamné à perpétuité depuis cinq ans[1].

Une quarantaine de personnes furent prises dans cette rafle et arrêtées au titre de l'article 6 de la loi anti-terroriste votée en 1967, qui permettait à la police de maintenir des suspects en garde à vue aussi longtemps qu'elle le jugeait nécessaire. Caleb Mayekiso, l'un de ces détenus, trouva la mort en prison quelques jours plus tard.

Winnie Mandela fut conduite à la prison centrale de Pretoria et mise au secret sans savoir ce qu'il advenait de ses filles Zindzi et Zenani, âgées de neuf et dix ans, restées seules à la maison. Elle n'avait même pas eu le temps d'emmener les médicaments prescrits suite à une faiblesse cardiaque.

---

1. Nelson Mandela et sept de ses camarades furent condamnés à perpétuité le 12 juin 1964. Il croupissait déjà en prison depuis vingt-deux mois, suite à son arrestation le 5 août 1962 et à une première condamnation à cinq ans de prison le 7 novembre suivant.

Son premier interrogatoire débuta le 26 mai et dura pas moins de cinq jours et cinq nuits. Les vertiges et les palpitations commencèrent dès le deuxième jour, suivis le lendemain des premiers évanouissements. L'une de ses sœurs, Iris Madikizela, alla jusqu'à déposer un recours en justice contre le ministère pour faire cesser les mauvais traitements infligés à Winnie et à ses codétenus.

Elle et vingt et un camarades comparurent cinq mois plus tard à l'ancienne synagogue de Pretoria, devant la même cour spéciale qui avait condamné Nelson Mandela à cinq ans de prison le 7 novembre 1962.

Ce procès, dit « procès des vingt-deux » ou encore « l'État contre Samson Ndou et vingt et un autres prévenus », débuta le 1er décembre 1969. Tous les accusés plaidèrent non coupable des charges retenues contre eux au titre de la loi de répression du communisme, parmi lesquelles : créer des groupes ou des comités au sein du Congrès national africain (ANC), parti interdit ; prêter ou faire prêter le serment de l'ANC ; recruter de nouveaux membres pour l'ANC ; organiser des meetings de l'ANC ou y participer ; inspecter des trains en vue d'un futur sabotage ; tenter d'entrer en possession d'explosifs ; posséder, rédiger, détenir, distribuer et recommander les publications de l'ANC ; propager la doctrine communiste ; tenter d'entrer en contact avec des guérilleros ; organiser des funérailles au nom de l'ANC ; encourager la population à écouter la radio de l'ANC en Tanzanie ; tenter de faire quitter le pays à certaines personnes ; préparer et rédiger des instructions liées aux activités de l'ANC.

Deux de ses compagnes de lutte, Shanti Naidoo et Nondwe Mankahla, furent condamnées à deux mois de prison pour refus de témoignage. Suite aux auditions des derniers témoins, le tribunal mit son jugement en délibéré jusqu'en février 1970 : les vingt-deux prévenus bénéficièrent d'un acquittement général, mais la police les arrêta de nouveau sitôt le verdict énoncé.

Six mois plus tard, dix-neuf d'entre eux revinrent sur le banc des accusés, les trois autres étant devenus témoins de l'accusation. Les charges retenues étaient identiques, mais cette fois au titre de la loi antiterroriste. Benjamin Ramotse, membre du MK[1], se tenait à leurs côtés bien que Winnie Mandela ait alors écrit dans son journal : « Je ne l'avais jamais rencontré dans mes activités politiques et ignorais tout des siennes. »

Le 14 septembre, tous les accusés furent encore une fois acquittés à l'exception de Benjamin Ramotse. Le juge Gerrit Viljoen rendit son verdict en expliquant que les charges similaires à celles de la première comparution présentaient « un caractère répressif et vexatoire » et relevaient d'un « abus de pouvoir ».

Durant son séjour en prison, Winnie Mandela se lança dès que possible dans la rédaction d'un journal secret qu'elle remit ensuite à son avocat, David Soggot, et qu'elle ne revit qu'en 2011 dans les mains de sa veuve. En voici le début :

Le 10 mai 1969, mon médecin traitant m'envoya consulter un spécialiste du cœur, le Dr Berman, dont je portai ensuite l'ordonnance au pharmacien de West Street. Tous les médicaments n'étant pas disponibles ce samedi-là, il me demanda de revenir le lundi. J'avais juste de quoi me soigner pendant le week-end.
Quand le commandant Viktor, de la Police spéciale de Johannesbourg, vint m'arrêter au titre de la loi antiterroriste, je notai le nom du pharmacien et le numéro de l'ordonnance sur un bout de papier que je donnai à Peter Magubane, qui connaissait le pharmacien, en lui demandant d'aller chercher les médicaments et de les remettre à mon avocat.

---

1. Branche armée de l'ANC.

12 mai 1969

Quand la Police spéciale pénétra chez moi en pleine nuit pour m'arrêter, j'étais en train de lire la biographie de Trotski que j'avais rapportée la nuit précédente de chez Mme Betty Miya, parmi d'autres documents.

Trois jours plus tôt, le vendredi 9 mai 1969, j'avais envoyé chez Mme Miya ma fille aînée, âgée de dix ans, pour lui demander si je pouvais lui rendre visite. En fait, pour savoir s'il y avait danger ou pas. Mme Miya me fit répondre qu'il valait mieux attendre le lendemain. Je ne peux pas croire que j'aie été suivie jusque-là, car cela faisait dix ans que sa maison servait de relais. J'envoyais parfois Olive[1] lui livrer un paquet, avec des vêtements par-dessus quand il fallait dissimuler des documents. Mme Miya accueillait des enfants dans le besoin et, comme elle était malade et sans emploi, je lui donnais un peu d'argent, ainsi que des habits pour les petits.

La nuit de la rafle, j'avais dissimulé mon livre et certains papiers dans le four. L'unique exemplaire du discours de Loabile[2] m'avait été remis par Sikosana[3] la semaine précédente ; il l'avait montré à N° 1[4] et je lui avais demandé de me le rendre pour que je puisse le détruire.

Quand la police défonça la porte, je venais de le sortir du four et j'eus à peine le temps de le glisser dans la poche de ma chemise de nuit. Les policiers fouillèrent ma chambre pendant près de deux heures. Une pile de valises posées sur la garde-robe contenaient les effets de mon mari, une partie des miens et de ceux des enfants. Le commandant[5] fouilla chacune d'elles et confisqua

---

1. Sa nièce, Olive Nomfundo Mandela.
2. Lameck Loabile, un militant. On reprochait aux accusés d'avoir apporté un drapeau de l'ANC à ses funérailles.
3. Joseph Sikosana se révéla être un informateur de la police.
4. Samson Ndou, l'accusé N° 1 du premier procès.
5. Le commandant Viktor, de la Police spéciale.

toutes mes photos ainsi que la tenue militaire de mon mari qui m'avait été rendue après le procès de Rivonia. J'objectai qu'il s'agissait là d'affaires déjà inspectées par la police, mais le commandant répliqua que les décisions prises avant son entrée en fonction ne le concernaient pas.

Tout en remplissant de nouveau la valise de mon mari, je parvins à dissimuler le discours de Loabile dans l'une de ses vestes. La valise retourna en haut de la garde-robe avec l'aide d'un policier.

Ce texte était celui qui fut soi-disant retrouvé chez Maud[1]. Je ne comprends pas pourquoi la police aurait impliqué Maud au risque de faire tomber sa couverture, alors qu'elle était déjà en possession de ces pages grâce à Sikosana qui l'avait gardé un moment avant de me le remettre de la part de N° 1.

Je remercie N° 22[2] de s'être proposé pour garder en lieu sûr mes habits et ceux de mon mari, mais ma belle-sœur a tenu à s'en charger elle-même. Elle était très énervée qu'aucun membre de ma famille n'ait mis les pieds à la maison durant le mois qui avait suivi l'arrestation, mais au moins ils étaient allés voir M. Carlson[3]. Le fait que personne n'ait payé le loyer et l'électricité, ni ne se soit occupé d'Olive ou de la maison en général n'est pas bien grave. Elle a veillé à ce que mes enfants puissent retourner à l'école.

---

1. Maud Katzenellenbogen, une amie que Winnie Mandela soupçonna ensuite d'informer la police.
2. Peter Sexford Magubane.
3. Joel Carlson, avocat.

Chapitre 2

La détention

La première chose que vous faites en prison, surtout à l'isolement, c'est tenir un calendrier. Sinon, vous perdez très vite le décompte des jours à cause de la lumière artificielle qui ne s'éteint jamais. Impossible de repérer l'aube ou le crépuscule. Moi, j'étais dans la cellule des condamnées à mort, derrière trois portes. »
WINNIE MADIKIZELA-MANDELA, 2012

Un jour dans la vie d'une détenue

Coincé entre quatre murs gris, avec une lumière électrique allumée en permanence, il devient vite compliqué de différencier le jour et la nuit, le crépuscule et l'aube, surtout quand le vrai sommeil est remplacé par de vagues périodes d'assoupissement imposées par un cerveau épuisé.

La cellule ne mesure-t-elle vraiment que quinze pieds sur cinq[1] ? J'y ai parcouru des miles et des miles, en rond, de droite à gauche et d'avant en arrière, dans l'espoir de tuer le temps. Des minutes, des heures, des jours, des semaines et des mois si longs, si vides, qui taillaient leur chemin dans mon âme à la vitesse d'un escargot, qui la brûlaient et la cassaient en mille morceaux pendant le

---

1. Environ 4,5 mètres sur 1,5 mètre. L'Afrique du Sud est passée peu à peu au système métrique entre 1971 et 1973.

deuxième round de ce terrible match de boxe entre les vingt-deux et la Police spéciale[1].

Le problème, avec ce match, est qu'il est biaisé et peut encore durer des années, car l'arbitre n'est pas honnête et fera tout pour assurer la défaite de mon camp. Aucune règle ne s'applique à nos adversaires tandis que mes camarades et moi-même sommes forcés par les armes à en respecter un nombre incalculable. Le combat a mal commencé, mais seule l'histoire dira quelle équipe sortira vainqueur de ce mauvais départ. Une chose est sûre : les deux camps veulent gagner à tout prix.

La première sonnerie retentit à 6 heures du matin. C'est l'heure de me lever, de faire mon « lit » et de nettoyer la cellule. Le lit ne m'occupe pas plus de cinq minutes puisqu'il consiste en deux tapis de sisal, quatre couvertures et le sol de ciment glacé. J'enroule les deux tapis, mais pas jusqu'au bout, ce qui me permet d'y poser les pieds quand je suis sur ma « chaise » — les tapis sur lesquels je pose une couverture soigneusement pliée.

Tapis et couvertures ont bien des histoires à raconter. Le tapis du dessous est sans doute celui qui a le plus à dire, vu qu'un quart de sa surface est couvert de taches de sang. Est-ce le même sang qui parsème le tapis du dessus ? Est-ce le même sang qui semble avoir été nettoyé à la hâte sous la fenêtre et dans le coin que j'ai choisi pour ma couche ? Le travail a été mal fait ; celle qui s'en est chargée devait avoir les mains qui tremblaient.

Ma cellule est placée juste à côté de la salle des tortures. Je n'oublierai jamais les cauchemars qui hantent mes nuits à cause des cris perçants qui s'en échappent chaque jour. Quand la badine — parfois un tuyau d'arrosage — frappe les prisonnières, j'ai l'impression que

---

1. La rédaction du journal débuta après l'acquittement et la deuxième incarcération des « vingt-deux ».

c'est ma propre chair que l'on déchire. Comment des femmes peuvent-elles infliger de tels traitements ? Je pleure souvent, à la limite de l'inconscience, sans penser à essuyer mes larmes. Les hurlements m'arrachent le cœur, blessent ma dignité d'être humain. La tortionnaire n'a que vingt-trois ans et, très souvent, la voix qui demande pitié est celle d'une femme deux fois plus âgée. Mais une gardienne chef blanche a tous les droits. Les prisonnières sont à sa merci, et il lui arrive même de leur cogner la tête contre le mur de ma cellule. On dirait que le sang qui jaillit décuple sa violence.

Si j'en crois ce que je parviens à percevoir par ma fenêtre, cette femme dispose de deux bonnes assistantes dans son sinistre travail : Scantsu et Joyce. Scantsu, aussi connue sous le nom de Maureen, a été récemment remise en liberté conditionnelle par le ministère de la Justice grâce à une « bonne conduite exceptionnelle » qui lui a valu dix mois de remise de peine ; en 1968, elle avait pourchassé et capturé une prisonnière évadée qu'elle avait ensuite violemment battue. Ces « assistantes » accueillent les prisonnières tous les jours à leur retour du tribunal, après que la gardienne chef Wessels a enregistré leur passage dans le bureau où elle passe le plus clair de son temps. Les changements de personnel sont si fréquents qu'on ne sait jamais qui fait quoi, ni où ni quand.

Bien qu'emprisonnée depuis plus d'un an, je n'ai qu'une vague idée de l'organisation des bâtiments. Mes quelques transferts se sont déroulés trop vite pour que je puisse en déduire un plan. Je connais ma rangée de six cellules, je connais le grand mur qui s'élève juste en face. Ma porte est orientée à l'ouest ; le mur de droite est très haut, on dirait l'entrée d'une cathédrale, ce qui surprend dans un tel environnement. Ce mur doit être vieux, et sans doute toute la prison avec lui ; il est tellement fissuré que le plus léger séisme suffirait à l'abattre. Une cloison de tôle ondulée commence à l'angle de ma cellule et se prolonge jusqu'au mur de pierre, entourant presque l'espèce de portail d'église. C'est là que se trouve la salle des tortures – derrière la tôle ondulée. Il y a un yard et demi[1] entre la porte de ma cellule et le grand mur de pierre. Au fond à gauche, juste après la cellule occupée par N° 7[2], une grille constamment fermée nous coupe du reste de la prison. Notre cour, devant les six cellules, mesure donc 5,5 yards sur 1,5 yard[3].

Il paraît que la prison est plus active le lundi, mais à l'isolement, chaque jour ressemble au précédent. Ma routine quotidienne est pleine de vide. D'ailleurs, dans ma cellule, il n'y a pas grand-chose non plus :
— 2 tapis de sisal,
— 4 couvertures,
— 1 bouteille en plastique sale pour l'eau potable,
— 1 pot de chambre,
— 1 tasse métallique,
— du savon bleu et du savon phéniqué pour mon visage,
— mes vêtements.

À mon retour en cellule, lors de ma seconde arrestation, j'ai découvert qu'on m'avait pris ma valise, mes livres, mon sac à main, mes boîtes de conserve, mes cintres et même les clous au mur qui me servaient de penderie. Mes vêtements avaient été sauvagement jetés à terre et piétinés comme dans un accès de colère ; ils portent encore des traces de pas à cause de la cire noire utilisée pour les sols.

Le matin, je plie trois couvertures. La quatrième me sert de valise le jour et d'oreiller pour la nuit. Les coutures des couvertures sont décousues. Sans doute l'œuvre d'une prisonnière qui voulait s'occuper

---

1. 1,37 mètre.
2. Joyce Sikhakhane.
3. 5 mètres sur 1,37.

l'esprit, comme je l'avais fait moi-même au fort de Johannesbourg en septembre 1968 où j'avais croupi quatre jours à l'isolement suite à une condamnation avec sursis. On m'avait donné six couvertures en parfait état – un grand privilège –, et j'avais passé les quatre jours à me défouler sur les coutures. J'avais pris beaucoup de plaisir à tirer sur ce beau coton blanc.

Je dispose d'un petit chiffon avec lequel je nettoie par terre. Le chiffon est trop sale pour être touché avant le petit déjeuner, et en prison les horaires sont inversés, il est courant que l'on mange avant de laver. Je ne me suis jamais agenouillée pour nettoyer le sol de la cellule. En fait, je compte bien ne jamais m'agenouiller tant que je serai en prison. Mes pieds sont rompus à la manœuvre – un pied sur le chiffon et l'autre en équilibre sur les orteils. C'est un bon exercice, surtout pour se réchauffer en hiver ; on a presque l'impression de danser quand on change de pied. Le sol est rugueux, inégal, aussi, dans les premiers temps, je trébuchais dans les trous. Maintenant, je peux nettoyer les yeux fermés.

Les couleurs ont beaucoup d'effet sur moi. Ici, c'est un effet déprimant. Le plafond en tôle ondulée, sur lequel circulent les rats les plus vifs et bruyants de Pretoria, était sans doute blanc à l'origine. Le haut des murs est gris clair, le bas gris foncé, la porte est peinte en gris clair et le judas cerclé de noir. Le soir, je salue le retour des rats au-dessus de moi, qui me donnent au moins quelque chose à écouter. Je me demande s'ils jouent ou s'ils se battent, à moins qu'ils aient aussi froid que moi et cherchent juste un moyen de se réchauffer.

De nombreuses camarades ont passé des moments terribles dans cette cellule. Les murs sont une véritable encyclopédie des anciennes prisonnières, et je scrute les couches de peinture grise tous les jours à la recherche de nouvelles insultes lancées à la face de telle ou telle gardienne. J'essaie d'en déduire l'état d'esprit dans lequel elles étaient au moment d'écrire, car cette forme d'expression muette est la seule disponible dans une cellule d'isolement. Parfois, il me semble même possible de me représenter les contours d'une personnalité.

La plupart des inscriptions sont très vulgaires, du genre « la gardienne Britz se… », « cette… de Britz », écrit en grosses lettres capitales sur la porte. Par contre, sous le judas, on peut lire *Unkulu-nkulu ukhona ndizophuma mntakwethu, ungandilahle dudu*, ce qui signifie en langue zouloue : « Dieu est là, mon amour, je serai bientôt libérée, ne me repousse pas. » À la droite du mur, un dessin montre une maison entourée de fleurs. La maison a douze marches sur l'une desquelles se tient une femme émaciée serrant deux enfants avec de gros ventres. Il y a aussi un chien efflanqué et un homme très bien portant, sans doute le père, qui marche devant sa femme. Tous les visages sont fermés. Une flèche pointe vers la mère avec les mots *Le nto ephalwa ngeminwe, le nja ethanda isinanga-nanga*. J'ai appris plus tard que l'expression « *isinanga-nanga* » désignait les relations homosexuelles dans l'argot de la prison. Le texte se traduit donc par : « Cette chienne est homosexuelle, elle aime qu'on lui mette les doigts. »

Sur le mur de gauche, un calendrier débute en avril 1964. Juste au-dessus, on peut encore lire « mon troisième anniversaire de mariage » sous plusieurs couches de peinture. La même main a écrit : « Je ne succomberai pas à la peur », puis « Mandela, ta femme est une vendue », et « ma mère aussi ». J'avoue avoir éclaté de rire en découvrant ça en octobre 1969, le lendemain de mon inculpation par la Cour suprême de Pretoria. C'était l'écriture de Zozo Mahlasela. J'avais appris par l'intermédiaire de Swanepoel, le chef de la Gestapo sud-africaine qui m'avait interrogée pendant cinq jours et six nuits, que Zozo avait été envoyée chez mes beaux-parents au Transkei pour récupérer certaines lettres tandis que mon mari comparaissait au procès de Rivonia. La famille Mahlasela avait ensuite quitté le pays en 1964 ou 1965, après plusieurs longues périodes de détention.

Dans un angle, on distingue à peine les mots : « Ndopho est arrivée là le 22 mai à cause de Joyce Sikhakhane. » Et, de la même main : « Joyce est là aussi. » J'ai reconnu l'écriture de Nondwe Mankahla, aussi frêle que la jeune femme que j'ai rencontrée sur le banc des accusés où elle a refusé de témoigner contre son peuple. Ndopho est son surnom.

Sur la porte, deux pieds[1] au-dessus du sol, quelqu'un a griffonné rapidement – ou au contraire au terme d'une longue méditation : « Crois au Seigneur, ton Dieu. Il te sauvera. Prie-le même dans les pires moments et ne perds jamais la foi. » C'est de la main de Shanti Naidoo. Je la revois encore en ce jour mémorable, les yeux creusés, les bras maigres sortant d'une robe jaune pâle sans manches, le cou tendu vers le juge Bekker[2] et lui déclarant d'une voix ferme : « Je ne pourrais plus jamais me regarder dans une glace si je témoignais contre les miens. »

Je l'ai aimée en cet instant et je l'aime encore plus aujourd'hui. Mon admiration et mon respect pour elle sont immenses. Seule une personne ayant subi les affres de l'isolement carcéral sait quels sacrifices peuvent coûter ces quelques mots. À ma grande honte, je n'ai pu retenir mes larmes quand Shanti les a prononcés – j'ai dû me dissimuler aux regards des journalistes derrière l'accusé N° 6[3], puis derrière N° 5[4]. La perspective de voir un gros titre du genre « La femme de Mandela pleure au tribunal » à la une des prétendus journaux non blancs n'était guère réjouissante.

Gribouillé en lettres cursives, je lis aussi : « Je n'oublierai jamais le 17 octobre », suivi de plusieurs rayures.

---

1. Environ 60 centimètres.
2. Simon Bekker, le juge du procès des vingt-deux.
3. Elliot Shabangu.
4. Jackson Mahlaule.

Dessous, une piètre tentative de calendrier où n'apparaissent que les premiers jours de chaque mois. Il a été esquissé par ma sœur, Nonyaniso Madikizela. Semblable à elle-même : têtue comme une mule et incapable d'aller au bout des choses. Quand elle décide de nettoyer la maison, elle s'occupe de toutes les pièces en même temps et finit par laisser tomber à mi-chemin. Elle est tour à tour affreusement maniaque et affreusement négligente. Durant notre enfance, il n'y avait que notre père qui réussissait à la calmer quand elle piquait une crise. Il dut même renoncer à la placer en internat car elle faisait ses valises et rentrait à la maison dès qu'elle ne supportait plus les enseignants. Voilà comment elle se retrouva externe, à l'inverse de toutes ses camarades. J'ai été choquée de la découvrir en témoin docile de l'accusation, très amaigrie par son passage à l'isolement. J'en ai ressenti une amertume si profonde que le temps ne suffira pas à guérir cette blessure. Et je préfère rester dans cette disposition pour le moment, ne serait-ce que pour justifier ma propre attitude.

Cela me rappelle que je me trouve dans ma troisième cellule depuis mon arrivée le 12 mai 1969. À l'entrée de la prison, il y a une grande porte sur la gauche, derrière laquelle se trouvent trente-neuf marches d'un noir éclatant qui mènent à l'étage. C'est là que l'on m'a conduite le premier jour. Dans une cellule isolée, séparée par une grille des deux longues rangées de cellules qui se faisaient face de part et d'autre du couloir. Ma porte donnait au nord-ouest, une petite fenêtre s'ouvrait à l'est et une autre, plus grande et plus haute, à l'ouest. Les trois jours passés dans cette cellule furent les plus faciles de tout mon séjour en prison grâce à cette petite fenêtre que je pouvais atteindre et ouvrir sans problème, ce qui me permettait de me plonger dans la contemplation du monde extérieur dès la fin du petit déjeuner.

Mon quotidien est exactement le même que dans les cellules précédentes : une routine vide. Après avoir nettoyé par terre, je me lave la bouche, le visage et les mains dans le pot de chambre avec l'eau versée dans la tasse. Faute de sanitaires, il faut utiliser le pot de chambre pour tout, et j'entraîne donc mes entrailles à ne faire leur travail qu'une fois par jour, le matin après la toilette, puisque le pot est changé justement à ce moment-là.

La deuxième sonnerie retentit à 7 heures du matin. La gardienne ouvre la porte de la cellule pour que je sorte le pot, la bouteille d'eau potable, la tasse et le *dixie*[1]. Dehors m'attendent un seau d'eau, une assiette de porridge et un pot « propre » qui n'a sans doute pas vu une goutte de désinfectant depuis longtemps. La gardienne verse dans la tasse du café sans sucre, ou avec si peu de sucre que je ne le sens pas, puis elle referme la porte. Le porridge est rarement chaud, ce qui m'oblige alors à me passer de petit déjeuner. Il faut dire qu'il est préparé à 40 ou 50 yards[2] de la cellule et, le temps qu'il arrive, il est déjà froid et couvert de poussière. L'hygiène n'existe pas en prison.

Je mange avant de me laver en rêvant de nourriture chaude, puis je m'habille et me lave les dents dans le seau – avec du dentifrice si j'en ai – avant de nettoyer tasse et cuillère. La porte s'ouvre de nouveau une heure plus tard pour que je sorte le seau d'eau et le *dixie* du petit déjeuner. C'est alors que l'on m'accorde parfois quinze à vingt minutes de promenade que je passe à tourner en rond et à frapper aux portes de mes camarades quand la gardienne ne me regarde pas. Ce fut durant de longs mois notre seul moyen de communication, jusqu'à ce que nous décidions d'envoyer promener le règlement Aucamp[3] et de nous parler en criant d'une cellule à l'autre au beau milieu de

---

1. Un plat en ferraille.
2. Environ 35 ou 45 mètres.
3. Le brigadier Aucamp, du département des prisons.

la nuit. Bien sûr, nous prétendons ne pas comprendre la gardienne qui nous somme en afrikaans de nous tenir tranquilles. Le déjeuner, lui, est servi à 11 h 30.

Le menu des prisonnières à l'isolement ressemble à ceci :

	Petit déjeuner	*Déjeuner*	*Dîner*
Lundi	Porridge pas cuit et café noir	Porridge, fayots et betterave	Épis de maïs cuits à sec et phuzamandla[1]
Mardi	idem	Porridge, épinards trop cuits et poisson frit	idem
Mercredi	idem	Porridge, fayots et parfois épinards trop cuits	idem
Jeudi	idem	Porridge, épinards trop cuits et un peu de viande	idem
Vendredi	idem	Porridge, fayots et épinards trop cuits	idem
Samedi	Porridge cuit et café	Porridge, betterave, un peu de viande et parfois de la patate douce	idem
Dimanche	idem	idem	idem

---

1. Littéralement « boisson énergétique », à base de maïs.

Chapitre 3

Acquittement et seconde arrestation

Le 16 février 1970, Winnie Mandela et les autres coaccusés reviennent au tribunal après plus d'un mois d'ajournement. Le procureur général en personne, Kenneth Donald McIntyre Moodie, prend la peine de faire une apparition remarquée durant laquelle il annonce l'abandon des charges pesant sur les vingt-deux prévenus. Le juge prononce donc leur remise en liberté immédiate, mais la Police spéciale les arrête dès leur sortie et les ramène à la prison centrale de Pretoria. Les policiers en profitent pour confisquer les notes que les accusés avaient préparées pour leurs avocats.

Le retour du tribunal

Des membres de la Police spéciale nous attendaient dans le bureau de la gardienne chef à notre retour du tribunal le 16 février 1970. J'avais laissé le sac plastique contenant tous mes papiers sur le banc des accusés, dans l'espoir que mon avocat le récupère. J'avais anticipé le pire, et même si le sac contenait principalement des comptes rendus d'audience, j'y avais glissé divers épisodes de la *Saga*[1] ainsi que des notices biographiques

---

1. Winnie Mandela a intitulé son journal et les notes afférentes *Saga*, d'après le nom donné à l'ensemble de l'affaire par son avocat David Soggott.

concernant les accusés N°s 17 et 18[1]. Malheureusement, Victor Mazitulela[2] pensa que je l'avais juste oublié et crut bon de me le rapporter. La PS[3] m'arrêta à la sortie du tribunal alors que j'essayais de retrouver mon avocat pour lui remettre ces documents. Les policiers nous entraînèrent l'un après l'autre dans un bureau pour confisquer toutes nos affaires, y compris stylos, cigarettes, etc.

Le retour en cellule

N° 7 fut désignée en premier par la gardienne chef pour rejoindre sa cellule. Elle nous lança un baiser d'au revoir, et Britz lui annonça aussitôt que cette infraction lui coûterait plusieurs repas les jours suivants. Je fus pour ma part la dernière de la liste, après avoir passé plus d'une heure debout. Ma valise et le sac dans lequel je gardais mes habits étaient posés à l'extérieur de la cellule.

La gardienne me déshabilla et me fouilla au corps avant de me laisser entrer. Mes vêtements étaient étalés par terre en compagnie de quatre couvertures puantes, d'un pot de chambre, d'une bouteille d'eau et de deux tapis de sisal. Je demandai à la gardienne de me rendre au moins la valise, pour les habits, mais elle m'affirma obéir aux ordres. Même les clous auxquels je pendais certains vêtements avaient disparu.

J'enveloppai donc mes habits dans l'une des couvertures dont je fis mon oreiller. Normalement, les prisonnières disposent de six couvertures et peuvent ainsi en utiliser deux comme oreillers. Je constatai vite que la ration du dîner avait elle aussi été divisée par deux.

---

1. Douglas Mvembe et Venus Thokozile Mngoma.
2. L'accusé N° 12.
3. Police spéciale.

Nous étions de nouveau soumises à l'agonie mentale de l'isolement.

Le brigadier Aucamp nous rendit visite pour la première fois le 24 février et nous rencontra chacune dans sa cellule. Il semblait de très bonne humeur quand il m'annonça que nous étions incarcérées pour avoir violé le règlement de la prison en écrivant toutes nos lettres. Je répliquai que nous étions censément détenues au titre de la loi antiterroriste : depuis quand écrire une lettre représentait-il un acte terroriste ? Il me répondit alors que ce n'était pas la peine de couper les cheveux en quatre puisque nous allions toutes rester ici au moins huit ans, quoi qu'il arrive. Il ajouta même – avec une certaine dérision – qu'à ma place, il songerait sérieusement à s'évader. Je pris cette remarque comme une référence ironique à cet épisode de la *Saga* dans lequel mon mari envisage de s'évader du Fort[1] ; j'en conclus que la *Saga* avait bel et bien été confisquée puisque ces faits n'apparaissent pas dans la chronologie officielle dont Aucamp devait posséder une copie.

Le magistrat visiteur

Cette même semaine, le magistrat visiteur des prisons nous a rendu visite le jeudi. Nous lui avons toutes adressé à peu près les mêmes requêtes :

– qu'on nous rende nos valises pour y ranger nos vêtements ;

– que nous puissions bénéficier d'un peu de lecture ;

– que l'accusation d'avoir violé le règlement de la prison soit officialisée, vu que le général Nel disposait

---

1. Winnie Mandela a rédigé quelques notes sur un plan visant à faire évader son mari de prison en 1962, plan finalement abandonné de peur qu'il s'agisse en fait d'un complot en vue de l'assassiner.

à n'en pas douter d'un personnel suffisamment efficace pour traiter cette affaire dans les plus brefs délais ;

– que nous puissions prendre notre temps de promenade ensemble, et si possible plus que les dix minutes deux à trois fois par semaine qu'on nous accordait ;

– qu'on nous donne des couvertures propres, plus de nourriture, des légumes propres et cuits correctement.

Nous avons effectivement obtenu de meilleures couvertures et une légère amélioration des périodes de promenade, mais à part ça, nous avons rapidement cessé de nous plaindre auprès du magistrat visiteur, qui ne servait pas à grand-chose.

La PS prenait soin de nous rendre elle aussi sa petite visite, juste après celle du magistrat, pour nous dire que l'accusation serait lancée quand bon lui semblerait, et que nous n'aurions jamais rien à lire.

Le 17 mars, Dirker[1] vint également m'avertir : « C'est à nous de décider quand lancer les accusations, il faut que vous arrêtiez d'en parler à chaque fois au magistrat visiteur. » Je lui hurlai à la figure en lui demandant pour qui il se prenait. S'était-il soudain élevé au rang de procureur général ? N'était-il pas plutôt un piètre adjudant, rang qu'il occupait déjà avant ma naissance ? Britz était là aussi et hurla à son tour qu'elle en avait assez de mes bêtises, que je ferais mieux de me taire. Puis ils partirent en claquant la porte. Je suis restée longtemps assise, sans vraiment y repenser, jusqu'à ce que la gardienne chef Zeelie vienne me prévenir que j'étais condamnée à jeûner le jour suivant.

Le 18, les autres filles refusèrent de s'alimenter par solidarité, à l'exception de N° 17[2]. Le lendemain, les gardiennes se montrèrent étrangement amicales. Le dimanche et le lundi suivants, nous reçûmes la visite de

---

1. Un officier de sécurité.
2. Venus Thokozile Mngoma (numérotation du second procès, voir liste en fin d'ouvrage, p. 306).

hautes personnalités du service des prisons, qui nous demandèrent si nous avions des plaintes à formuler sur les conditions de détention. Faute de présentations, nous ne sûmes jamais à qui nous avions eu affaire, mais l'un d'eux, couvert de galons et de médailles, était sans doute le général Nel.

Je n'ai jamais revu Dirker.

Le week-end de Pâques

La deuxième semaine de mars une douche chaude fut installée à proximité de nos cellules[1]. Ce n'était qu'un bout de tôle ondulée en plein air, sans toit, mais aussi un luxe auquel nous n'avions jamais eu droit. Les gardiennes nous demandaient tous les jours si nous voulions nous en servir, même si elles savaient que ce n'était possible qu'en été à cause du froid.

Le brigadier Aucamp vint me visiter dans ma cellule le samedi de Pâques : « J'ai vu votre mari cette semaine, il raconte toujours n'importe quoi. Il reprend du poids pour la première fois depuis tout ce temps qu'il croupit en prison. Sans doute la joie de savoir sa femme en cellule – drôle de couple ! Il est aussi en forme qu'au début des années soixante. » Il marmonna autre chose, puis sortit avant que je sois en mesure de rétorquer quoi que ce soit.

Mars 1970

La première semaine de mars, on nous distribua des bibles et des livres de cantiques. Quelques jours plus tard, je m'aperçus que je lisais souvent quatre ou cinq fois la même ligne sans parvenir à me concentrer.

---

1. Ce progrès résultait d'une action en justice menée par les avocats des détenues.

À ce moment-là, les gardiennes ne nous parlaient presque plus et nous traitaient durement. Nous n'avions plus droit qu'à une promenade de dix minutes au mieux, trois fois par semaine, et il nous arrivait fréquemment de ne pas sortir de cellule du jeudi au lundi.

Suite à ma punition du 18 mars, je fus victime d'un nouveau type de crises qui se déclenchaient surtout la nuit.

Les crises

Elles commencent comme un évanouissement, même si je suis déjà allongée. Je ne sens plus mon corps, je perds tout contrôle de mes muscles, mes battements de cœur deviennent irréguliers et je lutte pour respirer. Puis mon corps se remet en marche dans un spasme violent. Je respire alors très vite et sue en abondance.

J'ai fini par avoir peur de m'endormir, au point de rester assise toute la nuit. L'anxiété me gagne dans le courant de l'après-midi et la tombée de la nuit me terrifie. À deux reprises, lors de crises aiguës, j'ai frappé au mur de la cellule voisine, celle de N° 17, qui a malheureusement le sommeil lourd. N° 18[1] m'entendait taper quatre cellules plus loin, mais je ne pouvais pas lui parler puisque nous n'avions pas le droit de communiquer.

Rétention d'urine et saignements

La troisième semaine de mars, je connus des problèmes de rétention d'urine qui se produisaient souvent après les crises décrites ci-dessus. Je luttais des heures durant, surtout la nuit, essayant sept ou huit fois

_____
1. Martha Dlamini.

d'uriner avant de parvenir à émettre un mince filet. Je demandai à consulter un médecin même si, en prison, les médecins se contentent d'échanger trois phrases avec vous avant de donner leur prescription. Le docteur que je vis à cette occasion n'était pas celui qui me suivait d'habitude. Il m'interrogea depuis le couloir. Je saignais abondamment depuis huit jours alors que mes règles n'en durent normalement que trois, un souci hérité du début de mon emprisonnement. Un infirmier finit par me donner quelque chose pour les saignements.

La rétention d'urine empira la première semaine d'avril malgré le nouveau traitement. J'ingurgitais à cette époque huit médicaments différents, trois fois par jour. Le premier médecin augmenta la dose de somnifères, ce qui me permit de dormir une petite moitié de la nuit. Sans eux, j'étais incapable de fermer l'œil. Les saignements se poursuivirent jusqu'à ce que le médecin modifie le traitement.

J'avais l'impression de devenir une vraie droguée. J'étais effrayée à l'idée de ce qui m'attendait en cas de condamnation à une lourde peine – je n'aurais sans doute plus accès à ces soins.

Je perdais aussi l'appétit, ce qui me laissait au fil des jours un goût de plus en plus amer dans la bouche. Je ne voulais plus rien avaler.

Chapitre 4

État d'esprit

L'idée d'entamer une nouvelle période de détention faillit bien me faire craquer.

Peut-être parce que je savais déjà ce qui m'attendait en cellule d'isolement, ces deux premières semaines furent vraiment les pires de toutes. Je passai alors par différentes phases.

Je devais m'estimer heureuse de recevoir une seule de mes trois doses quotidiennes de médicaments. J'étais obligée de supplier les gardiennes pour obtenir les comprimés. Parfois, je ne réussissais pas à dormir même en ayant récupéré tout ce qu'il fallait. Me découvrir somnambule acheva de me terrifier. À quatre reprises je me réveillai devant la porte, incapable de me rappeler comment j'étais arrivée là. Cela se produisait surtout lors de courtes périodes de sommeil.

Je faisais d'horribles cauchemars qui me réveillaient, hurlante, en pleine nuit. Je m'étais rendu compte que je parlais dans mon sommeil quand je rêvais de mes enfants, avec lesquels j'entretenais de véritables conversations. Mes cris répondaient à ceux qu'ils avaient poussés la nuit de mon arrestation, un épisode qui restera à jamais gravé dans ma mémoire. Je passais mes journées à parcourir ma cellule de long en large dans l'espoir d'être assez épuisée pour dormir en paix.

Malgré le manque de sommeil, je ne me sentais pas fatiguée durant la journée. J'étais de plus en plus tendue et ne supportais plus la lumière allumée jour et nuit.

Comme je m'alimentais peu faute d'appétit, les rations des autres détenues furent divisées par quatre. Cela me suffisait mais constituait une sévère punition pour mes camarades, notamment pour l'une d'elles, grosse mangeuse. Je décidai alors de jeter mes restes dans le pot de chambre et suggérai à N° 7 et N° 9, elles-mêmes en mal d'appétit, d'en faire autant si elles ne finissaient pas leur repas. La nuit, nous parvenions à nous parler en murmurant d'une cellule à l'autre.

Les évanouissements dont je souffrais depuis le début de ma détention, soit près d'un an, ne cessaient d'empirer. Si je me levais trop vite je tombais, et quand je reprenais conscience je sentais mon sang se ruer dans ma tête, qu'il me fallait alors poser sur mes genoux.

Je remplissais les longues heures vides en déroulant le film de ma vie. Ma mère est morte quand j'avais neuf ans. Elle me manquait terriblement même si je ne m'en souvenais pas très bien. Par contre, je me rappelais mon enfance difficile, notre famille si pauvre bien que mon père ait été directeur d'école. Je lavais et repassais sa chemise kaki tous les soirs, de même que son pantalon troué, mais j'étais trop jeune pour le faire correctement. J'ai souvent pleuré à cause des autres enfants qui se moquaient de sa tenue. La maladie de ma mère nous a ruinés alors qu'il y avait neuf enfants à nourrir. Ça a duré des années au cours desquelles le moindre sou était consacré aux frais médicaux. Quand elle est morte, j'ai dû m'occuper de mon petit frère, âgé de trois mois.

Tous ces événements me revenaient à l'esprit aussi clairement que s'ils s'étaient produits la veille. Je pleurais en me souvenant d'autres larmes, quand j'avais dû quitter l'école pour veiller sur le bétail, mon petit frère accroché sur le dos. Mon père ne pouvait même pas louer les services d'un gardien de troupeau alors que c'était monnaie courante à l'époque.

Mon pouls s'accélérait et j'avais des crises d'essoufflement même en plein jour, ce qui ne m'était encore jamais arrivé. D'ordinaire, elles se déclenchaient la nuit, une fois couchée. Ma tension artérielle s'effondrait.

Je m'inquiétais pour moi et plus encore pour les « gamines » du groupe. Je cherchais désespérément un moyen de les arracher à l'horreur de l'isolement. C'était mon devoir de les sauver, par n'importe quel moyen, à condition que Nelson et mon peuple comprennent mon geste.

Chapitre 5

La décision

Avril 1970

Dès la deuxième semaine d'avril, je ne supportais plus d'être à l'isolement. Il pouvait s'écouler encore un an avant un nouveau procès, puisque nous ne subissions plus aucun interrogatoire. Il m'apparut soudain que si je mettais fin à mes jours, il n'y aurait pas de procès et mes camarades échapperaient à l'enfer de l'isolement. Les heures vides, interminables, mettaient mon âme à rude épreuve. Parfois, j'étais tellement mal que j'en venais à me taper la tête contre les murs. Je préférais encore la douleur physique.

Je décidai donc de recourir au suicide, mais en m'arrangeant pour mourir à petit feu, de mort naturelle, afin que Nelson et les enfants n'apprennent jamais la vérité. J'estimai en outre que c'était le meilleur moyen de mobiliser l'opinion publique mondiale contre les méfaits de la loi antiterroriste, tout en évitant que ma mort soit perçue comme un geste lâche. Mais il me fallait d'abord reprendre contact avec le monde extérieur, mon avocat et ma famille, afin d'être en mesure de transmettre un message d'adieu à Nelson et aux enfants dans les derniers jours de mon calvaire. La préparation de mon suicide se décomposa en plusieurs étapes.

Je savais que F.B.[1] pouvait communiquer avec quelqu'un de l'infirmerie, donc, si je m'y trouvais, j'avais une chance de réussir à contacter mon avocat. J'ai cessé de prendre mes médicaments. Une gardienne se tenait dans la cellule pour vérifier que j'avalais bien les comprimés, mais je les gardais sous la langue et les crachais dans le pot de chambre dès qu'elle était partie.

J'arrêtai aussi de m'alimenter. Je buvais quand même le café du matin, ce qui faisait battre mon cœur malade encore plus vite. Je n'essayais même plus de dormir, je restais assise toute la nuit en méditant ma décision. Je voulais me persuader que ma contribution à notre lutte était par trop dérisoire, que la période était défavorable à toute action positive, alors que ma mort aurait un retentissement mondial et toucherait ceux de mes concitoyens possédant encore une once de conscience, tels les étudiants ou les fidèles de l'Église. Au bout du compte, je résolus d'expliquer dans mon message d'adieu que j'avais mis fin à mes jours pour protester contre la loi antiterroriste. Je me demandais combien de camarades étaient morts en prison sans que personne le sache, en particulier ceux arrêtés durant les escarmouches aux frontières.

Je ne cherchais plus à consulter le médecin. Je perdis rapidement du poids et mes crises duraient de plus en plus longtemps. La dernière semaine d'avril, certaines parties de mon corps ont commencé à s'agiter et à se tordre pendant les crises comme si je devenais épileptique. Pourtant, je me sentais étrangement en paix avec moi-même. J'en venais à apprécier le goût doux-amer de la souffrance injuste et me réjouissais d'avance d'une mort si dramatique. Quand je finissais par m'endormir, j'étais si heureuse que j'espérais ne jamais me réveiller, même si je n'avais pas réussi à me faire admettre à l'infirmerie.

---

1. Cette personne n'a pas été identifiée.

24 mai 1970

Je suivis mon plan à la lettre jusqu'au 1ᵉʳ mai, jour où je fus emmenée au Compol Building[1] pour interrogatoire. J'ai déjà parlé de cette journée dans mes notes précédentes, mais ce qui suit n'y figurait pas, au cas où les gardiennes auraient encore une fois confisqué mes documents avant que je puisse les faire passer à mon avocat.

Le brigadier Aucamp me rendit visite, pour la première fois depuis longtemps, à mon retour du Compol Building. Ce fut à cette occasion que je présentai nos doléances concernant les valises et les conditions de détention en général. Ma perte de poids l'inquiéta fortement, ce qui le poussa à me faire examiner dès le 6 mai par un médecin, lequel recommanda une hospitalisation d'urgence.

Le 1ᵉʳ mai, Rita[2] me parla durant la nuit. Elle ne m'avait jamais entendue hurler comme ça devant Aucamp. Je pense qu'elles étaient toutes plus ou moins effrayées des possibles conséquences de mon attitude. Je lui expliquai que c'était à mon avis le seul moyen de discuter avec le brigadier, vu qu'il avait tendance à confondre respect et soumission. Elles me remercièrent quand elles finirent par récupérer leur valise – mes cris avaient porté leurs fruits.

Le 6 mai pendant la promenade, je parvins à glisser à l'oreille de N° 7, à travers le judas de ma porte, que j'allais être transférée à l'infirmerie. Elle devait dire aux autres de ne pas s'inquiéter, car j'avais délibérément joué sur mon état de santé pour forcer Aucamp et ses sbires à prendre une décision nous concernant, même si cela conduisait à de nouveaux interrogatoires. J'ajoutai que j'espérais profiter de mon passage à l'infirmerie pour glaner des renseignements.

---

1. Le quartier général de la Police spéciale.
2. Rita Ndzanga, accusée N° 9.

Après l'examen médical du 6 mai 1970

Le médecin finit par se douter que je ne prenais pas mes médicaments, à moins qu'une nouvelle maladie se soit développée en parallèle aux problèmes cardiaques. Il interrompit tout le traitement et déclara à la gardienne chef Zeelie qu'il ne se risquerait pas à m'en donner un autre avant que je consulte un spécialiste. Mon état de santé l'inquiétait lui aussi. La première nuit, je réussis à parler à la prisonnière que le brigadier avait désignée pour me surveiller. Aucamp m'avait ordonné de ne pas lui adresser la parole, en précisant qu'elle était là pour assurer ma sécurité puisque le médecin m'avait jugée gravement malade.

J'étais à ce moment-là la seule patiente de l'infirmerie. La gardienne qui m'apportait les repas s'asseyait à mes côtés pour vérifier que je mangeais. Comme je n'avais rien ingurgité depuis longtemps, mon estomac se révolta aussitôt et je vomis toute la nourriture. L'infirmier me donna un comprimé contre les vomissements, mais cela ne fit qu'empirer les choses.

Le 7 mai, j'obtins enfin des nouvelles du monde extérieur. L'infirmier passait me voir régulièrement ; je continuais à vomir et à m'affaiblir. Le rendez-vous avec le spécialiste était fixé au 20 mai. Entre-temps, le médecin de la prison finit par me prescrire des comprimés rouges que je n'avais jamais pris auparavant.

Je glanai de précieux renseignements sur les manifestations étudiantes[1], l'indignation de la presse, etc. Les dirigeants du pays allaient être obligés de s'expliquer sur notre triste sort. Je découvris ensuite une déclaration du ministère de la Justice stipulant que nous serions rapidement inculpés ou libérés. D'autres communiqués émanaient du Barreau, de M. Wentzel, de notre

---

1. Des étudiants de l'université du Witwatersrand avaient manifesté contre la longue détention de Winnie Mandela et de ses camarades.

avocat, de MM. Mncube, Maponya[1], du Dr Nkomo, de Mgr Stranling[2], etc. J'avais hâte de retrouver mes camarades car mes plans changeaient du tout au tout. J'attendais désormais ce nouveau procès avec impatience. Suite à la visite de divers spécialistes, que j'ai déjà eu l'occasion de raconter, je demandai à la gardienne chef de me laisser retourner en cellule.

Le 13 ou le 14 mai, je parvins à faire passer un message à ma famille et à mon avocat. Je me sentais très mal ce jour-là et n'étais pas encore revenue sur ma décision. Le 10 juin, je regagnai ma cellule, puis profitai de la nuit pour informer mes camarades des derniers développements de notre affaire. Mais j'étais trop faible et dus reprendre le chemin de l'infirmerie dès le 15[3].

---

1. Richard Maponya, homme d'affaires noir ayant notamment essayé d'améliorer les conditions de vie à Soweto.
2. L'évêque anglican de Johannesbourg.
3. Ce qui empêcha Winnie Mandela de se présenter à l'audience du 18 juin 1970.

Chapitre 6

Santé

Mon état de santé à l'heure actuelle

Mes règles se sont prolongées tout ce mois-ci à cause de la bronchite, de l'anémie et d'une autre complication dont j'ignore tout, même si j'ai pu en déchiffrer le nom compliqué sur mon dossier médical quand le chirurgien du district de Pretoria m'a examinée le 18. Je me sens extrêmement faible, sans doute à cause de ma maigreur et d'un appétit toujours en berne. Le Dr Morgan m'a dit que les antidépresseurs m'aideraient sur ce point, mais qu'il ne fallait pas en attendre de miracle et que ça prendrait du temps.

Mon traitement

Mon traitement pour le cœur est identique à celui que je suivais avant ma seconde arrestation. Il m'avait été prescrit par le spécialiste l'année dernière, puis remplacé par un autre (des capsules jaunes et trois autres médicaments) sur avis du médecin de la prison. Je suis revenue au premier traitement depuis mon entrée à l'infirmerie : quatre gouttes trois fois par jour, de l'Inderal, du Roche (*sic*), du Mondex et quelque chose prescrit par le psychiatre.

Pour les saignements, je reçois deux piqûres tous les deux jours. En général, j'arrête de saigner ce jour-là et recommence dès le lendemain. Les crises ont disparu depuis que je prends le médicament prescrit par le psychiatre. Finalement, peut-être ai-je besoin de ses services ! Après avoir lu des extraits de la *Saga*, mon avocat m'a dit que j'avais subi des dommages au cerveau et m'a demandé si j'étais bien en contact avec la réalité.

Une fois, j'ai été totalement incapable de dire au Dr Morgan quel jour nous étions. C'est terrible quand votre esprit se vide et que vous oubliez les détails les plus simples, même si vous faites un gros effort pour vous en souvenir.

À partir du 6 mai 1970

Le médecin m'ausculta le 6 mai. À cette époque, je ne consommais pas moins de huit médicaments différents trois fois par jour, et mes évanouissements s'étaient transformés en périodes de lourde somnolence qui duraient environ quinze minutes. Je souffrais également de rétention d'urine, un calvaire qui me gardait éveillée toute la nuit malgré les somnifères.

Le médecin estima mon état très préoccupant et ordonna mon hospitalisation d'urgence. Il suspendit l'ensemble de mon traitement dans l'attente d'une consultation du cardiologue, le Dr Weiss. Une demi-heure plus tard, je vis surgir le brigadier Aucamp qui m'emmena dans le bureau de la gardienne chef. Il m'annonça qu'il avait autorisé mon transfert à l'infirmerie de la prison, où le spécialiste pourrait me rendre visite. Le médecin avait pourtant recommandé mon admission à l'hôpital général, mais le brigadier doutait de la sécurité des lieux publics.

L'après-midi du 6, je me retrouvai à l'isolement à l'infirmerie de la prison, les autres patients ayant été renvoyés en cellule. J'allais de mal en pis, vomissant tout à l'exception du porridge. L'infirmier en chef me donna un autre médicament jusqu'au 13 mai, date à laquelle je refusai de continuer car cela n'avait aucun effet sur les vomissements. Je demandai à voir le médecin, qui se déplaça dès le lendemain.

Il me prescrivit à nouveau le traitement que je suivais au début de ma détention : double dose d'Inderal, du Roche et deux autres produits. C'est à cette occasion qu'il m'annonça le rendez-vous du 20 mai avec le spécialiste.

20 mai 1970

La Police spéciale me conduisit au cabinet du Dr Weiss. J'y fus examinée deux heures durant par un autre spécialiste, en présence de Weiss ; ils semblaient avoir décidé que deux avis valaient mieux qu'un. Après ce long examen, une prise de sang, une radio et un électrocardiogramme, leur diagnostic se porta sur l'hyperventilation. Mon cœur était soumis à un stress terrible, il produisait certains électrons qui accéléraient ma respiration à tel point que je n'avais plus assez de dioxyde de carbone dans le sang.

Ces symptômes pouvaient provenir d'un manque de calcium, de fer, de sucre ou de protéines, mais les origines les plus communes restaient malgré tout une tension élevée et une grande anxiété. Pour le traitement, il faudrait attendre que les tests sanguins déterminent la cause exacte de mon état. Le docteur dit aussi qu'il me prendrait rendez-vous avec un gynécologue, car l'anémie prenait sans doute sa source dans le fait que j'avais mes règles deux fois par mois depuis le début de ma détention. Quant au médecin de la prison, il devrait me fournir une sorte de « sac de couchage » dans lequel j'inspirerais de nouveau le dioxyde de carbone expiré pendant la nuit.

26 mai 1970

Le 26, la PS m'emmena au septième étage du Centre médical de Pretoria. J'ai oublié le nom du docteur présent ce jour-là, mais c'était dans un laboratoire où l'on me préleva des échantillons de sang et d'urine.

27 mai 1970

Quand le médecin de la prison me rendit visite avec le rapport du cardiologue entre les mains, ses collègues et lui étaient convaincus que ma santé se détériorait à cause d'une extrême anxiété. Il avait d'ores et déjà pris rendez-vous avec un psychiatre, mais je ne devais pas m'inquiéter pour autant : personne ne pensait que j'étais folle, il s'agissait juste de prendre un avis complémentaire. Mon traitement ne serait modifié qu'après réception de l'ensemble des résultats. Au 20 mai, j'avais perdu 18 livres[1].

28 mai 1970

Le 28, je me retrouvai dans le bureau de la gardienne chef avec deux psychiatres de Weskoppies[2]. L'un était un homme, l'autre une femme, et ce fut cette dernière, le Dr Morgan, qui mena la discussion. J'avoue avoir

------

1. Environ 8 kilos.
2. Un hôpital psychiatrique de Pretoria *(NdT)*.

toujours eu du mal à distinguer patients et psychiatres. À cette époque, j'étais persuadée que tous les psychiatres étaient dingues, comme tendaient encore à le prouver les questions absurdes qu'ils me posèrent ce jour-là :

« Mon assistant et moi-même souhaitons vous aider à résoudre les problèmes qui vous ont perturbée ces derniers temps. Pourriez-vous nous les décrire ?

– Bien sûr. Il s'agit de l'isolement carcéral et d'enjeux politiques qui n'entrent pas dans les prérogatives d'un psychiatre. En fait, ce n'est pas moi qui devrais me trouver devant vous, mais les personnes capables de mettre des êtres humains à l'isolement pendant plus d'un an.

– Je vous en prie, madame Mandela, soyez indulgente avec nous. Nous voulons juste vous aider. Quel âge ont vos enfants ? Où sont-ils et qui s'en occupe pendant votre détention ? »

Je donnai les âges des filles, mais m'avouai incapable d'en dire plus, puisque j'étais coupée du monde extérieur. Je n'avais aucun contact avec ma famille et ignorais donc où se trouvaient les enfants.

« Avez-vous parfois des hallucinations ? Vous arrive-t-il de douter de votre santé mentale et avez-vous déjà songé à consulter un psychiatre ? »

Que répondre ? Je ne pus m'empêcher d'éclater de rire et de préciser que tout ceci m'amusait beaucoup. J'ajoutai quand même que j'avais un frère schizophrène ayant développé cette maladie suite à notre enfance difficile, mais c'était une affaire familiale dont je ne souhaitais pas discuter plus avant. J'avais déjà été suffisamment interrogée sur le fait que j'étais allée le voir à Sterkfontein[1] sans permission. Je sentais bien que ce Dr Morgan cherchait des antécédents de maladie mentale dans la famille.

_____

1. Hôpital psychiatrique à Krugersdorp, près de Johannesburg.

Les questions les plus ahurissantes furent à coup sûr celles-ci : « Pensez-vous avoir été choisie par Dieu pour jouer un rôle majeur au sein de votre peuple ? Vous arrive-t-il d'entendre la voix de Dieu vous ordonner de prendre les rênes de votre peuple ? »

Ma réponse fut la suivante :

« Dr Morgan, je souhaite coopérer avec vous. Je n'ai nulle envie de me mettre en colère puisque vous n'avez rien à voir avec mon incarcération, sauf bien sûr si vous avez voté pour ceux qui m'ont jetée en prison. Si vous n'avez pas d'autre question, je suggère que nous mettions un terme à cet entretien. Vos propos insultent mon mari et notre fierté nationale. Poseriez-vous ces questions à la femme de Vorster[1] si les rôles étaient inversés ?

— Vous avez raison, madame Mandela, je vous présente mes excuses. Je n'avais pas l'intention de vous offenser. Mais vous avez l'air si tendue, si déprimée. Je veux seulement vous aider.

— Bien sûr que je suis tendue et déprimée. Qui ne le serait pas après avoir subi des conditions de détention aussi brutales pendant un an ?

— Ne vous souciez pas de votre perte de poids, c'est tout à fait naturel vu les circonstances. Je vais vous prescrire un antidépresseur pour vous détendre. Nous nous reverrons la semaine prochaine. »

En fait, je n'ai plus jamais revu cet affreux couple. Mon informatrice m'apprit ensuite qu'une réunion d'urgence s'était tenue dès mon retour en cellule, avec les psychiatres, Aucamp, le général, des membres de la PS et toutes les gardiennes. Ils fermèrent portes et fenêtres, puis renvoyèrent les prisonnières qui travaillaient d'ordinaire dans le bureau. Ma camarade voulut leur apporter du thé, mais la gardienne chef l'intercepta à l'entrée. Avant que la porte se referme, elle eut juste

1. John Vorster, le Premier ministre de l'époque.

le temps d'entendre les mots « organiser très rapidement une sorte de procès si nous voulons justifier… ». Comme la voix lui était inconnue, elle supposa qu'il s'agissait de l'un des docteurs.

2 juin 1970

À l'infirmerie, le gynécologue m'infligea un examen très douloureux qui dura environ une heure. Il préleva des échantillons à fin d'analyse pour déterminer la cause de l'anémie et des règles qui revenaient toutes les deux semaines. Après quoi, le docteur se déclara satisfait que tout ceci soit juste un effet du stress. Une fois les tests effectués, il comptait envoyer son rapport au préfet de police.

Je fus renvoyée en cellule le 10 juin, mais tous les symptômes réapparurent au petit matin. Le 12, je demandai à revoir le médecin. Le brigadier et la gardienne chef me rendirent visite en fin d'après-midi ; Aucamp m'annonça un rendez-vous avec le médecin le lundi 15. Le samedi 13, mon état de santé avait encore empiré. L'infirmier en chef prit ma température dans la cellule : elle était très élevée. On apporta un lit d'hôpital pour que je puisse m'allonger correctement. Ma température ne cessait de grimper, car ma fenêtre n'avait pas de carreau et le courant d'air nocturne était glacé.

Je retournai à l'infirmerie le lundi. Le lendemain, des membres de la PS vinrent prendre mes empreintes digitales. Aucamp passa un peu plus tard me dire qu'il se rendait à Robben Island et que j'avais le droit d'écrire une lettre à mon mari, à condition qu'elle ne mentionne ni date, ni adresse, ni rien de politique. Je rédigeai une courte missive dans laquelle j'informais Nelson que je n'étais pas au mieux. Je lui suggérai de s'arranger avec Aucamp pour rencontrer notre avocat et nommer le tuteur des filles, afin que celui-ci puisse les mettre sur son passeport et les emmener en vacances dans ma famille. Le fait que les filles n'aient pas revu notre maison depuis mon arrestation pouvait leur occasionner de graves troubles psychologiques. Si jeunes, elles avaient besoin d'être entourées par leur famille. C'est pourquoi je demandai à Nelson de s'en occuper de toute urgence. Je lui rappelai aussi que le tuteur et l'avocat devaient gérer la bourse Waterford[1], ce qui impliquait de signer rapidement un certain nombre de documents. Le brigadier m'ordonna de ne parler de cette lettre à personne, puisqu'il m'avait publiquement interdit de correspondre avec mon mari. Voilà qu'il me faisait une faveur !

Les rapports médicaux

J'aimerais que mon avocat réclame tous les rapports médicaux envoyés au préfet de police. Après tout, M. Levin[2] reçoit un compte rendu détaillé chaque fois que je consulte un médecin, alors qu'il n'a rien demandé. Il nous les faudrait tous, depuis celui rédigé par le cardiologue le 12 juin 1969. Je m'aperçois que le brigadier et les hauts responsables de la prison s'inquiètent beaucoup de mon état de santé. Le jour de son départ pour Robben Island, Aucamp m'a dit qu'ils attendaient l'avis de l'ensemble des spécialistes avant de me prescrire un nouveau traitement.

---

1. L'école Waterford Kamhlaba, au Swaziland.
2. Mendel Levin, l'avocat suggéré par Maud Katzenellenbogen. Il était censé défendre Winnie Mandela à son procès avant qu'elle choisisse Joel Carlson.

Chapitre 7

Interrogatoire

On m'emmena au Compol Building pour y subir un interrogatoire continu, nuit et jour… Je commençai à répondre à leurs questions le cinquième jour. Plusieurs personnes, dont le seul crime était de m'avoir rendu visite à la maison, devaient rester en prison jusqu'à ce que je réponde. Le commandant Swanepoel affirma qu'elles seraient relâchées dès que je donnerais des réponses satisfaisantes, réponses qui consistaient en fait à confirmer ce qu'ils savaient déjà. »

(Extrait du journal)

Mai 1970

On me transporta au Compol Building le 1ᵉʳ mai 1970 ; je fus introduite dès mon arrivée dans le bureau du commandant Swanepoel, qui mena l'interrogatoire en compagnie du commandant Ferreira[1].

SWANEPOEL : Je constate que vous avez l'air fâchée et que vous avez perdu beaucoup de poids. Qu'est-ce qui se passe ? Vous n'êtes pas contente ?

ACCUSÉE N° 4[2] : Je n'ai aucune raison de l'être.

SWANEPOEL : Vous avez perdu du poids ?

N° 4 : Pourquoi s'attarder sur des évidences ?

---

1. Petrus Ferreira, de la Brigade antisabotage.
2. Winnie Mandela (numérotation du second procès, voir liste en fin d'ouvrage, p. 306).

SWANEPOEL : De toute façon, vous êtes ici pour un nouvel interrogatoire. Il nous faut plus d'informations sur vos relations avec l'étranger, et notamment sur la correspondance entretenue avec le groupe tanzanien. Vous en savez beaucoup plus que ce que vous avez bien voulu dire lors du précédent interrogatoire. Maintenant, vous allez vraiment répondre à mes questions. Et j'en ai un paquet.

N° 4 : Vous m'avez tenue éveillée cinq jours et six nuits pour répondre à vos questions. Puis vous m'avez déférée devant le tribunal au titre de la loi antiterroriste une fois que mes réponses ont été jugées satisfaisantes. Sinon vous auriez poursuivi l'interrogatoire. Donc je ne répondrai plus à aucune question.

SWANEPOEL : C'est là que vous vous trompez. Cet épisode n'a rien à voir avec ce que nous faisons aujourd'hui. Nous voulons de nouvelles informations, de nouvelles réponses de votre part, et vous savez que nous pouvons être très patients. Alors comptez-vous répondre maintenant ou à une date de votre choix ?

N° 4 : J'ai déjà dit que je ne répondrai pas. Si vous continuez à poser vos questions, je me contenterai de me taire. Désormais, je ne vous parlerai plus qu'au tribunal. Je n'ai pas d'autre moyen d'expression, même si les juges sont des marionnettes. Mais je me console en pensant que le monde entier est à mes côtés, alors que vous, vous êtes seuls.

FERREIRA : Vous semblez oublier que vous êtes totalement en notre pouvoir. Écoutez, vous êtes détenue au titre de la loi antiterroriste, donc nous avons le droit de vous interroger aussi longtemps que nécessaire. Je peux vous fournir le texte de loi. Si vous refusez de répondre aujourd'hui, nous essaierons de nouveau l'an prochain ou en 1978. Je vais chercher le texte de loi pour vous prouver ce que j'avance. (Il sortit du bureau.)

Swanepoel : Vous me parlez de moyens d'expression, Winnie, mais je ne suis qu'un simple policier. Je n'ai rien à voir avec les moyens d'expression. Mon métier, comme vous le savez, c'est d'assurer la sécurité de l'État. Vous critiquez les magistrats de ce pays, mais quand je me présente devant eux, je suis un citoyen comme un autre.

N° 4, *l'interrompant* : C'est vrai qu'ils ne vous font pas de cadeaux ! Comme ce jugement rendu en deux minutes dans l'affaire Lenkoe[1]. Vous auriez au moins pu exécuter la bonne personne.

Swanepoel bondit de sa chaise et me tourna le dos pour aller se planter à la fenêtre, mains dans les poches. Je l'entendais respirer bruyamment, luttant pour ne pas perdre son sang-froid. Le commandant Ferreira revint à cet instant. Il n'avait trouvé le texte de loi qu'en afrikaans et voulait savoir si j'étais capable de le lire. Je lui répondis que je parlais la langue de nos premiers oppresseurs, mais que le charabia qui servait de langue aux seconds n'était pas une matière obligatoire dans l'école que j'avais fréquentée au Cap. Furieux, il jeta le document sur la table. Les deux hommes se rassirent.

Ferreira : Vous perdez votre temps. Vous feriez mieux d'admettre que vous finirez par parler tôt ou tard. Nous ne sommes pas là pour vous faire plaisir. C'est vous qui retardez volontairement votre procès. En fait, jusqu'à présent, vous n'avez fait que confirmer nos soupçons sans rien nous apprendre.

N° 4 : Le brigadier Aucamp prétend que mes camarades et moi-même sommes détenus pour infraction au règlement de la prison. Vous n'avez rien à voir dans cette affaire. C'est le préfet de police qui doit m'inculper.

---

1. Joel Carlson représentait la veuve de James Lenkoe, mort en détention. Le jugement évoqué est peut-être celui qui conclut, après enquête, à un suicide.

FERREIRA : Ce que dit le brigadier Aucamp ne m'intéresse pas. Nous sommes ici pour vous interroger et, vu votre attitude, nous allons être obligés d'employer des méthodes regrettables. Vous parlerez, que vous le vouliez ou non.

N° 4 : Vous pouvez employer la méthode Phillip Golding[1] ou la méthode Caleb Mayekiso[2], comme il vous plaira. Partons pour la salle des tortures, je suis prête. Mon avocat a reçu des instructions concernant la future enquête.

SWANEPOEL : Ah ! voilà enfin la vraie Winnie Mandela. Indomptable ! Vous savez quoi, Ferreira ? Nous sommes de retour au début des années soixante. Je croyais pourtant que ça lui passerait. Nous l'avions déçue, à l'époque. Nous savions qu'elle mourait d'envie d'être détenue quatre-vingt-dix jours et nous ne lui avons même pas fait ce plaisir. Et vous savez le pire dans tout ça ? Elle pense ce qu'elle dit, il n'y a rien à faire. Très bien, Winnie, nous réessaierons la prochaine fois, dans une semaine, dans un mois, dans un an. Un petit sourire avant de nous quitter ? (Je restai impassible.) Commandant, raccompagnez-la, je vous prie. C'est vendredi, ce n'est sans doute pas son meilleur jour, ou alors c'est nous qui ne sommes pas dans un jour de chance. (Je me levai, mais Swanepoel ajouta :) Votre déjeuner doit déjà être froid, à la prison. Vous voulez qu'on vous achète quelque chose à manger ? À moins que vous préfériez des cosmétiques ? Allez, faites-moi une liste.

Après avoir répété la proposition trois fois sans obtenir de réponse, il ordonna à Ferreira et à un autre officier de me ramener à la prison centrale. Une fois là-bas, ils emmenèrent l'accusée N° 7.

---

1. Syndicaliste britannique torturé et forcé de témoigner à charge lors du procès de décembre 1969.
2. Prisonnier mort en détention dix-huit jours après son arrestation en mai 1969.

Je n'ai pas connaissance de l'existence de nouvelles preuves contre moi. Je suppose donc que je serai jugée sur les mêmes accusations, sauf s'ils vont chercher avant octobre 1967, auquel cas je pourrais être inculpée de recrutement pour nos forces armées. Deux témoins qui ont déjà déposé au procès de Rivonia[1] et dans l'affaire Carneson pourraient aussi témoigner contre moi. À condition de remonter aux années 1962-1964, mais à cette époque, aucun autre accusé ne participait à mes activités. Les dernières recrues de 1964 ont été arrêtées en essayant de quitter le pays. Personne n'a donné mon nom. La plupart d'entre elles ont fini en prison, mais à présent, elles sont presque toutes libres.

---

1. Le procès pour sabotage intenté entre autres à Nelson Mandela.

Chapitre 8

Interrogatoire et autres problèmes

Après son arrestation le 5 août 1962, Nelson Mandela fut d'abord détenu dans une prison du centre de Johannesbourg connue sous le nom de « Fort » ou de « Numéro Quatre ». Il y rencontra un autre prisonnier, Moosa Dinath, qui purgeait une peine pour fraude. Cet homme était autorisé à lui parler et bénéficiait parfois de permissions ; il était marié à une femme blanche, Maud Katzenellenbogen, ou plus simplement Maud Kay. Dinath sut convaincre Mandela que leurs femmes devaient faire connaissance. Elles devinrent effectivement amies, le couple proposa même à Winnie Mandela un plan d'évasion pour son mari. Mais il s'avéra ensuite que Maud n'était pas digne de confiance.

*
* *

En 1962, je rendais régulièrement visite à mon mari au fort de Johannesbourg. Un jour, il me demanda de me rendre dans un certain appartement de Twist Street pour y rencontrer Maud Kay, la femme de son grand ami et compagnon de cellule Moosa Dinath. Il me dit aussi de ne plus m'inquiéter pour les provisions, car Dinath en avait trop et les partageait avec lui.

Avant même de la rencontrer, je reçus un chèque de Mme Kay, qui voulait faire un cadeau aux enfants. La lettre jointe m'indiquait comment venir chez elle si j'en avais envie. Je suis allée la voir dans son appartement et nous sommes devenues tout de suite très amies. C'était elle qui nous habillait, les filles et moi.

En novembre 1962, juste après la condamnation de mon mari, je reçus un coup de fil de l'officier responsable du Fort. J'avais déjà croisé Dinath plusieurs fois avec Nelson, lors de visites à la prison. L'officier me reçut dans son bureau et m'annonça que Dinath voulait me transmettre un message urgent. Il fut conduit dans ce même bureau et me fit comprendre à demi-mot qu'il pouvait faire évader Nelson avec la complicité de l'officier responsable, lequel réclamait une grosse somme d'argent en échange du risque qu'il prenait. Dinath me suggéra d'y réfléchir. Je contactai aussitôt plusieurs dirigeants de l'ANC.

L'officier me rappela dès le lendemain. Il m'accueillit à nouveau dans son bureau et m'expliqua que la police avait décidé de transférer mon mari le samedi suivant. Il fallait donc agir vite. Nelson nous rejoignit et me fit savoir, toujours en langage codé, qu'il me laissait mener l'affaire à mon gré. Je ne pus le voir que quelques minutes avant que Dinath prenne sa place. Tous les détails de l'opération devaient m'être communiqués plus tard dans la journée.

Ce fut un dirigeant de l'ANC qui m'informa que l'officier m'attendrait le samedi soir. Après remise d'un premier versement, une voiture s'arrêterait à un certain carrefour, puis un signe convenu à l'avance m'indiquerait que mon mari était sorti de prison et se dirigeait vers ce véhicule. Il me faudrait alors remettre le solde de la somme prévue. Plus tôt dans la journée, Nelson aurait reçu de quoi scier les barreaux de sa cellule.

J'étais en train d'emmagasiner ces informations lorsque la sonnerie du téléphone retentit. L'appel était destiné à mon interlocuteur ; c'était... l'officier qui venait de changer d'avis et réclamait tout l'argent d'avance. Je lui demandai un délai de réflexion. Mon contact me rejoignit plus tard dans la journée pour m'apporter l'argent, mais j'avais déjà pris ma décision.

Je craignais que toute cette histoire soit en réalité une manipulation visant à assassiner Nelson, avec la bonne excuse d'une tentative d'évasion. J'annulai l'opération, à la suite de quoi mon mari fut transféré à la prison de Pretoria.

*
* *

Winnie Mandela fut également interrogée sur les funérailles de sa belle-mère, qui était morte le 26 septembre 1968. Elle obtint pour l'occasion une levée temporaire de l'ordonnance judiciaire qui l'empêchait de quitter Johannesbourg, alors que Nelson Mandela, emprisonné à Robben Island, se voyait refuser l'autorisation d'assister à la cérémonie.
Son journal évoque à la fois les funérailles et la façon dont la police utilisa contre elle l'enterrement d'un membre de sa famille. Cette description s'adresse autant à elle-même qu'à son avocat, suite à l'interrogatoire de la Police spéciale.

Les funérailles de ma belle-mère

Le 6 octobre, j'assistai aux funérailles de ma belle-mère dans la région du Transkei. Comme je n'avais pas assez d'argent pour louer une voiture et que je ne disposai que de quatre jours de permission, Sikosana nous emmena, ma famille et moi, par « sympathie ». J'avais donné son nom et son adresse au juge après avoir obtenu son numéro de téléphone par l'intermédiaire de Mme Ndala. Ce numéro était noté dans mon petit répertoire vert, que je verrais ensuite réapparaître au tribunal, prétendument déniché par le commandant Viktor.

M'accompagnèrent durant ce voyage Telia Mtirara[1], Edna Mandela[2], Olive Nomfundo Mandela, Tanduxolo Madikizela[3] et mes deux filles.

---

1. Belle-sœur de Winnie Mandela.
2. Cousine de Nelson Mandela.
3. Frère de Winnie Mandela.

L'accusé N° 20[1] m'aborda pendant les funérailles, qu'il couvrait pour le *Daily Dispatch*. Nous discutâmes de la situation générale ; il avait visité les bureaux de l'ANC à l'étranger et s'inquiétait d'un certain manque d'activisme politique. Comme je souhaitais rester en contact avec lui, il me donna une adresse où le joindre ; je profitai d'ailleurs du rassemblement pour faire de même avec d'autres personnes. La nuit venue, je pris la parole lors de réunions clandestines dans lesquelles les clans Matanzima[2] et Dalindyebo[3] étaient bien représentés.

Je laissai Sikosana et les filles avec mon père, au département de l'Agriculture et des Forêts, où ils passèrent un excellent moment au point d'y retourner tout de suite après les funérailles.

Sikosana et ma belle-sœur revinrent me chercher plus tôt que prévu chez ma belle-mère, car ma cadette, âgée de neuf ans, refusait de demeurer plus longtemps dans un bâtiment gouvernemental. Quand sa grande sœur se mit elle aussi de la partie, il ne nous resta plus qu'à rentrer à Johannesbourg. Heureusement, je ne payais que l'essence.

Mes enfants devaient retourner à l'école, qui avait déjà rouvert ses portes. Nous déposâmes Telia Mtirara à son travail avant de prendre le chemin du commissariat d'Orlando, où j'avais obligation de me présenter dès mon retour. Ma cadette, follement extravertie, lâcha alors : « Oncle Sikosana, tu sais bien que maman va devoir trouver une voiture pour nous transporter à l'école[4]. Toi, tu as une grande voiture, tu veux pas nous emmener ? » Je n'ai pas pu la pincer à temps, comme il m'arrive de le faire. Et donc Sikosana conduisit les

1. Owen Vanqa (numérotation du premier procès).
2. Kaiser Matanzima, neveu de Nelson Mandela, qui coopéra avec le régime d'apartheid et accepta la création du bantoustan du Transkei.
3. Famille royale de la nation thembu. Le roi Sabata Dalindyebo était opposé au système des bantoustans.
4. Au Swaziland.

filles à l'école le lendemain après les avoir inscrites sans problème sur ses documents de voyage[1]. Je ne payai encore une fois que l'essence. Après ça, Sikosana se montra très amical envers les enfants, qui le lui rendirent bien. Pendant les vacances, il les emmenait chez Maud, à Alexandra[2] ou dans d'autres endroits que je ne connaissais pas.

Plus tard, durant les interrogatoires, je ne compris pas pourquoi Swanepoel et ses sbires m'accusaient d'être ingrate envers la police qui, soi-disant, n'avait cessé de m'aider pour le transport et pour les enfants. Ils disaient aussi qu'ils me le feraient payer et que ça déplairait fortement à quelqu'un du côté de Robben Island.

*
* *

Un après-midi, sur un coup de tête, je demandai à Sikosana de m'emmener chez Mme Costa[3] avec les filles. Arrivés sur place, nous passâmes par-derrière, et Sikosana frappa à la porte de la cuisine, restée grande ouverte. Quand une femme noire se présenta, Sikosana lui dit en zoulou : « Bonjour Grace, comment ça va ? Laisse-moi te présenter Mme Mandela. » Le sourire de Grace s'évanouit aussitôt. Elle prit Sikosana à part tandis que les filles et moi restions dehors. Une minute plus tard, Sikosana revint me murmurer ses paroles à l'oreille : « Elle te donnera tout ce que tu veux si tu ne dis rien sur son père. Et si Mme Costa t'en parle publiquement, elle te supplie de confirmer que son père a bien été envoyé en exil. » J'éclatai de rire et lui dis que je n'étais pas venue pour ça, que tout ceci ne me

---

1. Les Noirs n'avaient pas le droit d'avoir un passeport.
2. Un ghetto noir de Johannesbourg.
3. La femme du Dr Costa Gazides, qui avait quitté l'Afrique du Sud après avoir été coaccusé au procès de Bram Fisher (avocat afrikaner communiste et militant antiapartheid).

concernait pas et que cette Grace ferait mieux de tourner sept fois sa langue dans sa bouche avant de parler.

Grace se détendit dès que Sikosana lui eut rapporté mes propos. Elle rentra dans la maison et réapparut peu après avec Mme Costa.

« Seigneur Dieu ! s'exclama Mme Costa. C'est vraiment vous, Winnie Mandela ? Oui, vous ressemblez aux photos, mais je vous aurais cru plus âgée. »

Elle me serra la main, m'invita à la suivre à l'intérieur, puis demanda à Grace de servir des gâteaux et des boissons fraîches aux enfants.

La famille s'apprêtait à déménager : rideaux descendus, livres et valises empilés partout. Nous discutâmes un bon moment tandis que Sikosana attendait avec Grace à la cuisine. Je lui exprimai toute ma gratitude pour le soutien de son mari à notre cause ; il avait eu raison de quitter le pays car il ne disposait ici d'aucun moyen d'action. Mme Costa me dit qu'il serait très heureux de savoir que je ne le considérais pas comme un lâche qui s'était enfui au cœur de la tempête.

Son mari avait fait des enregistrements pendant le vol, pour distraire les enfants, et elle pensait que je pourrais en apprécier certains passages. Il donnait parfois l'impression d'avoir enregistré des bouts d'émissions de la BBC, puis il y eut une interview d'un chef d'État africain, sans doute Nyerere[1], qui s'exprimait sur la situation en Afrique du Sud. Sikosana rentra dans la pièce tandis que le président Kaunda[2] s'exprimait à son tour. Comme je regardais les livres disposés sur la grande étagère, Mme Costa coupa le son et m'invita à prendre ceux qui m'intéressaient, puisqu'elle allait en distribuer la majeure partie.

Je me souviens des paroles de Kaunda : « Nous ne connaîtrons aucun repos tant que notre soif de liberté

---

1. Julius Nyerere, président de la Tanzanie de 1964 à 1985 *(NdT)*.
2. Kenneth Kaunda, premier président de la République de Zambie de 1964 à 1991 *(NdT)*.

n'aura pas été étanchée dans toute l'Afrique [...]. Les puissances occidentales doivent choisir entre l'Afrique et l'Afrique du Sud. » La devise zambienne : « Une Zambie une nation », fut ensuite répétée deux fois. Mme Costa passa sur les morceaux de musique congolaise pour me faire écouter son mari : « Nous survolons de grandes étendues… Nous survolons Rome. La vue est magnifique… Comment ça va à la maison, ma chérie ? » (Voilà l'enregistrement à vocation terroriste que Sikosana est supposé avoir écouté[1]. C'est parfaitement ridicule.)

Je pris congé à l'arrivée des agents immobiliers chargés de vendre la maison. Je choisis six livres, et Mme Costa dit qu'elle me donnerait aussi des habits pour les pauvres. Sikosana se chargea de récupérer le tout le jour suivant. Pendant ce temps, les filles avaient joué dans la piscine avec les enfants Costa. Ce fut ma seule et unique rencontre avec Mme Costa Gazides, sur laquelle la police m'interrogea pendant deux jours et deux nuits.

Discussion à propos du Dr Braun

Lors de la réunion tenue chez Mme Tsimo, au cours de laquelle nous discutâmes de la dissolution et de l'affaire de N° 7, je fis également un compte rendu de la rencontre avec le Dr Braun[2]. Tout le monde penchait pour un piège de la police, mais il fut néanmoins décidé que je prendrais des conseils juridiques sur la meilleure manière d'étayer nos soupçons, ainsi que sur les sujets évoqués lors des précédentes réunions.

---

1. Allusion à son témoignage contre elle.
2. Le Dr Braun prétendait travailler pour le Parti communiste soviétique, mais personne ne savait exactement qui il était.

Les deux dernières rencontres avec le Dr Braun

Le Dr Braun passa un coup de fil au bureau pour solliciter un deuxième rendez-vous. Je lui suggérai, pour sa propre sécurité et la mienne, de fournir d'abord à mon avocat les preuves de ses affirmations. L'idée venait de M. Carlson, qui pensait que Braun n'oserait pas venir le voir s'il jouait un double jeu. Braun demanda à réfléchir, et reprit langue dès le lendemain en annonçant que ses supérieurs l'avaient autorisé à rencontrer mon avocat, dont je lui fournis le nom et l'adresse.

Le Dr Braun téléphona directement à M. Carlson pour convenir d'un rendez-vous dans un hôtel. M. [*nom biffé*] ne s'y rendit pas. Braun me rappela le lendemain, furieux d'avoir perdu son temps, mais promit malgré tout d'organiser une autre rencontre. Quelques jours plus tard, une jeune Allemande aux allures d'étudiante entra dans mon bureau : « Vous devez être madame Mandela. J'ai une lettre pour vous de la part de votre ami docteur. » Je l'invitai à s'asseoir en face de moi. Mxakeki Ntlantsi était assis sur le canapé ; il venait me voir au sujet des laissez-passer de ses camarades du Transkei, pour lesquels j'étais en train de taper une lettre destinée au plus haut magistrat d'Umtata.

La fille sortit une enveloppe blanche de son sac à main. Elle l'ouvrit et me tendit une lettre, qu'elle garda à bout de bras. J'en parcourais le contenu une deuxième fois, pour bien m'en imprégner, lorsque la fille replia brusquement le papier. Je lui dis que je n'étais pas une lectrice rapide et lui demandai de me remontrer la lettre, ce qu'elle fit l'espace de quelques secondes. Comme elle la tenait à la main tout en cherchant quelque chose dans son sac, j'en profitai pour m'en saisir. Après une brève lutte, je repoussai la fille au fond de son siège. Elle me supplia de lui rendre le courrier, mais je lui dis que cette lettre était à moi et qu'il ne valait mieux pas qu'elle tente de la récupérer. Quant au docteur, il lui suffisait de savoir que j'avais bien reçu son message. La fille quitta aussitôt la pièce. J'apportai la lettre à mon avocat : l'auteur de la missive proposait un rendez-vous à minuit.

Deux jours plus tard, le Dr Braun se présenta tout sourire à mon bureau : « J'ai pu constater que vous n'aurez guère besoin d'entraînement physique. Bravo pour votre prudence. J'espère que vous avez détruit la lettre. » Je le lui confirmai, puis nous convînmes d'un rendez-vous le soir même à l'USIS[1]. Je rejoignis N° 1[2], qui montait la garde devant Shakespeare House, et nous suivîmes le Dr Braun pour noter le numéro d'immatriculation de sa voiture. Le rendez-vous était à 20 heures, mais Mohale m'apprit que Braun était arrivé dès 19 heures. Le docteur portait des lunettes noires en toute occasion, même la nuit.

Nous retournâmes dans la réserve. Cette fois il ôta ses lunettes, sans doute pour gagner ma confiance. Alors que son anglais était d'ordinaire plutôt hésitant, il se débrouilla ce soir-là à la perfection malgré son accent allemand. Il me montra une carte d'identité sud-africaine à son nom en m'expliquant que ce n'était pas compliqué d'obtenir ce genre de choses par ici.

Son gouvernement, disait-il, n'était pas prêt à soutenir une révolte armée, mais pensait que les Noirs devaient commencer à se former en espionnage, contre-espionnage et autres techniques qu'il préférait ne pas mentionner. Il m'estimait le sujet idéal pour cet entraînement, dont je saurais ensuite faire profiter mes camarades. Sa tâche principale serait de m'apprendre à lancer un véritable mouvement secret en évitant les erreurs stupides de l'affaire Rivonia. Il m'accorda deux semaines de réflexion. N° 1 tenta de le suivre, mais perdit rapidement sa trace parmi les piétons.

---

1. United States Information Service, Service d'information des États-Unis.
2. Samson Ndou.

Notre dernière rencontre de l'année 1968 eut lieu devant Shakespeare House, où il vint me chercher à 20 heures. N° 1 était avec moi ; je le présentai comme un illettré du Transkei qui s'occupait de mon jardin et m'escorterait sur le chemin du retour. N° 1 joua son rôle à la perfection – il n'avait pas l'air de comprendre un mot d'anglais et communiquait par gestes avec le Dr Braun. J'avais aussi confié à Desmond Blow[1] la charge de pister notre suspect. Desmond devait nous suivre jusqu'à l'endroit prévu par Braun, un appartement délabré de De La Rey Street, dans Newlands, mais nous traversâmes d'abord Bryanston, Randburg et Parktown North où Braun lâcha son poursuivant près du parc de Zoo Lake, bien que Desmond ait pu noter le numéro des plaques.

La discussion ne m'apprit rien de nouveau, sauf que Braun me proposa tout l'argent que je voulais, versé en liquide ou sur mon compte en banque si j'en avais un. Comme ses supérieurs soviétiques s'inquiétaient du manque de résultats me concernant, il voulait que j'accepte enfin de suivre l'entraînement. Je lui dis qu'il devait me laisser le temps de trouver un travail, puisque j'étais au chômage depuis peu, et que ce serait de toute façon plus facile de se croiser en ville. Peiné par ma situation, il proposa de me fournir un bon boulot, à condition que je n'ébruite pas cette faveur qui lui ferait courir un gros risque. Il me donna vingt rands d'argent de poche et promit que j'aurais bientôt de ses nouvelles. N° 1 suivit toute la discussion sans broncher. Braun nous ramena à l'endroit où nous avions laissé la voiture.

La réunion chez Makhene en décembre 1968 concernait cette affaire. Je m'en souviens car elle se déroula avant la distribution du tract le 16 décembre. Les vingt rands de Braun servirent à payer à ma sœur le ticket pour Umtata. Comme le mouvement n'avait plus un sou, nous financions chacun de son côté nos déplacements vers les

----

1. Un journaliste.

zones de distribution. Étant au chômage, je n'hésitai pas à faire usage de l'argent du Dr Braun. Il n'y eut aucune discussion concernant un éventuel attentat contre une centrale électrique lors de cette réunion.

Je vis Braun pour la dernière fois en janvier, le soir où il débarqua chez moi à 22 heures, déguisé en prêtre africain avec une longue soutane noire et blanche. Il voulait fixer une date pour le début de la formation. Il oublia sa bible en partant, et lorsqu'il revint la chercher, celle-ci tomba à terre. Quand Braun se pencha pour ramasser le livre, je vis qu'il portait un revolver sous sa soutane. Je lui fis remarquer qu'il ne semblait pas croire que Dieu assurerait sa protection chez les Mandela. Il rit de bon cœur et me présenta l'arme comme son « petit frère ». Le moment venu, je racontai toute l'histoire à Paul Joseph[1].

Le Dr Braun me fournit le nom d'une personne au Lesotho prête à se porter garante pour lui. Plus tard, N° 6[2] me mit en relation avec un certain [*nom biffé*] qui voulait absolument me voir, un étudiant d'Allemagne de l'Ouest présent en Afrique du Sud dans le cadre d'un programme d'échanges. Il lui avait donné les noms de ses contacts, mais je décidai de ne pas les utiliser. La Police spéciale m'interrogea trois jours et trois nuits sur le Dr Braun, même si elle avait déjà obtenu toutes les informations nécessaires par N° 1, interrogé avant moi, ainsi que par Sikosana et quelques autres.

*
* *

Maud m'attendait pour me donner une lettre reçue quelque temps auparavant, mais qu'elle n'avait pas encore pu m'apporter car le supermarché Florida lui prenait tout son temps.

---

1. Un militant antiapartheid en exil à Londres.
2. Joyce Sikhakhane.

C'était un rapport de N° 20 concernant la distribution à Umtata. Dans sa lettre, il demandait à rencontrer rapidement quelqu'un de notre groupe afin de transmettre certaines informations importantes en sa possession. Selon lui, la Police spéciale s'agitait du côté de Port St Johns, à la recherche d'un nommé Makiwane qui serait bientôt appréhendé. N° 20 pensait que cette personne était en contact avec nos partisans.

Discussion informelle à propos de la lettre de N° 20

Le lendemain, je chargeai Sikosana d'aller chercher N°s 1, 2 et 4[1]. Je les reçus dans mon salon pour leur lire la lettre de N° 20. Cela faisait bien longtemps que nous n'avions plus de nouvelles de P.E.[2]. Je louai le travail de notre camarade et proposai de rassembler la somme nécessaire pour lui envoyer quelqu'un.

Ce jour-là, nous évoquâmes à nouveau les actions à mener. Je ne me rappelle plus comment l'affaire est venue sur le tapis, mais quelqu'un a dit : « Quel intérêt d'avoir des militants aussi dévoués que cet homme si c'est pour les dissuader d'agir ? » Cette remarque critiquait ma volonté d'éviter les actes de violence isolés. Je leur répondis : « Messieurs, allez donc relire *Rivonia Unmasked*[3]. On ne parle pas comme ça quand on a lu ce livre. » Plus tard, Swanepoel me ressortirait ces paroles à l'identique. Il prétendrait que tout cela n'était qu'un complot communiste, que je travaillais en fait avec un autre groupe et ne souhaitais pas que mes camarades se couvrent de gloire !

Lors de la discussion, je réitérai que d'éventuels actes de sabotage devaient être commis à l'échelle nationale

---

1. Samson Ndou, David Motau et Hlengani Jackson Mahlaule.
2. Port Elizabeth.
3. « Rivonia démasqué », compte rendu proapartheid du procès de Rivonia publié en 1965.

par des agents entraînés. Si nous parvenions, par exemple, à mettre le feu dans tout le pays aux champs de maïs des fermiers afrikaners, cela aurait plus d'impact que de faire exploser des cabines téléphoniques qui seraient réparées en cinq minutes. J'insistai sur la nécessité de confier ces tâches à des personnes convenablement formées.

Tous finirent par se rallier à mon point de vue. Au moment de partir, N° 2 dit en plaisantant : « D'accord, donne-moi cinq cents hommes et tu verras. Qu'importe si je meurs. Je vais aller voir un gars qui m'apprendra à fabriquer des bombes. » Tout le monde rigola un bon coup. N° 1 ajouta qu'il brûlerait volontiers toutes les voitures de Johannesbourg, mais N° 2 trouva l'idée stupide. Sikosana continua de rire longtemps après leur départ.

Discussion informelle entre N°s 1, 2 et 3

Une petite semaine après cette réunion informelle, j'évoquai avec N° 2 le voyage prévu par Charlotte Masinga durant le long week-end de Pâques. J'ai déjà parlé d'elle dans mon journal. Je la considérais plus ou moins comme un membre de la famille car elle mangeait à la maison, y faisait sa toilette et celle de ses enfants. Elle ne rentrait chez elle que pour dormir, et encore, pas toujours. Quand j'assistais à des réunions nocturnes, elle restait chez moi pour garder ma nièce Olive. Elle ne savait pas où j'allais. Je lui indiquai juste l'heure approximative de mon retour. Mes parents la connaissaient aussi car elle s'occupait de moi quand j'étais malade, avec ma belle-sœur. Ils lui parlaient souvent au téléphone et se montraient impatients de la rencontrer.

Un jour, elle me pria de lui trouver une voiture pour aller chez mes parents à ses frais. Elle avait vu mon père une fois au prétendu ministère de l'Agriculture, à Umtata, et il l'avait invitée à lui rendre visite.

Je suggérai donc à N° 1 et N° 2 de faire voyager dans la même voiture la personne dépêchée auprès de N° 20. Mais nous avions besoin d'argent. Le père Rakale arriva à ce moment-là ; je m'isolai avec lui quelques instants, puis rejoignis mes deux camarades après son départ.

J'attendais depuis longtemps l'occasion de demander à N° 2 qui était son fameux expert en explosifs, mais je ne voulais pas lui poser la question devant trop de monde. Après avoir beaucoup hésité, il me livra le nom de Gasago. N'était-ce pas lui qui avait témoigné contre plusieurs combattants qui croupissaient à présent à Robben Island ? N° 2 nous le confirma.

N° 1 et moi étions sidérés. Je demandai à N° 2 comment il pouvait fréquenter un témoin de l'accusation, sachant que la plupart d'entre eux étaient aussi informateurs de la PS. Il répondit que, dans le pire des cas, Gasago ne pourrait dénoncer que lui. Je lui rappelai donc que le moindre de ses actes impliquait tous les militants qui travaillaient à ses côtés. Il réalisa enfin le danger auquel il s'était exposé. Je lui ordonnai d'annuler ses préparatifs avec Gasago, en faisant croire si possible qu'il s'agissait d'une blague depuis le début.

Ce que m'apprirent les interrogatoires sur ces faits

On me montra, à distance, un témoignage de N° 2 daté de 1963 ou 1964 qui parlait d'explosifs dissimulés sous son garage. Gasago semblait lié à l'affaire.

La police cherchait alors à établir des connexions entre N° 2, N° 3, Mxakeki, Gasago et le voyage de N° 2 et de Mxakeki à Carletonville pour trouver des explosifs. Gasago risquait de devenir un témoin surprise prêt à corroborer les fausses affirmations de Mxakeki.

J'ai déjà longuement parlé de Mxakeki, je n'ai rien à ajouter. (N° 2 paraissait très confus, incapable de se restituer les faits avec précision.)

Le commandant Swanepoel m'avoua à plusieurs reprises être particulièrement agacé par cette histoire absurde du gentleman anglais qui aurait financé l'affaire SWA[1].

Il me rappela également qu'à l'inverse de nombre de mes amis sud-africains, j'avais beaucoup gêné certaines personnes et certains groupes à l'étranger par mes critiques acerbes envers les dirigeants qui vivaient la belle vie dans des hôtels de luxe. Donc ces gens avaient eux aussi intérêt à me réduire au silence.

D'après lui, les combattants impliqués dans les deux premières incursions d'août 1962 étaient en fait des fauteurs de troubles que les responsables du camp d'entraînement avaient envoyés se battre dans le seul but de s'en débarrasser.

Swanepoel voulut aussi me convaincre de rédiger une déclaration anticommuniste, auquel cas il n'y aurait pas de procès et nous serions tous libérés. Il me demanda de réfléchir au fait que bien des gens placés comme moi sous ordonnance judiciaire travaillaient tranquillement sans être embêtés par la police. Il ajouta que je devais me méfier, qu'il était persuadé que personne ne donnerait un sou pour aider Winnie Mandela parce que ce serait de l'argent gaspillé. De même pour mon mari, qui était bien mieux derrière les barreaux.

Les commandants Coetzee et Swanepoel se disaient prêts à faire preuve de bonne volonté envers mon peuple. Par contre, ils n'envisageaient pas de libérer les femmes impliquées dans ce procès, vu que l'affaire relevait encore une fois de la pure propagande politicienne

---

1. Il s'agit peut-être de 1967, quand des avocats londoniens mandatèrent Carlson pour défendre trente-sept Namibiens parmi lesquels le célèbre indépendantiste Andimba Toivo ja Toivo. Il est possible que les frais aient été couverts par un bienfaiteur britannique.

menée par des avocats anglophones qui ne pensaient qu'à se servir de nous pour entretenir la haine raciale.

Swanepoel affirmait que tant qu'il y aurait des procès en cours et des incursions à la frontière, ce serait difficile d'envisager une libération. Mais si seulement nous voulions bien nous tenir tranquilles, comme Mme Sobukwe[1], nous pourrions revoir nos maris à condition qu'ils promettent eux aussi de rester neutres. Je devais au moins comprendre que c'en était terminé de ma présence à Johannesbourg : si je finissais par être libérée, on me renverrait chez moi[2].

Je dois aussi préciser que le jour où M. Levin me rendit visite pour évoquer la date du procès, il m'informa que Mme Kay avait décidé de payer les honoraires de nos avocats, puisque je refusais l'aide de l'État. Je lui expliquai que je ne pouvais pas m'opposer à la volonté de mon mari, lequel souhaitait voir M. Carlson assurer ma défense.

Nelson et moi n'étions plus autorisés à communiquer depuis sa querelle avec le brigadier Aucamp sur le fait qu'il voulait absolument rencontrer M. Brown[3] ou M. Carlson. Après l'audience du 28 octobre, Aucamp me convoqua dans son bureau pour m'annoncer qu'il se rendait à Robben Island et qu'il m'autoriserait à revoir mon mari.

Je lui demandai la permission de voir Maud, car beaucoup de choses m'échappaient suite à la confusion qui avait régné au tribunal. Puisqu'elle était dans la salle, je supposais qu'elle n'était pas témoin de l'accusation. Le brigadier m'expliqua qu'il devait d'abord en parler à la police et qu'il me donnerait sa réponse le lendemain. Nous sommes aujourd'hui le 10 novembre, je n'ai toujours aucune nouvelle.

---

1. La femme de Robert Sobukwe, leader du Congrès panafricain.
2. Winnie Mandela fut condamnée en mai 1977 à rester confinée dans la petite ville de Brandfort dans l'État libre d'Orange.
3. Un autre avocat.

*
* *

Swanepoel [*était outré*] par notre [*utilisation*] du papier à en-tête d'un journal afrikaner pour imprimer nos tracts[1]. Tout au long de l'interrogatoire, il ne cessa de répéter : « Même les communistes ne nous ont pas fait un coup pareil, Winnie Mandela. Et c'était un beau coup, mais maintenant, fini de rire ! » Il ajouta également : « Je suis effaré qu'une femme ait pu rédiger un tel document. Je dois vous féliciter, c'est du beau travail, original, pas comme Lilian[2] dont les discours étaient écrits par Ruth First[3], cette salope qui s'est fait virer de tous les États noirs indépendants. » Il décrivit plus tard N° 3[4] comme une femme dotée d'une incroyable puissance d'organisation, à qui il n'avait pas fallu plus d'un an pour se mettre à dos toutes les forces de police du pays : « Comment faites-vous pour que tous vos amis, et surtout les hommes, vous obéissent au doigt et à l'œil ? Allez, donnez-nous votre secret avant que votre cœur cesse de battre. »

À mon avis, la police n'aurait pas hésité à nous arrêter si elle nous avait surprises en pleine distribution de tracts. Et comme N° 9[5] et moi-même étions sous le coup d'ordonnances judiciaires, être appréhendées en pareille situation aurait été une circonstance aggravante.

---

1. L'un des groupes de Winnie Mandela avait un contact qui travaillait dans la réserve du journal *Vaderland*. En août 1968, les militants récupérèrent ainsi de vieilles feuilles à en-tête qu'ils utilisèrent pour imprimer à trois mille exemplaires un tract envoyé ensuite à des journaux anglais et afrikaners.

2. Lilian Ngoyi.

3. Une militante, en exil à cette époque.

4. Winnie Mandela elle-même.

5. Rita Ndzanga.

*
* *

En juin 1969, alors que les interrogatoires se pour-
suivaient, le commandant Coetzee m'informa que
M. Zwarenstein nous représenterait en cas de procès,
vu que M. Bizos[1] se désintéressait des affaires politiques
et avait décidé de se retirer. D'après lui, M. Zwarenstein
était l'un des meilleurs avocats du pays, à tel point que la
police avait fini par retirer son nom de la liste noire des
communistes – sur recommandation, paraît-il, de Ludi[2].

Je retournai au Compol Building la troisième semaine
d'octobre. Swanepoel s'exclama : « Winnie ! Ma combat-
tante préférée ! Si vous n'engagez pas Bizos, Soggot ou
Kuny[3] pour votre défense, vous ne serez pas condamnée. On fait comme ça ? » Mon expérience me dicta de
ne pas répondre. Rester muette valait mieux qu'essayer
de contredire de telles sottises.

---

1. George Bizos, un de ses avocats.
2. Gerard Ludi, un espion de la police infiltré au Parti communiste.
3. Michael Kuny, avocat.

Chapitre 9

L'attitude des interrogateurs

Mon sentiment sur l'attitude des policiers

J'avais l'impression qu'il n'existait aucune volonté d'interrogatoire sérieux. L'objectif semblait plutôt d'observer nos réactions, nos émotions, comme pour étudier les effets psychologiques de l'isolement carcéral.

Je me disais aussi que si la PS avait des « taupes » parmi nous, leur but était alors de recueillir des informations par cet intermédiaire sans éveiller les soupçons. Puisque nous étions enfermées les unes à côté des autres, les policiers ne pouvaient pas aller voir quelqu'une sans que tout le monde le sache.

Lors de sa visite du 24 février, Aucamp m'indiqua que « l'ancienne affaire » était définitivement close. S'il devait y avoir un deuxième procès, celui-ci serait basé sur de nouvelles accusations.

Les propos de Swanepoel me portaient à croire que nous finirions par être libérés un jour ou l'autre. Le 1er mai, il me fit néanmoins remarquer qu'ils avaient été bien gentils de retirer les charges, et qu'il valait mieux que je coopère même s'ils savaient se montrer patients. Comme il n'y avait plus d'affaire en cours, rien ne les empêchait de m'interroger jusqu'en 1978 si l'envie leur en prenait.

Par deux fois, je réclamai au magistrat visiteur les papiers confisqués lors de ma seconde arrestation. Il y avait là des notes pour mes avocats et des comptes rendus du procès, autant de documents que la police n'était pas en droit de détenir puisque l'affaire était toujours en cours. Lors de sa venue suivante, il m'annonça que les hommes avaient eux aussi réclamé ces documents, qu'il avait transmis la requête à qui de droit et obtenu l'assurance que tout nous serait rendu le jour de notre libération. Depuis, il nous a fait savoir que nous n'avions plus à nous inquiéter puisque l'affaire était close.

Chaque passage des policiers dans ma cellule (une fois par semaine avant mon transfert à l'infirmerie) était pour eux l'occasion de me demander comment j'allais et si je souhaitais lancer des démarches en vue de mon éventuelle libération. Je leur répondais qu'étant donné que je n'avais commis aucun crime et que leurs propres juges m'avaient acquittée, il n'y avait aucune raison que je croupisse ici, de surcroît à l'isolement. Ils semblaient vouloir que l'initiative vienne de moi, ce qui conduirait forcément à conditionner toute libération.

Ils vinrent même me voir pendant ma deuxième semaine d'infirmerie, avec la gardienne chef Zeelie, pour me poser les mêmes questions. Je racontai l'histoire à mes camarades en leur disant que je ne ferais rien de mon côté, mais qu'elles étaient libres d'essayer et que nous verrions bien le résultat. Je déconseillai par contre à N° 9 de tenter l'expérience.

Durant une conversation avec Aucamp quelques jours avant mon transfert à l'infirmerie, celui-ci me certifia que « certaines choses » risquaient de se produire « dans trois ou quatre semaines », avant un recours de notre avocat au tribunal, mais que notre sort ne serait décidé qu'ensuite. Ces « choses » étaient-elles en rapport avec le procès à venir ? Au moment de partir, il ajouta : « Soyez tranquille, je vous assure que vous pouvez arrêter de vous inquiéter et de perdre du poids. »

Mon informatrice me faisait passer des messages concernant son activité au bureau du personnel, où elle avait remplacé une fille libérée sur parole deux mois plus tôt. Celle-ci, qui travaillait à présent pour M. Pelser, le ministre de la Justice, était venue lui rendre visite le dimanche 14 juin. Elle avait raconté que son « boss » était très énervé et qu'il n'avait rien avalé la veille au soir. Elle l'avait aussi entendu dire à sa femme que plusieurs personnes n'étaient pas d'accord pour libérer les « terroristes » ce week-end-là parce qu'elles estimaient qu'il fallait d'abord tenir un procès. Lui pensait au contraire que ce serait faire beaucoup de bruit pour rien.

L'étrange revirement [du] brigadier s'agissant des notes que je transmettais à nos avocats me rendit hautement suspicieuse. Ni la gardienne qui me surveillait à l'infirmerie ni même la très vigilante Zeelie ne semblaient s'en préoccuper. Pourtant, Zeelie avait pris l'habitude de me déshabiller entièrement avant chaque entrevue avec mon avocat. Je craignais donc une nouvelle manipulation à mon encontre. Quand le 24 juin 1970 Aucamp vint à l'infirmerie m'apporter une lettre de mon mari, il me trouva moi-même en pleine rédaction.

« Qu'est-ce que vous écrivez, Winnie ?

– Une note pour mon avocat, comme d'habitude. »

Il avança la main par réflexe, pour se saisir des feuilles, mais la retira aussitôt. Il semblait s'être rappelé quelque chose. Zeelie l'accompagnait, ainsi qu'un officier fortement galonné. Ils faisaient tous une tête d'enterrement !

Le jour où j'ai protesté à propos des valises et des conditions de détention fut aussi le premier où le brigadier tenta de se justifier – le signe d'un changement dont j'ignorais tout. Il disait par exemple : « Ce n'est pas moi qui vous ai enfermées ici. Vous êtes détenues sous mandat de police. S'ils décident de vous laisser partir, je devrai obéir même si je vous ai mis vingt jours. C'est comme ça. »

Le brigadier Aucamp que je connais se frapperait la poitrine du doigt en affirmant : « Vous resterez ici aussi longtemps que j'en aurai envie. Ni vous ni Soggot ne parviendrez à me faire transférer, j'y veillerai ! Vous et moi, nous allons passer un long moment ensemble. Sans vos avocats. »

Désormais, il prend même N° 7 à témoin pour me prouver qu'il s'est montré « très gentil » envers elle et N° 20, en oubliant l'histoire de la lettre. Ça ne lui ressemble pas, c'est plutôt bizarre.

Je suis aussi très surprise de leur soudain intérêt pour ma santé. C'est pourtant compliqué pour eux de me garder à l'infirmerie, qui doit demeurer fermée jour et nuit. Je me sens beaucoup mieux, j'aurais déjà dû être ramenée en cellule. L'infirmier en chef vient m'examiner trois fois par jour.

Chapitre 10

Journal du mois de mai

« *Me tenir à l'isolement est la pire chose que les nationalistes m'aient jamais faite. Je parlais aux fourmis, à tout ce qui avait l'air vivant. Si j'avais eu des poux, je m'en serais occupée comme une mère. Voilà à quoi vous mène l'isolement carcéral ; c'est la pire des punitions. Je crois qu'on peut survivre à vingt-sept ans de prison. Vous parlez aux autres prisonniers, vous avez vos trois repas par jour, en fait vous n'avez perdu que votre liberté de mouvement. Votre esprit, lui, n'est pas en prison. Alors qu'à l'isolement, on ne peut pas lire, on ne peut rien faire, on est seul avec soi-même.* »
WINNIE MADIKIZELA-MANDELA, 2012.

En fin d'après-midi, à mon retour du Compol Building, le brigadier Aucamp vint me voir en cellule avec Zeelie. Je bouillais encore de rage à cause de ce qui s'était passé dans la matinée. Il se déclara effaré par ma perte de poids et m'invita à lui dire si quelque chose me souciait en particulier. Je lui répondis qu'il devrait plutôt se montrer ravi du résultat de ses sales méthodes. Comment pensait-il trouver des femmes dont les vêtements étaient enroulés dans des couvertures pleines de poux, qui ne mangeaient pas à leur faim, qui n'avaient rien à lire, qui restaient enfermées vingt-quatre heures sur vingt-quatre sauf dix petites minutes de promenade deux ou trois fois par semaine, qui ne pouvaient dormir à cause de ces maudites lumières allumées en permanence ? Comme je m'étais mise à crier, il m'interrompit pour dire que ces instructions ne venaient pas de lui et que je le savais pertinemment. Je l'interrompis en répliquant qu'il était – aux dernières nouvelles – en charge de la sécurité de la prison. En quoi nos valises mettaient-elles cette sécurité en jeu ? Je lui assénai aussi que les commandants Ferreira et Swanepoel s'étaient demandé pour qui il se prenait en prétendant que nous étions détenues pour violation du règlement. Je l'aurais cru un peu plus respecté par ses collègues, et me montrai surprise que de simples commandants se permettent de tels commentaires à son égard. Aucamp s'énerva à son tour. Il voulait savoir s'ils avaient dit autre chose. De fait, ils avaient ajouté que c'était lui qui avait confisqué nos valises, lui qui nous avait dépouillées de tout, lui qui avait choisi nos conditions de détention. Nous n'avions presque pas de dentifrice, de crème pour le visage, etc.

Il s'exclama : « Je vais m'occuper d'eux ! Comment osent-ils mentir comme ça ? Je n'ai rien à voir avec vos valises. Vous êtes détenues ici sous mandat de police, et s'ils me disent de vous laisser partir, je devrai obéir même si je vous ai mis vingt jours pour violation du règlement. Et puis vous savez très bien que cette histoire de règlement n'est qu'un prétexte. Tenez, je vais vous prouver que j'ai fermé les yeux sur vos petits trafics. »

Il envoya aussitôt la gardienne chef chercher N° 7 pour lui témoigner de ce qu'il avait fait à propos de la lettre de Magubane. N° 7 confirma que le brigadier avait découvert la lettre et n'avait rien fait. Il me reprocha de l'accuser à tort, tout comme mon mari. Il me prouverait qu'il ne savait rien à propos des valises. D'ailleurs, conclut-il en sortant, il allait de ce pas s'expliquer avec Swanepoel et Ferreira.

Le lendemain, on nous fit sortir ensemble. C'était la première fois que nous pouvions nous voir depuis le 16 février. Le brigadier déclara que nous allions récupérer nos valises et que celles qui avaient de l'argent pourraient se procurer de la crème pour le visage. Quant à l'accès à la lecture, il en parlerait plus tard à la police, vu qu'il était furieux contre Swanepoel et ne se sentait pas encore prêt à le rencontrer. Si nous avions besoin d'autre chose, nous n'avions qu'à le lui dire. Je proposai de discuter à nouveau des conditions de détention. Il répondit qu'il prendrait le temps de venir me voir.

Discussion avec le brigadier Aucamp

Je revis le brigadier dès le lendemain, et en profitai pour aborder les points suivants.

Je déplorais que ses hommes sous-estiment à ce point mon intelligence, ce dont j'avais pu me rendre compte à travers le cas Levin lors de l'interrogatoire du 26 mai 1969. Il fallait être idiote pour tomber dans le panneau, mais j'avais décidé de jouer le jeu pour voir qui gagnerait la bataille. En conséquence de quoi j'assurerais ma propre défense au tribunal et agirais également au nom de mes camarades, car telle était ma responsabilité. Je lui demandai donc d'ordonner à ses sbires d'arrêter de nous questionner sur nos avocats — l'affaire était entendue puisque le mien nous défendrait toutes. La police disposait de toute ma correspondance avec l'étranger, et le nom de mon défenseur n'y apparaissait jamais de manière suspecte. Et puisque la police se vantait d'avoir un informateur parmi nous — le prétendu groupe de Soweto —, cette taupe pourrait confirmer qu'il n'était pas impliqué dans nos activités. De toute façon, mon mari préférait que je sois défendue par M. Carlson, et j'avais bien précisé à mon beau-frère, devant Tucker, que c'était lui qu'il fallait prévenir en cas d'arrestation.

Aucamp m'affirma avoir déjà parlé de tout ça pendant deux heures avec mon mari, un homme très compréhensif à qui il avait donné son opinion sur M. Carlson. « Winnie, soyons un peu honnêtes l'un envers l'autre. En ce moment, c'est le seul avocat qui peut bénéficier de fonds étrangers, et c'est le meilleur avocat politique parce qu'il s'occupe de toutes les affaires politiques. C'est normal de vouloir être défendue par un homme d'expérience. » Il me promit aussi d'évoquer cette histoire d'interrogatoire avec ses hommes.

Je remis sur le tapis nos terribles conditions de détention et comment celles-ci entraînaient des querelles avec le personnel de la prison qui ne faisait qu'exécuter les ordres. J'étais stupéfaite d'apprendre que certaines instructions émanaient d'une tierce personne, puisque nos avocats et nous-mêmes pensions que les gardiennes n'agissaient que sur ses ordres à lui. Il devait y avoir un souci quelque part vu que les gardiennes ne citaient que lui. (On nous avait déjà rendu nos valises pour prouver que c'était bien Swanepoel qui avait ordonné leur confiscation. Aucamp le savait, mais je prétendis ne pas être au courant.)

J'espérais que cette situation serait éclaircie au plus vite, puisque nous partions du principe que tout ce qui nous concernait dans l'enceinte de la prison dépendait de son bon vouloir. Il répondit que oui, bien sûr, personne d'autre que lui n'avait à donner d'instructions.

Je lui rappelai que Swanepoel et Coetzee m'avaient dit que c'était à eux de décider quand je monterais dans un avion militaire pour rendre visite à Nelson. Mais d'après lui, il était seul à choisir qui mon mari pouvait voir ou pas.

Il m'expliqua avoir renvoyé la gardienne chef Jacobs après s'être rendu compte qu'elle transmettait des

instructions venues de l'extérieur, ce qu'il avait découvert suite à la confiscation de mon journal. Il avait été
choqué d'y lire que nous étions privées de douche et
de promenade — même si ce n'était bien sûr pas à lui
de nous y emmener. Je lui confirmai que mon texte ne
reflétait que la pure vérité. Il me présenta ses excuses
en arguant qu'il avait d'abord pris ça pour de la propagande destinée à semer la discorde entre les avocats et
lui. Puis il avait compris que Jacobs jouait double jeu.

« Winnie, je ne ferai rien pour vous sur injonction de
vos avocats. Je ne veux pas avoir affaire à eux. Dites-
moi s'il y a le moindre problème et j'essaierai de le
régler. Ne vous ai-je pas déjà fait mettre une douche ?
C'était pour vous, pas pour les avocats. »

Il affirma ne pas pouvoir faire grand-chose d'autre
pour améliorer nos conditions de détention, vu qu'il
n'allait pas changer la loi, mais il comptait s'arranger au
mieux. Puis il changea brusquement de sujet :

« Quand Carlson et vous avez pris l'avion pour Le Cap,
vous étiez si occupés que vous ne m'avez pas vu. Pourtant,
je n'étais pas assis loin. Après l'atterrissage, Carlson vous
a même suivie du côté des Noirs. Il avait d'abord voulu
vous emmener en voiture, et avait d'ailleurs déposé une
demande en ce sens, mais qu'auraient pensé vos partisans
s'ils avaient appris que la femme de leur chef effectuait
un long trajet en voiture avec un autre homme ? Pourquoi
croyez-vous que je vous parle à vous et pas aux autres ?
Parce que je reconnais que votre peuple vous considère
comme son leader en l'absence de votre mari, et que cela
vous empêche de faire certaines choses, même les plus
innocentes. Et cette embrouille à propos des cartes de
Noël, ça venait d'où ? De votre fichu avocat.

« Nous devons travailler ensemble, Winnie. Vous
devez comprendre mes problèmes comme j'essaie de
comprendre les vôtres. Vous vous rappelez comment
vous m'avez crié dessus l'autre jour ? Ce n'était pas la

première fois que vous vous énerviez contre moi alors que je suis toujours resté calme avec vous. Je suis même prêt à admettre qu'à votre place j'aurais sans doute fait pire. C'est difficile, je sais – une jeune femme avec un mari condamné à perpétuité. Prenez Joyce, je dois la comprendre elle aussi. Mais je suis un homme, Winnie, et elle se comporte avec une telle brusquerie. Elle peut rire, jurer et m'insulter sans même reprendre sa respiration. Vous vous souvenez qu'après sa dernière insulte j'avais dit que je ne lui parlerais plus ? Ne suis-je pas retourné la voir dès le lendemain ? Elle avait déjà tout oublié. Comment punir une pareille gamine ? L'autre jour, on m'a rapporté qu'elle avait embrassé N° 20. Si j'avais été aussi mesquin que vous le pensez, j'aurais pu annuler notre entretien. Et ces bêtises qu'elle écrit à Magubane ! Je n'allais pas perdre mon temps à évoquer ces enfantillages avec lui, même si d'autres personnes me poussaient à les punir. »

Il ne me laissa pas placer un mot avant d'enchaîner : « Vous êtes si maigre ! Ça ne me plaît pas de vous voir ainsi. Détendez-vous un peu. Votre avocat a déposé un recours qui sera jugé dans trois ou quatre semaines. Votre sort sera plus clair après l'audience. Je ne peux pas vous en dire plus, mais je vous assure que vous n'avez rien à craindre. » Je lui demandai sur quoi portait le recours. « C'est pour que vous ne soyez pas maltraitée. Je n'en dirai pas plus, je n'étais même pas censé vous en parler. »

Il m'informa ensuite qu'il s'était arrangé pour que je sois examinée par le médecin de la prison le 6 mai. Il me dit aussi qu'il irait à Robben Island le week-end suivant et que je pouvais en profiter pour écrire une lettre à mon mari. Je lui exprimai toute ma gratitude. La conversation en resta là. Au moment de partir, il me répéta que je n'avais rien à craindre dans les quatre semaines à venir, qu'une certaine décision serait prise suite au recours de mon avocat, même si tout ne serait pas forcément rose dans l'intervalle.

Chapitre 11

Journal du mois de juin

« *Ils vous détruisent ; ils vous font sentir que vous n'êtes plus rien.*

« *Le pot de chambre était fabriqué par les prisonniers, c'était une grosse tasse de deux litres à deux litres et demi qui servait à tout. Il était vidé une fois par jour, le matin. La gardienne arrivait, ouvrait la porte, les portes, les trois portes ; des portes blindées – la première, votre porte, la porte de la cellule, la troisième, et elle se tenait là sans jamais toucher le pot.*

« *Il n'y avait que la couverture pour m'aider à ne pas devenir folle. Je nettoyais le sol de la cellule avec la couverture, à la force des jambes, à tel point qu'avec assez de lumière, je pouvais me voir dedans. Il n'y avait rien d'autre à faire. Et la gardienne se tenait à la porte et j'apportais le… le truc, le pot. On ne voyait jamais qui l'emportait parce qu'on n'avait pas le droit d'entrer en contact avec les autres prisonniers noirs. Ils prenaient le pot. Parfois, ils ne le rinçaient même pas. Puis ils retournaient le couvercle et posaient mon assiette sur le couvercle sale. Donc je ne mangeais pas. Je n'ai pas mangé pendant un mois. Mon seul repas, ce fut un sandwich œuf-bacon pendant l'interrogatoire qui dura sept jours et sept nuits. Encore aujourd'hui, je suis incapable d'avaler ça – des œufs et du bacon.*

« *Quant à la nourriture de la prison, le porridge était parfois moisi, ou bien il y avait des asticots dedans. On avait des épis de maïs au déjeuner. Je ne pense pas que vous ayez jamais vu ça, ces épis de maïs cuits à sec qu'on appelle inkobe. Des épis de maïs cuits à sec. Pour déjeuner. Et au dîner, toujours le même porridge. Les jours où on avait de la viande, c'était du porc… enfin de la graisse de porc. Le porridge baignait dans la graisse avec les asticots. Immangeable.* »

WINNIE MADIKIZELA-MANDELA, 2012.

26 juin 1970

J'ai vu nos avocats ce matin. Que du bonheur après avoir aussi revu les autres filles. J'attends toujours ces rendez-vous avec impatience car ce sont les seuls moments où je sors de l'infirmerie. Trois autres patientes ont été admises jeudi. Je n'ai pas le droit de leur parler, même si je suis à présent en attente de jugement – l'infirmerie devrait être à nouveau ouverte normalement. Après l'entretien, on m'a reconduite à l'infirmerie. Mlle Nel, la gardienne de service, m'a dit que Zeelie lui avait indiqué de ne m'emmener voir les filles qu'à 14 heures.

Vers 1 heure de l'après-midi, Mlle Nel m'apporta un *dixie* contenant deux onces[1] de biltong[2], ainsi qu'une plaquette de chocolat sortie de son emballage et posée sur le tout avec deux oranges. Je ne supportais plus ce manque d'hygiène. L'an dernier, quand Jacobs avait fait pareil, nous avions protesté auprès du brigadier qui avait donné l'ordre en notre présence de ne pas déballer la nourriture sous emballage transparent (biscuits, raisins secs, biltong, etc.).

Mlle Nel vint me chercher à 14 heures, juste après les piqûres. Je ramassai carnets et journaux, mais elle me dit que je ne pouvais rien emporter. Heureusement, j'avais déjà remis mes notes à MM. Carlson et Soggot, sinon n'importe qui aurait pu les lire, ce qui était le but recherché. Je choisis d'obtempérer sans discuter.

On nous entassa les unes sur les autres dans la cellule de N° 9 alors que la mienne était plus grande. N° 7, dont la cellule avait été ouverte en premier, voulut elle aussi prendre ses documents. Je lui conseillai de ne pas protester tandis que Mlle Nel répétait ses instructions. Je leur dis à toutes de ne pas protester puisque nous avions décidé que ce genre de problèmes serait désormais géré par nos avocats. Je réclamai ma ration de cigarettes,

---

1. 56 grammes.
2. Viande séchée typique de la cuisine sud-africaine *(NdT)*.

mais Zeelie refusa de me la donner au prétexte que je ne fumais pas. Je lui affirmai que si, que je voulais mes cigarettes, mais elle me traita par le mépris. Il devait être environ 15 h 30 quand on me ramena à l'infirmerie.

Les saignements reprirent dès mon retour. Vers 20 heures, je m'évanouis dès que j'essayai de me lever pour aller aux toilettes. J'avais des vertiges qui m'obligeaient à m'appuyer au mur quand je parvenais quand même à quitter mon lit. Deux autres prisonnières, Mabel Kgosi et Elizabeth George, me demandèrent ce qui n'allait pas. Je finis par prendre mes somnifères et par m'endormir assez vite.

Plus tôt dans la journée, mon informatrice m'avait annoncé que Nondwe Mankahla et les autres femmes noires non identifiées avaient été libérées en début de matinée. La Police spéciale était venue les chercher en leur disant de rassembler leurs affaires parce qu'elles rentraient chez elles.

27 juin 1970

J'avertis M. Rautenbach, l'infirmier en chef, que j'avais recommencé à saigner et à m'évanouir. Il me donna une mixture contre les évanouissements, mais estima qu'il valait mieux temporiser pour les saignements, vu qu'il ne pouvait plus augmenter le nombre de piqûres. Les saignements cessèrent dans le courant de l'après-midi. Je restai alitée toute la journée sans retourner voir les filles, bien que Mlle Nel ait prétendu qu'elle m'emmènerait quand même. Je ne reçus aucune explication, mon état de santé était sans doute l'excuse rêvée. Zeelie m'apporta trois oranges vers 15 h 30. Les trois autres patientes n'avaient pas quitté l'infirmerie, mais je n'avais toujours pas le droit de leur parler. Mon lit restait désespérément isolé.

28 juin 1970

Au lit et enfermée toute la journée, comme hier. Pas pu voir les filles. Toujours des évanouissements, surtout le matin. Isolée depuis vendredi. Hier et aujourd'hui, même pas d'eau pour me laver. Mon informatrice m'a rapporté que le brigadier avait tenu une nouvelle réunion avec les gardiennes. Je me sens mieux qu'hier, mais je manque d'appétit. Deux responsables du département des prisons, en balade dominicale, sont venus voir comment j'allais. Mieux, j'ai dit. Zeelie les accompagnait. Nous n'avons toujours pas accès au dernier *Rand Daily Mail* qui suit l'histoire du deuxième détenu. Quant au *Star*, il est tellement censuré qu'il n'en reste que des fragments. Je devrais le montrer à nos avocats — dans ces conditions, à quoi cela sert-il d'avoir des journaux ? Une telle censure frise le ridicule.

29 juin 1970

Ce matin, j'ai eu pour la première fois du Pronutro[1] au petit déjeuner. D'après la gardienne, ce sont les nouvelles instructions de Zeelie. J'ai refusé de le manger dans l'attente de savoir si mes camarades bénéficiaient du même régime. Dans le cas contraire, je continuerais de refuser. J'ai beau être malade, nous sommes toutes sous-alimentées.

Encore des évanouissements. Je l'ai dit à M. Rautenbach, qui m'a fait les piqûres, pris mon pouls et prévenue que je devrais revoir le médecin.

J'ai montré à M. Soggot l'exemplaire censuré du *Star*, qui sera ensuite confisqué par Zeelie. Retour

---

1. Une sorte de porridge.

à l'infirmerie après l'entretien. Deux patientes ont demandé à être ramenées en cellule ; elles s'étaient plaintes tout le week-end d'être enfermées. Il ne reste plus qu'une seule personne avec moi.

Chapitre 12

Journal du mois de juillet

1er juillet 1970

Ça ne va pas mieux. Nausées en permanence. J'ai vomi après le déjeuner et j'en ai parlé à M. Rautenbach, qui m'a donné des comprimés à prendre après les repas. J'ai quand même vomi le dîner.

2 juillet 1970

Les vomissements empirent. J'ai repris des comprimés, fournis par la nouvelle infirmière. Elle pense que je réagis à l'excès de médicaments — à l'heure actuelle, j'en prends douze différents tous les jours. Le médecin doit passer demain.

Cet après-midi, ma sœur Iris Xaba est venue me rendre visite et m'apporter des provisions comme d'habitude. On lui a confisqué le paquet pendant que nous parlions. Elle est partie quand on lui a dit de partir. Au dîner, Mlle Scott, la gardienne de service, m'a apporté :

— 1 cuisse de poulet,
— 2 pommes,
— 2 oranges,
— environ une once de cacahuètes,
— 2 bananes.

Elle m'a dit que Zeelie avait redonné le reste à ma sœur et n'avait gardé que l'équivalent d'un repas. J'ai demandé à la voir pour lui expliquer que ce n'était pas normal, que j'exigeais à présent d'être traitée comme une prisonnière ordinaire en attente de jugement.

Discussion avec M. Rautenbach concernant mon éventuelle sortie de l'infirmerie. C'est le responsable des lieux. Il prépare même un doctorat.

D'après lui, ce serait imprudent de me renvoyer en cellule avant le procès car je devais être la plus en forme possible au tribunal. La question se poserait de nouveau après le procès, quel qu'en soit le verdict.

Il avait aussi décidé de supprimer l'ensemble du traitement à l'exception de l'Inderal et de la prescription du psychiatre sur laquelle il n'avait pas autorité. Je lui demandai s'il s'agissait d'antidépresseurs. Il hésita un instant, puis lança d'un air jovial : « Vous devez les prendre pour ne pas me crier dessus. L'infirmerie est petite, je n'ai nulle part où me réfugier si vous vous mettez en colère. »

Plus tard dans la journée, je fus prise de diarrhées. J'en parlai à l'infirmière, mais elle avait peur de me donner quoi que ce soit sans l'avis du médecin – il fallait attendre de le voir.

Le brigadier me rendit visite avec Zeelie car il avait appris l'aggravation de mon état de santé. Je lui dis que j'espérais me rétablir rapidement en vue du procès. Comme il voulait savoir si j'avais des plaintes à formuler, j'en profitai pour placer l'histoire du colis de ma sœur. Il me répondit que je connaissais la loi, que je savais ne pas pouvoir obtenir plus que l'équivalent d'un repas ni stocker de provisions dans ma cellule.

Je suggérai un éventuel arrangement, vu que nous avions déjà eu cette discussion l'année précédente, juste après notre incarcération, et qu'il nous avait autorisées à l'époque à garder toutes les provisions offertes par nos proches, lesquels n'allaient pas faire tout le chemin depuis Johannesbourg pour n'apporter qu'un repas. Il éclata de rire et me dit :

« Voilà ! Elle ne peut pas s'empêcher de polémiquer même sur son lit de douleur. Très bien, je vais en parler à la gardienne chef et je vous ferai savoir ce qu'il en est.

– Brigadier, intervint Zeelie, je crois que nous ferions mieux de laisser les choses en l'état. Je n'ai pas le temps de faire la chasse aux chats qui viendraient manger les réserves dans mon bureau. Vous devriez voir tout ce que ces gens apportent – du poulet, du chocolat, des gâteaux. De quoi nourrir dix personnes au lieu d'une. J'ai du travail. Je n'ai pas que ça à faire. »

Mais le brigadier répéta qu'ils en discuteraient plus tard. Je ne pus m'empêcher de noter son sourire malicieux. Sans doute à cause de la lettre dans laquelle j'écrivais à Nelson que je me sentais très mal à l'infirmerie et attendais avec impatience de retrouver mes camarades. Il avait forcément lu cette lettre le jour même. Il adorait nous savoir malheureuses.

4 juillet 1970

Toujours les diarrhées, couplées à de sévères crampes d'estomac. M. Rautenbach n'est pas de service et l'infirmière a peur de me donner quoi que ce soit, sachant que mes problèmes viennent d'une réaction aux médicaments. Rien mangé de la journée, comme hier. Juste une tasse de café noir en soirée.

5 juillet 1970

Les crampes d'estomac ont diminué. J'ai avalé un peu de porridge ce soir. Au lit toute la journée, très faible. M. Rautenbach est toujours absent.

6 juillet 1970

J'ai mangé un peu de porridge, même si les crampes d'estomac ont repris de plus belle. M. Rautenbach est venu me voir alors qu'il travaillait chez les hommes. Il a arrêté l'Inderal, ne laissant que le Tofranil – le traitement du Dr Morgan – jusqu'à la visite du médecin prévue demain. Deux comprimés à prendre avant les repas, juste pour aujourd'hui. Je me sens toujours aussi nauséeuse.

La visite et la nourriture

Le 21 juillet 1970, je reçus la visite de Mme Gladys Masinga, l'une de mes connaissances du « camp Maud », évidemment envoyée par Maud elle-même. Elle m'offrit des boîtes de conserve. Je rejoignis ensuite mes camarades dans la cellule de N° 17[1]. Notre entretien dura plus de vingt minutes car notre avocat était arrivé entre-temps et d'aucuns prirent un malin plaisir à le faire attendre.

La réunion se déroula à l'extérieur, comme d'habitude, puis l'on nous ramena dans la cellule de N° 17. Juste avant d'y pénétrer, la gardienne Bezuidenhout nous dit en afrikaans de « *trek uit* » – nous déshabiller. Nous ôtâmes juste nos robes, obligeant la gardienne à répéter son ordre. Vu mon état de santé, je lui dis de me fouiller si elle voulait, mais que je devais me rhabiller au plus vite ; je n'allais pas bien et ne pouvais pas rester exposée au froid. De plus, les saignements avaient repris. Bezuidenhout me fouilla au corps et m'autorisa à me rhabiller. Elle ordonna ensuite à N° 7 d'enlever ses sous-vêtements. N° 7 refusa en lui demandant à son tour de la fouiller comme ça, alors que les trois autres prisonnières étaient déjà en train de se dénuder.

---

1. Venus Thokozile Mngoma.

N° 7 et la gardienne se lancèrent alors dans une violente dispute. Je ne comprenais pas ce que disait Bezuidenhout en afrikaans. Elle enferma N° 7 dans sa cellule et nous conduisit dans celle de N° 17. Pour la première fois, je pris le déjeuner avec mes camarades. Retour à l'infirmerie vers 15 heures. Je ne reçus ni les médicaments du matin ni ceux de l'après-midi.

À l'infirmerie

Je retrouvai mon lit sens dessus dessous, mes crèmes étalées par terre, du moins certaines d'entre elles. Tous mes vêtements avaient disparu, ainsi que la valise dans laquelle je gardais les habits trop grands que je retouchais en vue du procès. Mes livres n'étaient plus là, non plus que le reste de mes crèmes et les rares conserves autorisées par Wessels et Zeelie.

Je n'avais pas de culotte de rechange pour la nuit. Un jour et une nuit s'écoulèrent sans qu'on me distribue le moindre médicament.

La nourriture

Bezuidenhout m'apporta un *dixie* contenant quelques bonbons au glucose, deux bâtonnets de bœuf, deux oranges pourries et deux bouts de fromage sans emballage. Un autre *dixie* débordait du contenu de plusieurs boîtes de conserve mélangées : petits pois, haricots verts, biryani et spaghettis à la sauce tomate.

L'eau des petits pois et des haricots n'ayant pas été vidée, l'ensemble formait une mixture dégoûtante que même un chien aurait sans doute refusée. Bezuidenhout éclata de rire tandis que la prisonnière qui l'accompagnait me tendait ma pitance. J'étais assise sur le lit, observant les crèmes et les journaux dispersés tout autour. « C'est tout pour aujourd'hui », me dit Bezuidenhout. Si j'avais été seule, j'aurais fondu en larmes ou je l'aurais giflée. Difficile de résister à de telles provocations, mais je réussis à garder mon calme, comme me l'avait conseillé l'avocat. Parviendrai-je à me contenir encore longtemps ?

Les brimades continuent

Je subis à n'en pas douter les conséquences de mon refus du 12 juillet de rédiger une lettre demandant ma sortie de l'infirmerie. Me voilà donc sujette à brimades et intimidations à quelques jours de l'ouverture du procès.

À l'infirmerie, je reste placée à l'isolement bien qu'étant normalement en attente de jugement. Tous mes livres ont été confisqués, ainsi que les vêtements chauds que je mets pour sortir. Zeelie, par l'intermédiaire de Scott, m'a ordonné de n'emporter que mon dossier lorsque je vais rencontrer mon avocat ou mes camarades. Les objets confisqués m'avaient pourtant été remis par Zeelie et Wessels elles-mêmes. J'y ai droit et ne peux les conserver autre part que près de moi. Mes affaires ne gênaient personne, elles étaient rangées dans un sac à provisions et une petite valise. Les vêtements retouchés étaient pendus au paravent par des cintres.

Les autres prisonnières gardent pourtant leurs effets sous leur lit, dans des cartons d'ailleurs pas très bien rangés. Si je devais quitter l'infirmerie durant le procès, où mettrais-je les affaires dont j'ai besoin ?

Pendant combien de temps faudra-t-il encore supporter tout ça ? Nous n'avons pas eu de promenade depuis samedi 18 – depuis quatre jours.

Encore la nourriture

Zeelie n'arrête pas de mentir. Elle a dit à Scott de me faire savoir qu'elle ignorait tout des provisions apportées par ma sœur le 16 juillet, et qu'il fallait donc attendre le retour de Wessels qui était de service la semaine dernière. Wessels était censée revenir lundi 20, mais Zeelie savait que celle-ci ne revenait en fait que le 24.

Mon informatrice m'a confirmé que Wessels avait donné les provisions à Zeelie, provisions qui pourrissaient à présent dans leur bureau. Wessels lui a aussi transmis la liste que j'avais signée, mais qu'importe, Zeelie compte rendre la nourriture avariée à ma sœur lorsqu'elle viendra demain, jeudi 23. Tant de cruauté me sidère. Les oranges pourries proviennent sans doute d'un sac apporté par le père Rakale le 8 juillet. Zeelie préfère laisser perdre les aliments – nos aliments – que nous les donner.

J'aimerais pouvoir montrer à mon avocat l'horrible *dixie* débordant de conserves mélangées. Je n'ai pris ni dîner ni petit déjeuner. Trop énervée.

J'ai décidé de me lancer dans une grève de la faim jusqu'à ce que le recours soit jugé. La situation devient vraiment infernale. Même quand je dispose de tous mes vêtements, je n'ai qu'un pull à porter par ce froid.

Mon informatrice m'a révélé les dernières instructions données au personnel blanc, visant à faire attendre mon avocat le plus possible, à le laisser faire le pied de grue dans un coin.

Les raisons d'une telle assurance

Zeelie suit les instructions d'Aucamp, mais elle se sent aussi en confiance parce qu'elle a été nommée par le général Nel, dont elle fut la secrétaire attitrée pendant des années. Elle connaît également un capitaine qui fait partie des administrateurs de la prison. Sa promotion date de septembre de l'an dernier.

D'après mon informatrice, Zeelie raconte que nos avocats peuvent bien aller faire un scandale chez le général s'ils le veulent, il ne les écoutera même pas. Il compte toujours nous refiler son avocat stupide parce qu'il en a assez que les nôtres discutent avec nous loin du bureau de Zeelie.

Je sens poindre un nouveau drame. Peut-être allons-nous nous retrouver à l'isolement dès le 3 août. Comme ce fut le cas une semaine avant le procès de février 1970.

22 juillet 1970

Je n'ai reçu que la moitié de mon traitement (Inderol et Valoid). Aucune nouvelle de la mixture blanche que je dois prendre trois fois par jour. Ni Trofanil ni piqûres. Pas de promenade. Pas d'explications concernant mes livres, mes vêtements, etc. Par contre, j'ai eu droit à ma ration de pain et de lait. J'ai laissé le lait, mais gardé le pain pour mes camarades.

23 juillet 1970

Mon informatrice pourra s'arranger pour récupérer le colis de ma sœur – si elle vient. Afin d'éviter un esclandre, elle essaiera aussi de la prévenir à temps concernant la nourriture pourrie que Zeelie veut lui remettre. Elle pense que ma sœur devrait plutôt m'apporter des vêtements et des cosmétiques, puisque Zeelie refusera toutes les provisions qui me seront destinées.

Hier, pas de déjeuner avec les camarades. Bezuidenhout avait reçu ordre de Zeelie, en ma présence, de me cloîtrer à l'infirmerie et les autres dans leurs cellules respectives. Nous pûmes quand même nous voir après le déjeuner. Le repas commun du 21 avait eu pour seul objet de permettre à Zeelie de voler mes affaires à l'infirmerie. La prisonnière présente à ce moment-là m'a dit que Zeelie et Bezuidenhout avaient tout inspecté soigneusement, comme si elles cherchaient quelque chose.

Le succès de mon informatrice dépendra bien sûr de son « contact à l'accueil ». Bezuidenhout est venue me voir pour s'excuser. D'après elle, elle ne fait que suivre les instructions.

La question du médecin personnel

Mon présent objectif est de retourner en cellule afin de pouvoir à nouveau consulter en même temps avocats et camarades. On verra après pour le médecin, sinon ils vont faire exprès de me garder à l'infirmerie, loin des autres. Il n'y a qu'une seule patiente avec moi, mais je n'ai pas le droit de lui parler. Mon lit est dissimulé derrière un paravent. Prisonnière en attente de jugement, je souhaite pouvoir parler librement aux autres coaccusées. L'infirmerie reste fermée – elle n'est ouverte que lors des visites de mon avocat.

Chapitre 13

Mon mari

Recours auprès du tribunal

S'il le faut, je demanderai à mon avocat de déposer un recours au tribunal afin qu'il soit autorisé à rendre visite à mon mari. Aucamp n'a pas le droit de choisir tel ou tel avocat pour gérer mes affaires familiales. Cette situation n'a que trop duré.

Mon beau-frère a reçu une lettre de Nelson. Elle contient des messages pour les enfants qui auraient dû leur parvenir l'année dernière. Dans la lettre qui m'est adressée, datée du 20 juin, il précise qu'il m'a effectivement écrit l'année passée, puis de nouveau en mars — un message urgent —, mais n'a jamais eu de réponse. Ce n'est plus possible, il faut trouver une solution. Comme si ça ne suffisait pas que nos filles soient privées de leurs parents, tous deux en prison ! Comme si elles n'avaient pas déjà assez souffert d'être séparées de leur père et de me voir lutter pour assurer leur subsistance malgré ma perte d'emploi ! Ladite lettre a sans aucun doute été postée par Aucamp il y a huit jours après sa visite à Robben Island — et après l'avoir lue.

Mon beau-frère a demandé à voir Nelson, mais ça prendra du temps car les requêtes sont traitées par ordre chronologique, conformément au règlement édicté par le commandant de Robben Island. Et qui est listé avant lui ? Les enfants de la tante de Makgatho, dont Nelson pourrait très bien se priver.

D'ailleurs, Nelson écrit qu'il ne comprend pas pourquoi Xaba[1] éprouve tant de mal à lui rendre visite alors qu'il a besoin de lui en priorité pour démêler nos affaires de famille. J'y vois un complot d'Aucamp visant à briser nos liens familiaux. Nelson a beau être compréhensif, cette situation le blesse profondément, et moi de même. Que pouvons-nous y faire ? Rien. Nous sommes obligés de nous en remettre à nos avocats ! Si seulement Nelson avait été au courant, il aurait refusé toutes les requêtes qui repoussaient celle de Xaba.

Il explique aussi dans sa lettre qu'il est très triste de n'avoir reçu aucune nouvelle des enfants depuis septembre. Tous les visiteurs parasites ignorent qu'ils l'empêchent de se pencher au plus vite sur ce qui lui tient vraiment à cœur.

Comme je crains fort d'être condamnée à une lourde peine, il faut régler ces détails d'organisation une bonne fois pour toutes. Après, j'aurai l'esprit plus tranquille pour aborder un procès qui s'annonce plus compliqué que le précédent.

Nelson souhaite également savoir si le chef Vulindlela Mtirara, le frère de Telia, a bien lu sa lettre. Et si oui, pourquoi il n'y a pas répondu malgré l'urgence des points soulevés. Telia donnera l'adresse à M. Carlson, pour vérification, mais vu que le chef Vulindlela habite au Transkei, il est fort possible qu'il n'ait jamais reçu cet envoi !

---

1. Marshall Xaba, le mari de Niki Iris Xaba, une des sœurs de Winnie Mandela.

Mes nouvelles instructions

Urgent : à l'attention de M. Carlson

1 – J'ai été sidérée d'apprendre, dans la lettre de mon mari datée du 20 juin 1970, qu'il n'est jamais parvenu à rencontrer notre avocat alors qu'il a déposé de multiples requêtes en ce sens depuis mon arrestation en mai 1969.

2 – Je ne connais aucune loi m'empêchant de désigner moi-même l'avocat chargé de mes affaires familiales. J'ignore ce que le brigadier Aucamp a bien pu raconter à mon mari pour le convaincre de confier cette tâche à M. Brown. Cet arrangement est malcommode, car même si j'ai toute confiance en M. Brown, il ne connaît rien aux questions dont se charge M. Carlson depuis des années. Je demande donc à M. Carlson d'essayer de rencontrer mon mari au plus vite afin de régler les problèmes familiaux qui reposent actuellement sur mes seules épaules et me causent de grands soucis.

3 – Je souhaite que mon mari désigne mon avocat comme gardien de la maison, ce qui mettra fin à ces querelles familiales auxquelles il me semble impossible de remédier tant que nous serons tous les deux en prison. La municipalité de Johannesbourg attend ma condamnation pour récupérer notre logement, ce qui serait pour nous le pire des cauchemars. Nous ne voulons pas que nos enfants soient privés de foyer à cause de nos opinions politiques. Ils sont très jeunes et ont déjà beaucoup souffert.

4 – Comment se fait-il que le brigadier Aucamp n'ait pas signalé mon séjour à l'infirmerie à Nelson, alors qu'il l'a vu à plusieurs reprises depuis mon admission ? Nelson exige de pouvoir consulter tous les rapports médicaux que les autorités pénitentiaires auraient dû lui transmettre d'elles-mêmes vu les circonstances – le fait que je ne puisse pas communiquer avec lui. Je demande donc à mon avocat de récupérer ces documents afin de les remettre à mon mari.

5 – Bien que Nelson ait le droit d'écrire et de recevoir une lettre par mois, ses lettres ne parviennent jamais à leur destinataire. Il a réussi, malgré les difficultés, à mener son enquête et à découvrir que lesdites lettres ne quittaient même pas Robben Island. Je demande donc à mon avocat d'enquêter sur ces dysfonctionnements et d'en référer à mon mari.

6 – Le problème crucial reste la désignation d'un tuteur pour les filles. Je l'ai dit et redit un million de fois, cela m'inquiète énormément. M. Brown ne connaît pas les nombreuses personnes qui assurent la subsistance des enfants. Celles-ci ne connaissent pour leur part que mon avocat, et ne coopéreront sûrement pas avec un autre avocat surgi de nulle part.

7 – Mon mari et moi-même sommes très mécontents que Makgatho[1] n'ait pas intégré Fort Hare comme prévu, bien qu'il ait certifié à son père, lors de sa dernière visite, qu'il partait pour l'université le 14 février. Il s'est piteusement justifié par le fait qu'il n'y avait personne pour garder la maison en son absence, mais ma sœur m'a appris qu'il en avait refusé l'accès à un couple envoyé par Telia. Tout ceci ne serait jamais arrivé avec un gardien officiellement désigné. Et qui se paie une bonne tranche de rigolade sur notre dos ? La Police spéciale, qui a réussi grâce à Maud à creuser un fossé entre ma famille et ma belle-famille. Il faut que ça cesse !

8 – Pourquoi ni Marshall Xaba ni aucune de mes sœurs ne sont allés voir Nelson ? Continue-t-on à leur en refuser l'autorisation ?

Quelques minutes après avoir écrit ces lignes, je reçus la visite des Xaba, ma sœur[2] et son mari. Quel bonheur ! Ma sœur s'inquiéta de ma perte de poids. Nous eûmes

---

1. Le deuxième fils de Nelson Mandela.
2. Niki Iris Xaba.

ensuite une longue discussion au sujet de la maison car Makgatho devenait incontrôlable : il empêchait quiconque de s'y installer, allant même jusqu'à louer les services de *tsotsis*[1] pour menacer les volontaires. Je leur conseillai de se mettre en retrait et de laisser mon avocat régler l'affaire. Ils convinrent tous les deux que c'était la meilleure solution – M. Carlson en discuterait avec mon mari ou, à défaut, agirait selon mes instructions. Dans sa lettre, Nelson m'indiquait que Makgatho suggérait d'héberger Lulu – la fille de sa tante – et son mari, un couple qui s'était déjà rendu à Robben Island. Nelson avait répondu à Telia qu'il approuverait le choix de Lulu à condition que je l'approuve moi aussi. Pour ma part, je préférerais des gens totalement neutres. Si Lulu prend la maison, les deux familles s'en trouveront d'autant plus séparées, alors qu'il est dans l'intérêt de tous qu'elles apaisent leurs querelles. J'aime ces deux familles. Je ne veux pas me trouver prise entre deux feux. J'en profitai pour annoncer à mon beau-frère que nous avions choisi trois personnes, le père Rakale, oncle Mzaidume[2] et lui-même, pour être les tuteurs des enfants.

9 – Veuillez écrire à Telia pour vérifier où se trouvent mes vêtements. Maud a-t-elle dit la vérité en prétendant lui avoir tout donné ?

---

1. Voyous ou gangsters.
2. Paul Mzaidume, l'oncle de Winnie Mandela.

Chapitre 14

Le nouveau procès

Les accusés furent informés des nouvelles charges retenues contre eux lors de l'audience du 3 août 1970. Ces charges, définies cette fois au titre de la loi antiterroriste, ressemblaient étonnamment à celles de 1969. Trois des vingt-deux premiers accusés n'étaient plus concernés, tandis que les dix-neuf autres étaient rejoints par Benjamin Ramotse, un agent du MK. Cette affaire prit le nom de « l'État contre Benjamin Ramotse et dix-neuf autres prévenus ».

*
* *

Mon avis sur le nouveau procès

Je crois qu'ils ont finalement décidé de s'en tenir au plan de Swanepoel et Coetzee. Ce dernier estimait que nous devions être déclarés coupables et condamnés à de lourdes peines de prison, mais qu'un grand nombre de prisonniers politiques seraient ensuite amnistiés le 31 mai 1971 pour célébrer le dixième anniversaire de la République. Ils démontreraient de cette façon, selon leurs propres termes, leur « bonne volonté envers les Bantous ». La Police spéciale n'a-t-elle pas dit récemment à Martha Dlamini, N° 18, que ce n'était pas la peine qu'elle songe à rentrer chez elle « avant un an » ? Malgré leurs mensonges incessants, je pense que tel est réellement leur objectif.

Mon avis sur l'acquittement
lors du précédent procès

Le 1ᵉʳ décembre 1969, quand je décidai d'affirmer dans ma plaidoirie qu'il s'agissait d'un procès factice, j'étais sincèrement persuadée que l'État n'irait pas s'enliser dans une longue procédure envers l'ANC qui risquerait de se retourner contre lui juste avant les élections législatives. J'avais donc déclaré à mes camarades que je m'attendais à ce que l'État fasse très vite machine arrière.

J'en touchai un mot à M. Soggot, qui en conclut que j'avais sans doute perdu la tête, étant donné qu'il n'avait jamais vu une affaire si bien ficelée par le procureur. Plus tard, lorsque ce dernier « interrogea » N° 10[1], je me dis que j'avais peut-être effectivement perdu la raison – surtout quand l'actuelle N° 7 expliqua ce qu'elle avait appris aux « gars » en termes de sabotage et de techniques militaires. Mais je persistais à croire que l'État ne pouvait pas se lancer dans un procès qui contredirait la propagande officielle selon laquelle l'ANC avait été anéanti.

Au cours de ce bref procès, j'en vins à penser que le meilleur apôtre de notre mouvement n'était autre que le « camarade » Rothwell[2]. Ces audiences représentaient en effet la plus belle vitrine qui soit de l'ANC depuis le procès de Rivonia.

Si Swanepoel et ses acolytes avaient eu vent de mes intentions concernant Levin, il n'y aurait jamais eu de procès. Du point de vue de l'ANC, il se serait avéré beaucoup plus destructeur de nous relâcher sans procès après une certaine période de détention ; le peuple aurait cru que nous n'étions qu'une bande de vendus, confirmant ainsi les rumeurs que la Police spéciale

---

1. Joseph Zikalala.
2. L'un des procureurs.

faisait courir depuis des années parmi nos partisans. Quand un mensonge est répété assez souvent, on finit par y croire.

Je ne serais pas surprise si j'apprenais que mes avocats avaient douté de moi au début du procès, avant d'en savoir plus sur Levin. On m'a souvent accusée d'être une individualiste qui se croit plus intelligente que tout le monde. C'est sans doute un aspect de ma personnalité qui peut déstabiliser ceux qui n'ont pas travaillé directement avec moi. Avec du recul, je me dis qu'ils n'avaient pas totalement tort. Même Nelson avait l'habitude de s'exclamer : « Zami, tu es vraiment intenable ! »

Swanepoel était convaincu que je le croyais sur parole quand il prétendait que Carlson lui donnerait des preuves, même s'il savait que je tenais à être défendue par cet homme quoi qu'il arrive.

Si Swanepoel et ses sbires avaient su que ces mêmes avocats nous défendraient encore aujourd'hui, ils auraient préféré nous libérer et affronter les foudres de leur électorat. Ils ont peur de nos avocats à un point qui frôle le pathétique, au point de venir négocier avec moi en disant : « Winnie, si vous n'engagez pas Bizos, Soggot ou Kuny pour votre défense, vous ne serez pas condamnée. » Ils détiennent pourtant des preuves solides contre nous, surtout depuis le témoignage de Mohale et l'arrestation de N° 20 avec tous mes documents.

Je reste sidérée par l'absence totale de Blancs dans ce procès, alors que l'objectif est de montrer que nous ne sommes qu'un « groupe de Bantous manipulés par les communistes blancs ». Ils veulent peut-être prouver que « les Blancs ne sont pas faits pour aller en prison », une affirmation qui m'a souvent été répétée durant les interrogatoires. À moins qu'ils espèrent nous faire douter de nos complices blancs.

La Police spéciale semble être soumise à de grosses pressions. Le 1er mai, Swanepoel était furieux que je fasse référence à l'affaire Lenkoe, mais il est parvenu à garder son sang-froid et à rester aussi calme et poli qu'à l'ordinaire. Le Swanepoel que je connais, c'est celui qui m'a interpellée ainsi l'année passée : « Regardez-la, cette salope qui s'est tapée tous les communistes blancs des alentours ! Tranquille, posée. Rien ne la gêne ! Elle ne réagit même pas. La dernière fois que j'ai interrogé ce genre de communiste, c'était Goldberg. La même engeance. J'aurais dû enregistrer vos folles nuits d'amour et les faire écouter à votre mari ! » À cette occasion, son partenaire avait cru bon d'ajouter : « Winnie séduirait le pape si elle pensait pouvoir l'utiliser à des fins politiques. » Ils avaient éclaté de rire ! J'avais pensé obtenir le même type de réactions par mes provocations du 1er mai, car la colère fait souvent dire à ces gens-là ce qu'ils ne diraient pas en temps normal.

20 juillet 1970

Brouillon de « Nous cherchons une solution aux problèmes ».
À suivre.

La lessive

Nous faisons notre lessive en cellule, la plupart du temps le week-end, avec le même seau dans lequel nous nous lavons. Quand nous demandons de l'eau de rinçage, nous avons parfois la chance d'en obtenir dans un autre seau, mais en général on nous ordonne de faire sans. Il n'y a de toute façon pas assez de seaux disponibles vu qu'ils servent aussi à nettoyer par terre, à nettoyer la cour ou même les fosses d'aisances. Souvent, les seaux puent tellement qu'il est hors de question de s'en servir. Ces jours-là, j'utilise mon eau potable pour me laver… De fait, les prisonnières ne rincent pas leurs vêtements, elles se contentent de les pendre au mur du couloir encore gorgés de savon. Il n'y a rien d'autre à faire ; les gardiennes rapportent les habits secs lors du repas suivant.

À l'inverse, les prisonnières en attente de jugement sont conduites à la laverie, où elles passent la journée à nettoyer leurs affaires dans de bonnes conditions. La douche que nous utilisions au début se situe au même endroit, qui est aussi la cour de promenade. Celles qui veulent prendre une douche, avec eau chaude et froide, y ont librement accès. Cette cour, Aucamp nous en a interdit l'accès parce qu'elle était trop bien pour nous. Les autres prisonnières, elles, attendent tranquillement que leur linge sèche en profitant de la promenade.

NB : Depuis que Zeelie a remplacé Britz, les prisonnières en attente de jugement travaillent à la laverie. Elles sortent les serviettes des machines à laver, les étendent, les rangent quand elles sont sèches. Si cela n'est pas bien fait, elles subissent les mêmes châtiments corporels que les condamnées. Wessels et Zeelie se chargent des punitions. Quand les prisonnières en ont fini avec les serviettes, elles peuvent s'occuper de leur propre toilette et lessive. Par contre, elles ne repassent pas.

Les seaux que nous avons à disposition sont sales, rouillés et pleins de trous. Comme le sol est noir, les seaux sont souillés de cire noire. Ils sont si vieux qu'ils n'ont même plus de poignée.

L'état des lieux

En mai 1969, je disposais d'environ une demi-heure par jour dans la cour. C'était le moment de faire ma lessive, même si cela me privait de promenade. De meilleures conditions que maintenant.

En juin, lorsque je suis tombée malade, d'autres prisonnières se sont occupées de mon linge à la laverie. Cette situation dura jusqu'à l'arrivée de Zeelie en septembre. Après, je dus faire ma lessive en cellule. Toujours en septembre, Aucamp intercepta un message destiné à ma sœur. La même semaine, je réclamai à Zeelie la permission de retourner à la laverie car je pouvais travailler debout, ce qui convenait mieux à mon état de santé. Elle me répondit que je n'avais qu'à poser mon seau sur le lit dont je disposais depuis août sur ordre du médecin. J'eus beau dire que cela tremperait les couvertures et le matelas, elle n'en avait rien à faire.

Je demandai alors à voir Aucamp, que je rencontrai dès le lendemain dans le bureau de Britz. Il m'expliqua qu'il m'interdisait l'accès à la laverie à cause du fameux message destiné à ma sœur. Point final. Et d'ailleurs, les autres prisonnières n'y auraient plus accès non plus, même si elles n'avaient rien à voir avec tout ça.

Discussions avec Aucamp sur la nourriture

J'ai abordé cette question avec lui un nombre incalculable de fois depuis mon arrestation.

Après l'inculpation d'octobre 1969, nos familles commencèrent à nous apporter des provisions en quantités non négligeables, en plus de celles que nous recevions chaque semaine de la paroisse. Cette manne provoqua un malentendu qui culmina avec une lettre de N° 7 à Aucamp – notre avocat en possède une copie.

Aucamp nous convoqua dans le bureau de Britz. Je réclamai alors le droit de répartir les provisions entre nous comme bon nous semblait, alors que Jacobs apportait les repas déjà prêts dans les *dixies*, exposés aux microbes. Quant aux aliments sous plastique (biscuits, fruits secs, etc.), ils ne devaient pas être sortis de leur emballage et mélangés à tout le reste. Nos familles avaient fait un long chemin depuis Johannesbourg pour nous fournir en denrées non périssables censées durer jusqu'à leur prochaine visite. Après avoir subi une longue période d'isolement et de disette, nous avions besoin d'une nourriture correcte pour retrouver des forces car nous étions terriblement diminuées. Nos familles avaient d'ailleurs apporté à cet effet des produits vitaminés tels que Complan, Milo ou lait concentré.

À partir de ce jour-là, et jusqu'à notre seconde arrestation le 16 février 1970, nous eûmes librement accès aux provisions fournies par nos familles, quelle qu'en soit la quantité.

Après la seconde inculpation, je dus revenir sur le sujet avec Aucamp. Les deux fois, il commença par arguer que je connaissais très bien le règlement de la prison – le fait que nous n'ayons droit de recevoir que l'équivalent d'un repas. Je répliquai donc qu'il avait déjà avancé l'argument l'année précédente avant de nous permettre, puisque tel était son droit, de profiter des provisions apportées par nos proches qui venaient de si loin. Les deux fois, il promit de prendre rapidement une décision en accord avec les gardiennes. En fait, rien ne changea.

Malgré les protestations de nos avocats, la situation continua à se détériorer. Nous étions tellement affamées qu'en dépit de mon statut de prisonnière en attente de jugement, normalement autorisée à recevoir des provisions de l'extérieur, le médecin de la prison dut me prescrire du pain et du lait à cause de la perte de poids et de l'anémie qui ne cessaient d'empirer. Lors de sa dernière visite, le 15 de ce mois, il me déclara inapte à retourner en cellule. Ce n'est pas un lit d'hôpital ni du pain ni du lait qui me remettront d'aplomb, mais une nourriture équilibrée en quantité suffisante.

Je suis à la merci du brigadier alors que je bénéficie du soutien de nos avocats : qu'arrivera-t-il de pire si je suis condamnée ? Devrai-je purger toute ma peine dans cet état de délabrement physique ? Comment tenir ? Quel niveau de résistance peut-on espérer d'un être humain ? J'ai déjà atteint mes limites.

Nourriture : la situation actuelle

Il y a deux semaines, puis la semaine dernière, j'ai dit à Zeelie que je voulais rencontrer Aucamp pour discuter encore une fois des problèmes de nourriture. Elle m'a répondu qu'elle lui ferait passer le message… On ne nous laisse toujours recevoir que l'équivalent d'un repas.

Lorsque ma sœur est venue me rendre visite le jeudi 16, je lui ai demandé de tenir la liste de ce qu'on lui rendait et de la transmettre à mon avocat. Je devais faire de même de mon côté. Plus tard, je reçus une liste rédigée de la main de Wessels, décrivant ce qu'on m'avait donné et ce qui « aurait été rendu à ma sœur si elle n'était pas partie trop vite ». Je datai et signai. Scott avait été rapporter ce que j'avais dit à ma sœur, et celle-ci était partie comme d'habitude dès qu'on m'avait ramenée en cellule. Je réclamai ces provisions tout le week-end. On m'affirma que Wessels serait de nouveau de service lundi 20, mais je savais par mon informatrice qu'elle ne reviendrait que le vendredi. Ces provisions ont tout bonnement disparu.

La nourriture des autres prisonnières

Les prisonnières normales en attente de jugement profitent des audiences pour rapporter autant de provisions qu'elles sont capables d'en transporter, notamment du pain et des fruits. J'en ai même vu récupérer des plats cuisinés. Ces échanges avec leur famille se déroulent dans la salle réservée aux visiteurs. J'ai vu de mes yeux une prisonnière repartir avec trois *dixies* contenant du pain, des fruits, de la viande et des pommes de terre – de quoi tenir une semaine.

Sans oublier les paquets (scellés) de biscuits ou de cigarettes. Les nôtres sont ouverts, les emballages jetés par pure méchanceté, ce qui donne par exemple des cigarettes sèches et inutilisables. En notre absence, les biscuits sont mélangés aux cigarettes, aux savons, etc. Et l'on voudrait nous les faire manger quand même !

La nourriture apportée par les proches est inspectée par les gardiennes en présence de la prisonnière, qui peut ensuite la récupérer. Les provisions passent presque directement des mains de la famille à la cellule. Alors que, dans notre cas, la nourriture est confisquée par les gardiennes. Il nous est donc impossible de partager ces aliments puisqu'on nous les redistribue peu à peu chaque jour à raison d'un maigre dîner chacune.

Il arrive d'ailleurs que nous conservions cette pitance jusqu'au matin, lorsque nous nous retrouvons dans la cellule de N° 17, pour la répartir équitablement. Comme si nous devions voler notre propre nourriture. J'ai eu plus d'une fois les larmes aux yeux en voyant mes camarades profiter de mon pain, celui prescrit par le médecin, que j'essaie de leur apporter chaque matin. Le grand verre de lait me suffit pour la journée. Le pain nourrit à peine une personne.

Voilà comment un brigadier s'occupe – en organisant des brimades autour de l'accès à la nourriture. Laisser manger les détenues engendre-t-il un risque pour la sécurité de la prison ? L'État est-il en danger si N° 20 fume vingt cigarettes par jour ? L'État craint-il que ma sœur m'apporte des produits vitaminés ? Ou du poulet ?

Jeux, livres et mouchoirs

Le 8 juillet 1970, notre avocat nous apporta les articles susmentionnés, dont nous fûmes aussitôt privées sur ordre d'Aucamp. Je les réclamai maintes fois à Scott et obtins cette seule et unique réponse : Zeelie allait se renseigner pour savoir si elle pouvait nous les donner. Zeelie se contente de suivre les instructions. Pourtant, ces mouchoirs sont à moi, j'ai le droit d'en faire ce que je veux. Qu'y a-t-il d'illégal à ce que ma famille me transmette des mouchoirs par l'intermédiaire de mon avocat, qui me voit tous les jours ? J'ai dit à ma sœur, en présence d'une gardienne, que si elle ne pouvait pas me rendre visite pour une raison ou pour une autre, elle devait confier son colis à mon avocat.

La suite de mes soucis de santé

Entre décembre 1969 et janvier 1970, j'essayai de voir un dentiste. Jacobs m'annonça que le brigadier réclamait une demande écrite. J'en fus très surprise car je pensais que le médecin en référerait directement au dentiste. Je rédigeai la demande malgré tout, que je fis suivre de nombreuses relances orales jusqu'à ma seconde arrestation.

À ce jour, je n'ai toujours pas vu de dentiste car « le brigadier n'a pas encore délivré d'autorisation ». Je continue pourtant à insister, même depuis la seconde arrestation. N° 9 a fait une requête similaire sans rencontrer plus de succès.

La nourriture à l'infirmerie

L'infirmerie est soumise au même régime que la prison. Lorsque je suis tombée malade, à partir du 6 mai, je vomissais tout aliment solide. J'en avais alors parlé à Zeelie en réclamant du porridge plutôt que des épis de maïs au dîner. Elle devait en référer à Aucamp, ce qui me valut une semaine sans dîner en attendant l'autorisation adéquate.

Le 10 juin, je pus retourner en cellule pour quelques jours, durant lesquels on me donna à nouveau des épis de maïs. Un début de bronchite provoqua les mêmes symptômes ; je restai quatre jours sans dîner avant de reprendre le chemin de l'infirmerie et du porridge.

Dimanche 12 juillet

J'ai oublié de raconter à mon avocat que, le dimanche 12 juillet, la gardienne Nel m'a abordée pendant la promenade pour me dire que Wessels voulait que j'écrive une lettre demandant à quitter l'infirmerie. Quel complot se tramait encore dans mon dos ? Je lui répondis que je rédigerais cette lettre le jour où je serais devenue folle, mais comme j'étais présentement saine d'esprit, il n'en était pas question. Une telle décision incombait au médecin.

Ce même jour, N° 18 entendit Wessels parler de mon refus au surintendant en visite. Elle agissait bien sûr sur ordre d'Aucamp. Je suppose que le médecin refuse de me renvoyer en cellule.

Les visites du médecin

Le médecin vient une fois par semaine, le dentiste tous les quinze jours. Les prisonnières normales qui souhaitent une consultation en informent la gardienne, laquelle ne cherche même pas à savoir de quoi elles souffrent. Puis les prisonnières, y compris celles en attente de jugement, se rendent au cabinet sans escorte.

Notre cas est bien différent. Il faut signaler à la gardienne de service qu'on se sent souffrante et lui donner des détails. Elle transmet à la gardienne chef, qui transmet à Aucamp.

Journal médical[1]

Trois crises le 24 décembre 1969. Description des crises :

1 – Douleur aiguë dans la poitrine pendant environ cinq minutes.

2 – Perte de contrôle des fonctions musculaires.

3 – Essoufflement, étouffement, langue gonflée. Impossible de déglutir ou de bouger. À peine consciente.

4 – Le corps reprend vie dans un spasme.

5 – Palpitations. Grosse douleur sous le sein gauche.

6 – Impossible d'estimer la durée des crises. Sans doute assez longues. Sueur abondante.

7 – Le lendemain, yeux injectés de sang, migraine persistante, sale goût dans la bouche, pas d'appétit.

Lundi 29/12/69 Pas vu le médecin. Douche. Avocat. Isolement. Pas de promenade.

Mardi 30/12/69 Pas de douche. Avocat. Isolement. Pas de promenade. Traitement incomplet (comprimés blancs). Brigadier.

Mercredi 31/12/69 Douche. Avocat. Dîner – ensemble. Pas de promenade. Vu le médecin. Tension correcte.

Jeudi 1/01/70 Pas de douche. Pas de promenade. Ensemble.

Vendredi 2/01/70 Deux crises vers minuit. V. hurle.

Lundi 5/01/70 Douche à midi. Pas de comprimés le matin, OK l'après-midi. Avocat. Pas de promenade.

---

1. Ce « journal médical » est issu de bouts de papier retrouvés dans le dossier de Winnie Mandela aux Archives nationales d'Afrique du Sud.

Mardi 6/01/70 Pas de douche. Comprimés du matin. Avocat. Pas de promenade.

Mercredi 7/01/70 Douche. Pas de comprimés. Seule jusqu'au déjeuner. Pas de comprimés de la journée. Infirmerie fermée d'après gardienne chef. Pas de promenade.

Jeudi 8/01/70 Petite crise, essoufflée quarante minutes. Sueur, palpitations, douleur sous le sein gauche. L'ai dit à gardienne chef J. S'occupera désormais des médicaments.

Vendredi 9/01/70 Diarrhée de 3 heures à l'aube. Pas de solide au petit déj'. Douche. Comprimés du matin. Ai dû prendre d'un coup comprimés de l'après-midi et du soir. Tout raconté à Mlle V. Dit que c'est pas bien. Fatigue et somnolence toute la journée.

Samedi 10/01/70 Pas de douche. De nouveau seule. Au déjeuner, ai demandé à la gardienne les raisons de l'isolement – dit qu'elle demandera à Wes [*Wessels*]. Quelqu'un d'autre a posé la question. Me renseigne sur la réponse de Wes – gardienne dit que pas de réponse car Wes occupée à l'étage. Lui dis de dire à Wes que nous sommes censées travailler ensemble pour nos avocats.

Dimanche 11/01/70 (suite) Jusqu'à 15 heures, aucune explication pour la veille. Pas d'appétit. Vers 18 heures, palpitations. Grosse suée.

Lundi 12/01/70 Pas de douche. Avocat. Ensemble. Tous les comprimés OK. Pas de promenade.

Mardi 13/01/70 Pas de douche. Avocat. Ensemble. Avocat JC. Pas de promenade. Tous les comprimés OK. Requête B refusée.

Mercredi 14/01/70 Douche à midi. Comprimés au déjeuner. Seule jusqu'au déjeuner. Vêtements rapportés par J. Avocat pendant dix minutes… puis étouffement, puis spasmes.

À peine consciente jusqu'au spasme de délivrance.

Incapable d'estimer la durée. M'a semblé long.

Dernière sonnerie peu après. Me suis regardée dans le miroir – pupilles dilatées et yeux injectés de sang.

Comprimés pour la nuit. Peur de dormir, peur d'une nouvelle crise. Restée assise pour rédiger mon journal. Avant la crise, ai beaucoup pensé à mon mari et aux enfants. Aussi à mes vêtements et à ceux de Nelson, chez Maud. Également aux querelles familiales – il paraît que Telia est malade.

Sans prévenir, nouvelle douleur sous le sein gauche pendant que j'écris. Grosse suée.

Jeudi 15/01/70 Dit à J. que je n'allais pas bien. Ai demandé à voir le médecin pour ma tension. Douche. Pas de comprimés du matin. J. dit qu'elle a demandé quelqu'un – mais jamais venu. Comprimés du matin au déjeuner. Avocat JC dix minutes. Visite de ma petite sœur – provisions et chemisier. Médicaments de l'après-midi et du soir au dîner – trop vite desservi – phuza-mandla. Ensemble.

Vendredi 16/01/70 Réveillée à 4 ou 5 heures par des crampes d'estomac – diarrhée – envie de vomir. L'ai dit à la gardienne, ai demandé à voir un médecin. Juste après le petit déj', Z. m'a dit que le médecin n'était pas disponible. Ai pris quelque chose pour la diarrhée en plus du reste.

Vertiges.

26 juillet 1970

Bref exposé de nos doléances[1]

1 – Cellules :

Nous occupons des cellules initialement prévues pour les punitions. On nous a dit qu'il n'y avait rien de mieux

---

1. Document retrouvé dans le dossier de Winnie Mandela aux Archives nationales d'Afrique du Sud.

pour le moment, mais cela rend la situation très difficile car la petitesse des pièces restreint nos mouvements. Nous sommes pratiquement assises les unes sur les autres quand nous sommes ensemble. En conséquence, nous demandons que les portes restent ouvertes afin de bénéficier de la même liberté de mouvement que les autres prisonnières en attente de jugement, qui peuvent se déplacer librement à l'intérieur d'une certaine zone. Nous comprenons par contre que la grille doive rester fermée pour nous séparer des autres prisonnières. Il est de toute façon nécessaire de garder les cellules ouvertes en journée pour de simples raisons d'hygiène, vu leur taille et le fait que nous y soyons confinées jour et nuit.

2 – Vêtements et nourriture :

Un gros malentendu s'est installé entre le personnel et nous, suite aux nouvelles instructions relatives aux provisions fournies par nos proches – des instructions très différentes de celles appliquées par la lieutenante Britz et les gardiennes chefs Wessels et Jacobs.

Nous connaissons le règlement pénitentiaire à ce sujet. C'est pourquoi, l'année dernière, nous avions déposé une requête spéciale auprès du brigadier Aucamp afin d'être autorisées à conserver tous les produits apportés par nos familles. Non seulement celles-ci se déplaçaient depuis Johannesbourg, mais nous avions besoin de cet apport nutritif pour compléter le menu de la prison. Le partage des provisions se déroulait normalement, sans risque de nous voir accumuler des réserves puisque nos visiteurs se présentaient rarement le même jour. Le brigadier Aucamp nous avait donc autorisées à garder tous les aliments fournis par nos familles. Il avait ensuite ordonné que les bonbons, biscuits, fruits secs, cigarettes, fromages et autres produits sous emballage transparent ne soient pas ouverts, ce qui nous garantissait une alimentation saine sans craindre toutes sortes de contaminations.

Actuellement, la situation est la suivante :

a – Nous n'avons le droit de recevoir que l'équivalent d'un repas, le reste doit être remporté par nos familles.

b – Les aliments sont sortis de leur emballage. Les conserves sont ouvertes et mélangées dans un seul *dixie*. Le fromage est déballé, de même que les cigarettes, laissées en vrac. Les cosmétiques et le savon sont souvent posés sur la nourriture, rendant immangeable notre déjà maigre pitance.

c – Les provisions sont confisquées jusqu'à l'heure du dîner, empêchant celles qui le désirent de les partager avec leurs camarades.

d – Comme les colis ne sont pas accessibles pendant la visite, les prisonnières ne découvrent leur contenu qu'après le départ de leurs proches. Alors que s'il y a par exemple des vêtements qui peuvent attendre la visite suivante, il suffit pour le savoir d'ouvrir le colis sous contrôle de la gardienne, comme c'est le cas pour les autres prisonnières en attente de jugement. Inutile de tenir des listes de ce que la détenue a reçu, de ce qui a été rendu, etc. Nous avons d'ores et déjà transmis au brigadier notre souhait d'en revenir au dispositif de l'année dernière concernant les provisions et les vêtements.

3 – Douche :

Nous avons grandement apprécié de voir une douche installée derrière nos cellules. Celle-ci est néanmoins difficilement utilisable en hiver car placée à l'extérieur. Nous avons dû refuser d'aller nous doucher quand il faisait trop froid. Nous réclamons le droit d'utiliser la douche de la prison, à laquelle nous avons déjà eu accès, et ce jusqu'à ce que les températures soient plus clémentes. Pour ma part, ma dernière douche remonte au mois d'avril.

4 – Promenade :

Nous n'avons pas assez d'exercice. Par exemple, cette semaine, nous n'avons eu droit qu'à une seule séance le jeudi 23. Nous restons souvent enfermées du vendredi au lundi sans prendre l'air. J'ai remarqué que les promenades se déroulaient plus normalement quand la gardienne chef Wessels était de service le week-end.

5 – Pots de chambre :

Les pots sont vidés une fois par jour. Nous sommes donc obligées de garder un pot souillé toute la journée et toute la nuit, ce qui représente un terrible manque d'hygiène. Nous demandons qu'ils soient vidés deux fois par jour.

6 – Les week-ends :

Nous souhaitons rester ensemble le week-end, car ce sont les jours les plus éprouvants en prison. Étant donné la configuration des cellules, la gardienne n'aurait besoin que de cinq minutes pour nous rassembler. En fait, c'est même moins de travail d'ouvrir une cellule que d'en ouvrir cinq. Nous comprenons par contre qu'il soit difficile d'assurer la promenade le week-end avec un personnel réduit au strict minimum.

7 – Cuvettes :

Nous réclamons une cuvette dans laquelle laver cuillères, tasses et *dixies*, surtout après le repas du soir. À l'heure actuelle, nous devons laver notre cuillère dans le pot de chambre après chaque repas, ce qui est tout à fait inacceptable question hygiène.

8 – Lessive :

Nous ne pouvons pas laver notre linge dans de bonnes conditions. Nous faisons la lessive dans les mêmes seaux rouillés qui servent à la toilette ; certains d'entre eux sont troués tandis que d'autres, qui servent aussi à nettoyer par terre, sont tachés de cire noire. Il est de même très difficile d'obtenir de l'eau de rinçage dans un seau séparé en raison du nombre insuffisant de seaux à disposition.

Ne pourrions-nous pas aller à la laverie au moins une fois par semaine pour y faire notre lessive correctement ?

Ces jours-là, nous serions prêtes à renoncer à la promenade. Je rappelle qu'au début de notre séjour en prison, nous avions accès à la laverie à tour de rôle. Maintenant que nous sommes en attente de jugement, ce serait normal de pouvoir nous y rendre en groupe.

9 – Déjeuner :

Les instructions concernant le déjeuner paraissent assez obscures, puisque nous sommes parfois rassemblées et parfois recluses dans nos cellules. Étant désormais en attente de jugement, nous aimerions pouvoir déjeuner ensemble tous les jours.

10 – Horaires de visite :

Nous demandons l'extension des horaires de visite. Nous ignorons d'ailleurs leur durée exacte, mais nous disposons en tout cas de très peu de temps pour parler à nos familles.

11 – Jeux, livres et mouchoirs :

Ces objets nous ont été apportés le 8 juillet 1970. Pourrions-nous enfin être autorisées à les récupérer ?

12 – Censure de la presse :

Nous avons la triste impression que l'agent chargé de mettre en œuvre la censure de la presse décidée par le brigadier Aucamp souffre soit d'excès de zèle soit de bêtise crasse. Nous sommes résignées à ne pas avoir accès à toutes les nouvelles, mais cela prend en ce moment des proportions alarmantes. Les coupures sont si nombreuses que nous ne recevons parfois qu'une moitié de journal dans laquelle il manque des pages entières et de gros bouts d'articles.

Les journaux mettent si longtemps à nous parvenir que nous avons, par exemple, reçu le 26 ceux datés du 13. Et si on laisse les journaux s'accumuler, le travail du censeur n'en devient que plus ardu.

13 – Repassage :

La lieutenante Britz s'était arrangée l'année dernière pour que nos vêtements soient repassés une fois par semaine pendant que nous étions au tribunal. Nous donnions les vêtements à la gardienne de service et quelqu'un les repassait. Si nous disposions du matériel nécessaire, nous serions prêtes à nous en charger nous-mêmes. Nous demandons le rétablissement de ce service. La lieutenante nous donnait aussi des clous que nous plantions dans le mur pour accrocher nos vêtements puisque nous n'avions pas de vêtements (*sic*) et ne pouvions pas sortir nos habits de la valise pour les porter aussitôt. Ils ont disparu au moment de notre seconde arrestation. Nous aimerions en disposer de nouveau.

14 – Accès aux soins :

L'accès aux soins se révèle souvent très difficile. Nous ne comprenons pas où est le problème puisque, de notre côté, nous nous adressons au personnel de garde quand nous ressentons le besoin de consulter le médecin ou l'infirmier. Il nous faut insister, parfois pendant des jours, pour obtenir un simple cachet d'aspirine.

En conclusion, nous tenons à souligner notre désir d'entretenir une relation sereine avec le personnel de la prison. Nous approuvons le brigadier Aucamp lorsqu'il dit que nous ne devrions penser qu'à notre défense. Nous espérons que ces divers soucis seront rapidement réglés afin que nous nous sentions tous et toutes plus tranquilles.

6 août 1970

À l'attention de la gardienne chef Wessels[1]

1 – Depuis trois semaines, le traitement que je dois prendre trois fois par jour ne m'est donné que le soir. La responsabilité de la distribution incombe à l'infirmerie. Pourriez-vous vous renseigner à ce sujet ?

---

1. Document retrouvé dans le dossier de Winnie Mandela aux Archives nationales d'Afrique du Sud.

2 – Nous aimerions disposer des jeux apportés le 8 juillet 1970 avec un stock de mouchoirs – que nous avons récupérés. Liste : solitaire, jeu de dames, jeu de l'échelle.

3 – Il nous manque également deux semaines de rations de biscuits. La seule ration que nous ayons reçue est celle que vous avez réceptionnée et distribuée vous-même. Comme vous le savez, les paquets contiennent aussi des friandises et des cigarettes, avec nos noms marqués dessus.

La gardienne chef Zeelie nous a suggéré hier de nous en remettre à vous sur ces trois points.

Avec nos remerciements,

[*signature*] W. Mandela

31 août 1970

À l'attention de la gardienne chef Zeelie[1]

(A)

En juin 1969, j'ai reçu des mains de la gardienne chef Wessels les vêtements suivants, apportés par ma famille dans une boîte en carton :

– 1 pantalon marron

– 2 collants noirs

– 1 paire de chaussettes d'hiver (noires)

– 1 veste en velours côtelé (marron)

(B)

Les vêtements suivants se trouvaient dans le même colis, mais ne m'ont pas été remis :

– 1 paire de bottes neuves

– 1 paire de gants neufs

– 1 ensemble twin-set noir (neuf)

– 2 culottes d'hiver (il y en avait 4, mais j'en ai reçu deux le 6 mai 70, soit un an plus tard)

---

1. Document retrouvé dans le dossier de Winnie Mandela aux Archives nationales d'Afrique du Sud.

134

– 1 pull beige foncé (lavé une fois) neuf
– 4 tubes de dentifrice Weleda
– 1 paire de bas résille noirs

La gardienne chef Jacobs m'a remis quelques robes en janvier 1970, sans mentionner les vêtements ci-dessus. Le brigadier Aucamp possède une copie de la lettre accusant réception de ces habits, une autre se trouvant entre les mains de mon avocat car je ne veux pas en perdre trace. Le 6 mai 1970, j'ai reçu un sac de voyage en cuir contenant certains vêtements d'hiver dont la prison disposait depuis mai 1969 alors que j'écrivais sans cesse des lettres à ma famille pour en réclamer. Ce sac ne contenait pas les vêtements cités en (B). Je précise que j'étais à l'isolement lorsque ces affaires m'ont été remises par la Police spéciale.

Je me permets donc de demander que ces vêtements me soient remis le plus tôt possible, de même que les deux *doeks*[1] disparus lors d'une fouille de ma cellule.

[*signature*] W. Mandela

[*Note non datée*]
Le sac de cuir contenait les affaires suivantes :
– 2 jupes (1 marron et 1 à carreaux)
– 1 twin-set marin (neuf)
– 1 pull marin rouge
– 1 chemise de nuit d'hiver (neuve)
– 1 pyjama d'hiver (neuf)
– 2 culottes d'hiver (neuves)
– 1 robe bleue
– 1 pull jaune
Le sac a été remis à la Police spéciale le 16 mai 1969. Je suis entrée en sa possession le 6 mai 1970 lors de mon admission à l'infirmerie.

[*signature*] W. Mandela

---

1. Pièce de tissu que les femmes mariées s'enroulent autour de la tête.

Les accusés se rendent pour la dernière fois à l'ancienne synagogue de Pretoria le 14 septembre 1970. Au nom de l'ensemble des avocats, Sydney Kentridge réclame la relaxe de Ramotse, kidnappé à l'étranger et rapatrié illégalement, ainsi que l'abandon des charges pesant sur les autres accusés, trop analogues à celles du premier procès.

Le juge Gerrit Viljoen déclare l'arrestation de Ramotse légale, puis ajoute : « Le recours concernant l'accusé N° 1 est donc retoqué, mais celui concernant les accusés N° 2 à 20 est recevable. » Ce qui signifie que tous les accusés sont libres à l'exception de Ramotse, qui sera ensuite condamné à quinze ans de prison.

Joel Carlson organise une fête chez lui pour ses dix-neuf heureux clients. Winnie Mandela peut enfin revoir ses enfants, mais elle est de nouveau placée en résidence surveillée tandis que les ordonnances judiciaires qui restreignent ses déplacements sont renouvelées le 20 septembre pour cinq ans. D'après le Rand Daily Mail, *elle bénéficie malgré tout de deux semaines de liberté par erreur : le ministre de la Justice signe les ordonnances le 18 septembre, mais elle est déjà partie voir son père, Columbus Madikizela, et ne découvre l'affaire qu'à son retour.*

Dès le lendemain de sa libération, elle demande à rendre visite à son mari. Permission accordée le 23 septembre, mais la nouvelle ordonnance judiciaire l'empêche de se rendre à Robben Island. L'intervention de Joel Carlson lui permet malgré tout de recevoir l'autorisation définitive le 3 novembre ; Nelson et Winnie Mandela ne s'étaient pas revus depuis le 21 décembre 1968.

Seconde partie

Lettres

Contexte

Nelson Mandela est arrêté le 5 août 1962 après dix-sept mois de clandestinité, dont la plupart passés dans divers pays d'Afrique, à la recherche de soutiens pour la lutte armée contre l'apartheid. Le 7 novembre, il est condamné à cinq ans de prison pour avoir quitté le pays sans passeport et poussé des travailleurs à la grève. Il est donc déjà en prison lorsqu'il rejoint sur le banc des accusés ses camarades arrêtés à Rivonia le 11 juillet 1963. Un an plus tard, le 12 juin 1964, lui et sept autres prévenus sont condamnés à la prison à vie pour sabotage.

Il reçoit la première visite de sa femme à Robben Island le 28 août, mais le couple se voit à peine trente minutes, de part et d'autre de l'épaisse vitre du parloir. Huit autres visites ont lieu les quatre années suivantes, la dernière le 21 décembre 1968, avant l'arrestation de Winnie Mandela le 12 mai 1969. Ils resteront séparés jusqu'au 7 novembre 1970.

Le prisonnier est averti de l'arrestation de sa femme par une lettre de son avocat, Joel Carlson. Il répond aussitôt par un télégramme qui, semble-t-il, n'est jamais parvenu à destination.

Peu après, Nelson Mandela apprend que son fils aîné Thembi[1], issu de son premier mariage avec

1. Madiba Thembekile « Thembi » Mandela.

Evelyn Mase, a trouvé la mort dans un accident de la route. Pour sa part, Winnie Mandela en est informée de la manière suivante :

« Un jour, on l'emmena voir Swanepoel et celui-ci lui demanda brusquement : "Qui est Thembi Mandela ?" Quand elle eut répondu qu'il s'agissait de l'aîné de ses beaux-fils, il précisa juste : "Il est mort dans un accident de la route", avant de tourner les talons. Alors elle s'effondra et pleura à chaudes larmes[1]. »

Lettre de Joel Carlson à Nelson Mandela l'informant de l'arrestation de sa femme

M. Nelson Mandela – N° 466/64[2]
Aux bons soins de M. le Commandant
ROBBEN ISLAND

16 mai 1969
Lettre recommandée
Objet : votre épouse

Cher monsieur,

Je vous écris ce jour afin de vous avertir que Mme Winnie Mandela a été arrêtée par la police lundi matin et se trouve à l'heure actuelle en détention. Je ne suis pas en mesure de vous préciser la nature ou la raison de cette arrestation, n'ayant obtenu aucune information du brigadier Venter, chef de la Police spéciale.

M. Ludumo Xaba[3] était présent quand la police a emmené Mme Mandela. Les enfants sont en sécurité dans leur famille à Johannesbourg.

J'ai cru comprendre que la Police spéciale avait autorisé Mme Mandela à recevoir des vêtements de

---

1. Extrait du livre de Joel Carlson, *No Neutral Ground* (Davis-Poynter Ltd, 1973, inédit en français).
2. Numéro d'écrou de Nelson Mandela.
3. Beau-frère de Winnie Mandela.

rechange. Je vous tiendrai bien sûr au courant dès que j'aurai plus d'informations.

Bien cordialement,

J. Carlson

Lettre de Nelson Mandela au commandant de Robben Island

18 mai 1969

Venant d'apprendre l'arrestation de ma femme, je vous serais très reconnaissant de bien vouloir autoriser l'envoi à mes frais du télégramme suivant à mon avocat, M. Carlson, à Johannesbourg.

[*signature*] Nelson Mandela

Joel Carlson, LawCarlson, Johannesbourg

rép. arrestation Winnie stop demande infos sur date motifs caution noms et adresses des codétenues stop a-t-elle reçu lettre du 4 avril

Nelson Mandela

Lettre de Joel Carlson au commandant de Robben Island

19 mai 1969

Objet : lettre adressée à M. Nelson Mandela N° 466/64

Monsieur le commandant,

Le 16 mai, j'ai envoyé la lettre suivante à M. Nelson Mandela :

« Je vous écris ce jour afin de vous avertir que Mme Winnie Mandela a été arrêtée par la police lundi matin et se trouve à l'heure actuelle en détention. Je ne suis pas en mesure de vous préciser la nature ou la raison de cette arrestation, n'ayant obtenu aucune information du brigadier Venter, chef de la Police spéciale.

» M. Ludumo Xaba était présent quand la police a emmené Mme Mandela. Les enfants sont en sécurité dans leur famille à Johannesbourg.

» J'ai cru comprendre que la Police spéciale avait autorisé Mme Mandela à recevoir des vêtements de rechange. Je vous tiendrai bien sûr au courant dès que j'aurai plus d'informations. »

Bien que cette lettre ait été postée en recommandé, je n'ai reçu jusqu'à présent ni accusé de réception ni réponse à cet envoi adressé à vos bons soins. Je vous serais donc reconnaissant de bien vouloir en accuser réception.

Bien cordialement,

[*signature*] J. Carlson

Lettre du commandant de Robben Island à Joel Carlson

11 juin 1969

Objet : lettre adressée au prisonnier Mandela

Cher monsieur,

En réponse à votre courrier, je vous informe que votre lettre du 16 mai adressée au prisonnier susmentionné est arrivée ici le 19 et a été transmise le même jour à mes services.

Toute correspondance concernant cette affaire devra désormais être adressée au brigadier Aucamp, aux bons soins de l'administrateur des prisons, Boîte postale 136, Pretoria.

Bien cordialement,

J. J. Van Aarde, commandant

Lettre de Nelson Mandela à Winnie Mandela

23 juin 1969

Ma chérie,

Je garde précieusement avec moi la première lettre que tu m'as écrite le 20 décembre 1962, peu après ma première condamnation. Cela fait six ans et demi que je la relis sans arrêt, et les sentiments qu'elle exprime restent aussi forts et merveilleux qu'au premier jour. Connaissant tes convictions, tes idéaux, ton rôle dans la bataille des idées, je ne doutais pas que tu finirais par être arrêtée un jour ou l'autre. Néanmoins, vu les épreuves que j'ai moi-même endurées, je gardais un vague espoir que le couperet ne s'abatte pas sur toi et que tu échappes aux affres de la vie pénitentiaire. J'ai appris ton arrestation le 17 mai alors que j'étais lancé dans les dernières révisions fiévreuses de mon examen[1] prévu seulement vingt-cinq jours plus tard. Cette nouvelle m'a pris par surprise et m'a replongé dans ma solitude glacée. Te savoir libre représentait beaucoup pour moi. J'attendais tes visites avec impatience, ainsi que celles de la famille et des amis que tu organisais avec l'enthousiasme et la compétence qui te caractérisent. J'attendais aussi les cartes d'anniversaire, de Noël, d'anniversaire de mariage que tu ne manquais pas de m'envoyer, sans oublier l'argent que tu parvenais à rassembler malgré les difficultés. Quand je pense que tu es venue ici pour la dernière fois le 21 décembre et que j'espérais ta visite le mois dernier ou ce mois-ci ! Je guettais de même une réponse à ma lettre du 4 avril dans laquelle j'émettais quelques suggestions concernant tes problèmes de santé.

Ayant reçu la triste nouvelle, je n'étais plus capable d'aligner deux idées et m'en suis donc remis d'instinct à

---

1. Nelson Mandela poursuivait un cursus universitaire de droit par correspondance.

ta lettre, comme à chaque fois que ma résolution vacille ou qu'il faut évacuer de sombres pensées.

« *La plupart des gens ne réalisent pas que ta présence physique n'aurait rien signifié pour moi si les idéaux auxquels tu as voué ton existence ne s'étaient pas concrétisés. L'espoir est une chose merveilleuse. Notre vie de couple fut courte, mon bien-aimé, mais toujours pleine d'espoir [...]. Mon amour pour toi n'a cessé de grandir tout au long de ces folles années de violence [...]. Rien ne peut être plus précieux que de jouer un rôle moteur dans l'histoire d'une nation.* »

Voici quelques-uns des bijoux contenus dans cette lettre extraordinaire, et grâce à eux, le 17 mai, j'ai retrouvé des forces. Les désastres surviennent sans qu'on puisse les arrêter, laissant leurs victimes brisées ou au contraire plus aguerries et à même d'affronter les défis suivants. C'est l'heure de te souvenir que l'espoir est une arme puissante dont personne ne saurait te priver, et que rien ne peut être plus précieux que de jouer un rôle moteur dans l'histoire d'une nation. Aucune valeur sociale durable ne sera jamais instaurée par des gens hostiles ou indifférents à l'élan d'une nation. Ceux qui manquent de grandeur d'âme, de fierté nationale et d'idéaux à défendre ne supportent ni l'humiliation ni la défaite ; ils sont incapables de développer un héritage national, ne se sentent inspirés par aucune mission sacrée et ne produisent ni martyrs ni héros. Le monde ne sera pas changé par ceux qui restent les bras croisés, mais par ceux qui se jettent dans l'arène, qui subissent la furie des combats, qui souffrent dans leur chair. Sont honorés ceux qui ne renient pas la vérité même quand le chemin à suivre est sombre et difficile, ceux qui s'acharnent, ceux que les insultes, les humiliations et même les défaites ne découragent pas. Depuis l'aube de son histoire, l'humanité a rendu hommage aux gens honnêtes et courageux, des hommes et des femmes tels que toi, ma chérie – une fille ordinaire issue d'un lointain village qui apparaît à peine sur les cartes, épouse du plus humble des paysans.

Mon dévouement envers toi m'empêche d'en dire plus dans cette lettre qui passera entre de nombreuses mains avant de te parvenir. Un jour viendra où notre intimité retrouvée nous permettra de partager les tendres pensées qui restent enfouies dans nos cœurs depuis maintenant huit ans.

Le moment venu, tu seras inculpée et probablement condamnée. Je suggère que tu t'organises dès à présent avec Niki[1] pour prévoir l'argent nécessaire aux affaires de toilette, aux études, aux courses de Noël et autres dépenses personnelles. Dis-lui aussi qu'il faudra t'envoyer, dès ta condamnation, des photos dans de solides cadres en cuir. Je sais d'expérience qu'une photo de famille représente une nécessité absolue en prison et qu'il vaut mieux l'avoir dès le début. De mon côté, ma chérie, je continuerai à t'écrire tous les mois. J'ai écrit une longue lettre à Zeni et Zindzi, aux bons soins de Niki, pour leur expliquer la situation et tenter de les rassurer. J'espère qu'elles ont au moins reçu ma lettre du 4 février. Le mois dernier, j'ai aussi écrit à Ma[2] à Bizana, ainsi qu'à Sidumo. Ce mois-ci, j'écrirai à Tellie et à l'oncle Marsh. Je n'ai aucune nouvelle de Kgatho[3], Maki, Wonga, Sef[4], Gibson[5], Lily, Mthetho et Amina[6], à qui j'ai écrit entre décembre et avril.

J'ai pu t'écrire cette lettre grâce aux bons offices du brigadier Aucamp, et je suis sûr qu'il te permettra d'y répondre même si tu te trouves encore en détention. N'oublie pas de me dire si tu as reçu ma lettre d'avril.

---

1. Sœur de Winnie Mandela.
2. La belle-mère de Winnie Mandela, qui habitait à Bizana, province du Cap-Oriental.
3. Diminutif de Makgatho, le deuxième fils de Mandela et d'Evelyn Mase, sa première femme.
4. Sefton Vutela, l'époux de Nali, sœur de Winnie Mandela.
5. Gibson Kente, dramaturge.
6. Divers amis et parents.

En attendant, je veux que tu saches que je pense à toi à chaque heure du jour. Bonne chance, ma chérie. Je t'envoie plein d'amour et un million de baisers.

Avec tout mon amour,

Dalibunga[1]

Lettre de Nelson Mandela à ses filles Zenani et Zindzi

23 juin 1969

Mes chéries,

Votre maman bien-aimée a été arrêtée encore une fois, et nous voilà tous les deux en prison. Mon cœur saigne quand je l'imagine assise en cellule, loin de son foyer, peut-être seule et sans personne à qui parler, sans rien à lire. Je sais qu'elle pense à vous à longueur de temps. Il risque de s'écouler des mois, voire des années, avant que vous puissiez la revoir. Vous vivrez en orphelines, sans parents ni foyer, sans l'amour, l'affection et la protection de votre maman. Il n'y aura plus d'anniversaires, plus de fêtes de Noël, plus de cadeaux ni de nouveaux jouets, robes ou chaussures. Fini les soirées où, après un bon bain chaud, vous vous asseyiez à table pour goûter à la simple mais savoureuse cuisine de maman. Fini les lits confortables, les couvertures douillettes et les draps impeccables qu'elle vous préparait. Elle ne sera plus là pour trouver des amis prêts à vous emmener au cinéma, au théâtre ou au concert, ni pour vous raconter de belles histoires à l'heure du coucher, ni pour vous aider à lire des livres compliqués ou répondre à toutes vos questions. Elle ne pourra plus vous fournir l'aide et les conseils dont vous aurez besoin en grandissant, en découvrant de nouveaux soucis. Peut-être papa et maman ne seront-ils plus

---

1. Nom reçu par Nelson Mandela lors de sa cérémonie d'initiation.

jamais à vos côtés au 8115 Orlando West[1], l'endroit le plus cher à nos cœurs.

Ce n'est pas la première fois que votre maman va en prison. En octobre 1958, à peine quatre mois après notre mariage, elle fut arrêtée en compagnie de deux mille autres femmes qui protestaient contre les laissez-passer de Johannesbourg, ce qui lui valut deux semaines de cellule. L'année dernière, elle a passé quatre jours en prison. La voilà partie de nouveau et je suis incapable de vous dire pour combien de temps. Vous devez sans cesse garder à l'esprit que votre maman est une femme courageuse et déterminée qui aime son peuple de tout son cœur. Elle a abandonné plaisirs et confort pour une vie de misère au service de son peuple et de son pays. Quand vous serez adultes et repenserez aux souffrances endurées par votre maman, à l'acharnement avec lequel elle a défendu ses idées, vous commencerez à saisir son rôle capital dans le combat pour la justice et la vérité, ainsi que l'ampleur des sacrifices consentis.

Maman vient d'une famille riche et respectée. C'est une travailleuse sociale diplômée qui, à l'époque de notre mariage, avait un bon poste à l'hôpital Baragwanath. Elle y travaillait encore lors de sa première arrestation, mais fut finalement renvoyée fin 1958. Elle travailla ensuite pour la Société de protection de l'enfance, ce qui lui plaisait énormément. Puis le gouvernement la contraignit à ne plus quitter Johannesbourg, à rester chez elle entre 18 heures et 6 heures du matin, à ne plus assister aux meetings, à ne plus mettre les pieds dans aucun hôpital, école, université, tribunal ou enceinte officielle, et à ne plus se rendre dans aucun autre ghetto noir qu'Orlando, son lieu de résidence. Cette ordonnance judiciaire l'entravait à tel point qu'elle se retrouva de nouveau au chômage.

---

1. L'adresse des Mandela à Soweto.

Depuis ce jour, maman a vécu une vie bien difficile car elle devait subvenir aux besoins du foyer sans revenus fixes. Malgré tout, elle parvenait à vous acheter de la nourriture et des habits, à payer vos frais de scolarité et le loyer de la maison, et même à m'envoyer un peu d'argent.

Quand j'ai quitté la maison en avril 1961, Zeni avait deux ans et Zindzi trois mois. Début janvier 1962, j'ai entamé une tournée en Afrique, puis j'ai passé dix jours à Londres avant de revenir fin juillet en Afrique du Sud. Retrouver votre maman m'a bouleversé. Je l'avais laissée en bonne santé, pleine d'énergie, mais elle avait soudain perdu beaucoup de poids et n'était plus que l'ombre d'elle-même. J'ai compris en cet instant quel poids mon absence faisait peser sur ses épaules. J'attendais avec impatience de pouvoir lui raconter mon voyage, les pays traversés, les gens rencontrés, mais mon arrestation le 5 août a mis un terme à cette rêverie.

Quand votre maman a été emprisonnée en 1958, je lui apportais tous les jours des fruits et des provisions. J'étais très fière d'elle, en particulier parce que je n'avais rien à voir dans sa décision de se joindre à la manifestation contre les laissez-passer. Mais je ne l'ai réellement découverte que lors de ma propre arrestation. Nos amis, aussi bien ici qu'à l'étranger, lui ont en effet proposé des bourses pour partir étudier hors d'Afrique du Sud. J'y étais favorable car je pensais que les études adouciraient sa peine. Nous avons évoqué le sujet lorsqu'elle m'a rendu visite à la prison de Pretoria en octobre 1962 ; elle m'a affirmé qu'elle serait probablement arrêtée et jetée en prison, comme pouvaient s'y attendre tous les militants du combat pour la liberté, mais qu'elle resterait malgré tout au pays et souffrirait avec son peuple. Comprenez-vous à présent à quel point votre maman est courageuse ?

Ne vous inquiétez pas, mes chéries, nous avons beaucoup d'amis prêts à veiller sur vous. Et un beau jour, papa et maman reviendront vous arracher à votre destin d'orphelines sans foyer. Nous vivrons alors dans la paix et le bonheur, comme toutes les familles normales. Entre-temps, vous devez rester sages, travailler dur à l'école et passer vos examens. Maman et moi vous écrirons très souvent. J'espère que vous avez reçu la carte de Noël que je vous ai envoyée en décembre, ainsi que ma lettre du 4 février.

Je vous envoie tout mon amour et un million de baisers.

Affectueusement,

Papa

Lettre de Nelson Mandela à sa belle-sœur Niki Iris Xaba

15 juillet 1969

Ma chère Niki,

J'avais prévu d'écrire à l'oncle Marsh, mais vu que je te considère plus comme la mère de Zami[1] que comme sa grande sœur, je me suis rendu compte à quel point tu devais être troublée par l'arrestation de Nyanya[2] en plus de celle de Zami. C'est pourquoi j'ai décidé de t'écrire plutôt à toi.

Dans ma lettre du 4 mai envoyée à Bizana, je disais à Ma que je pensais beaucoup à Zami et aux problèmes qu'elles affrontaient à cause de mon absence. J'insistais sur le fait que mon estime pour elle s'était considérablement renforcée, et que j'espérais pouvoir, un jour, lui procurer le confort et le bonheur qui compenseraient de si rudes épisodes. J'ignorais en écrivant ces lignes que Zami serait à nouveau emprisonnée huit jours plus tard. Son arrestation est un désastre pour notre famille

---

1. Nom affectueux donné à Winnie Mandela – abréviation de son prénom, Nomzamo.
2. Surnom de Nonyaniso, la plus jeune sœur de Winnie Mandela, incarcérée à la même période qu'elle.

et me cause de grands soucis. Son état de santé déjà fragile risque de se dégrader encore en prison. Après ma propre arrestation, j'avais au moins la consolation de la savoir libre. Jusqu'à ma condamnation, elle est venue me voir tous les jours de visite sans exception, m'apportant des provisions et des habits propres. Elle m'a écrit de merveilleuses lettres, n'a pas manqué une seule audience de mes deux procès, auxquels elle amenait des amis, ma mère et d'autres membres de la famille. Je n'oublierai jamais le jour du verdict de l'affaire Rivonia, cette immense foule de partisans et, assis derrière nous, Zami, Ma, Nali[1] et Nyanya. Ce fut un moment intense comme il s'en produit rarement dans la vie d'un homme, un moment qui a encore accru mon amour et mon respect pour Zami, un moment qui m'a rapproché de ma famille – Ma, Nali, Nyanya, vous tous. Depuis cinq ans que je croupis sur cette île, Zami m'a rendu visite à neuf reprises et a organisé dix autres visites qui m'ont permis de revoir des gens chers à mon cœur. Même lorsque les ennuis s'accumulaient de son côté, entre autres la maladie et le chômage, elle pensait d'abord à moi, parvenant toujours à m'envoyer de l'argent, de belles lettres, des cartes pour mon anniversaire ou celui de notre mariage. Tout ceci a beaucoup compté pour moi. Il faut être prisonnier pour apprécier à leur juste valeur des choses qui paraissent aller de soi dans la vie normale. Zami est restée sans cesse à mes côtés depuis bientôt sept ans que je suis en prison, et c'est à son tour de connaître cette épreuve. Elle aurait besoin de mon amour, de mon aide et de mon affection, mais je ne peux absolument rien faire pour elle. Je ne peux ni lui rendre visite pour l'arracher à sa routine déprimante, ni lui apporter de bons aliments adaptés à son état de santé, ni lui écrire de nombreuses lettres évoquant nos tendres souvenirs. Si elle devait être inculpée, je ne pourrais ni me tenir

---

1. Nali Nancy Vutela, la sœur de Winnie Mandela qui a épousé Sefton Vutela.

physiquement à ses côtés ni lui rendre cet incroyable soutien qui fut le sien.

Comment une mère, même la plus inébranlable, pourrait-elle ne pas être hantée par les visages apeurés de ses fillettes voyant, sans être capables d'en saisir les raisons, leur chère maman arrachée au foyer en pleine nuit ? Ajoute à cela que les filles risquent de rester orphelines de longues années durant, sans l'aide d'une mère pour franchir les années les plus importantes de leur vie. Je sais à quel point Zami aime ses enfants. S'il y a bien une chose qui peut nuire à sa santé, c'est l'inquiétude de les savoir privées de la sécurité d'un foyer.

Voilà pourquoi, Niki, je considère cette arrestation comme un désastre pour notre famille. Je ne me risquerai pas à d'inutiles prophéties sur la façon dont Zami supportera cette épreuve mais, jusqu'à présent, elle s'est toujours comportée en femme courageuse qui restait fidèle à ses principes malgré l'adversité.

Je ne peux qu'espérer qu'elle parviendra à surmonter ce nouveau coup dur en dépit d'une santé défaillante. Je suis également très fier de Nyanya, que j'apprécie de plus en plus. Je me dis parfois que si j'avais été là ces huit dernières années, elle aurait fait de gros progrès à la fois dans ses études et dans sa vision du monde. Dans ma dernière lettre à Bawo, j'exprimais mon inquiétude de la voir se prélasser à la maison et suggérais de lui procurer une formation professionnelle qui ne pourrait que lui être bénéfique.

Tout en écrivant à Ma, j'attendais une visite de Zami que je n'avais pas revue depuis le mois de décembre. Notre ami Radebe (Mgulwa)[1] devait quant à lui me rendre visite en février, mais il n'est pas venu pour des raisons que j'ignore. J'attendais pourtant avec impatience qu'il me donne des nouvelles de Zami et des filles, puisque aucune de mes lettres envoyées chaque

---

1. Un cousin de Nelson Mandela.

mois depuis décembre dernier n'est apparemment parvenue à destination.

Le 28 juin, un autre de nos bons amis, Moosa Dinath, devait venir de Johannesbourg discuter des problèmes familiaux causés par l'arrestation de Zami. Lui non plus ne s'est pas montré, sans que les autorités pénitentiaires soient capables de m'expliquer cet étrange comportement de mes visiteurs. Je sais à présent qu'avant le 12 mai, Zami avait déposé une demande de visite pour Kgatho le 24. Mais personne ne m'a prévenu. De fait, je me suis retrouvé totalement coupé de ma famille et de mes amis à un moment où ces contacts étaient pourtant essentiels. Le 23 juin, j'ai écrit une longue lettre à Zeni et Zindzi, que j'ai envoyée à Pretoria aux bons soins du brigadier Aucamp, en lui demandant de te la transmettre. J'espère que tu l'as bien reçue. J'ai écrit à Nali en décembre, et en février à Zeni, Zindzi, Marsh, à mon neveu Gibson[1] et à Lilian[2]. Toutes ces lettres étaient adressées au 8115 Orlando West. N'avoir reçu aucune réponse me porte à croire qu'elle ne sont jamais arrivées. Oncle Marsh va peut-être essayer d'en savoir plus et te tenir au courant. J'ai aussi écrit à Tellie pour qu'elle se renseigne sur les lettres écrites à Kgatho et Maki en janvier et février. J'ai été peiné d'apprendre que tu t'étais cassé la jambe dans un accident de voiture. J'espère que ça va mieux et que tu me donneras de tes nouvelles dans ta prochaine lettre. Comment vont les enfants ? Comment s'appellent-ils et quel âge ont-ils ? Combien Bantu a-t-elle d'enfants ? Mes meilleures salutations à Marsh, Bantu et son mari, Tellie, Mfundo, etc.

Cordialement,

Nelson

---

1. Gibson Kente.
2. Lilian Ngoyi, une amie militante.

Lettre de Nelson Mandela à sa belle-sœur Tellie Mtirara

15 juillet 1969

Ma chère Nkosazana,

Je connais peu de gens qui font bon accueil aux problèmes, réaction compréhensible vu que ceux-ci perturbent leurs plans et nuisent à leur bonheur. Pire encore, ils leur apportent parfois détresse et souffrance. Voilà les dangers qui pèsent aujourd'hui sur Nobandla[1]. Elle peut rester en prison des années sans jugement, et si elle finit par être inculpée, elle risque d'écoper d'une lourde peine. Dans les deux cas, cela signifie pour elle des années douloureuses privée de ses enfants et de ses proches, privée de ses droits les plus élémentaires. C'est un lourd tribut à payer. Mais les drames offrent aussi la possibilité de voir les membres les plus fidèles de notre famille venir se ranger à nos côtés. Depuis que je t'ai aperçue au tribunal pendant l'affaire Rivonia, et surtout depuis que tu as accompagné Nobandla au Cap en août 1964[2], j'ai eu l'intention de t'écrire pour te remercier de ce précieux soutien. Mais ta place dans la famille m'incitait à considérer comme acquis le fait que tu connaissais mon grand respect pour toi et ma pleine conscience du rôle crucial que tu joues en mon absence. Ce qui m'a fourni une bonne excuse pour repousser l'écriture de la présente lettre au bénéfice de ce qui me semblait plus urgent. Mais l'arrestation de Nobandla m'a coupé de mon foyer, de ma famille et de mes amis, et il me faut à présent me reposer sur toi et sur Niki. Ce sera désormais à vous deux d'organiser mes visites et celles de Nobandla dès qu'elle y aura droit.

---

1. Autre surnom de Winnie Mandela.
2. Pour sa première visite à Robben Island après la condamnation de Nelson Mandela.

J'ai déjà écrit à Niki pour lui demander de vérifier si les lettres adressées à Zeni et Zindzi, à Nali, à Gibson et à Lilian était bien arrivées. De ton côté, j'aimerais que tu te renseignes sur celles envoyées à Kgatho, à Maki et à Mme Amina Cachalia, respectivement en janvier, février et avril. Je voudrais aussi savoir comment va Kgatho. S'est-il fait circoncire ? A-t-il passé les examens complémentaires évoqués en mars dernier ? En quoi consiste son travail ? Quels sont ses projets ? Peut-être serait-il bon qu'il vienne me voir pour que nous en discutions ensemble. De même, il me faudrait savoir si Nobandla disposait toujours de la voiture et du téléphone, et quels arrangements ont été pris – ou pas – pour le paiement des factures. Comme tu le sais, notre notaire de famille gérait jusqu'à présent les intérêts de Nobandla ; je te serais très reconnaissante de me faire connaître les noms du ou des avocats qui ont pris le relais et qui la défendront si elle devait être inculpée. Dans ma lettre, j'explique à Niki attendre depuis le début de l'année des visites de Kgatho, Moosa Dinath et Alfred Mgulwa, lesquels ne sont jamais venus. J'aimerais bien savoir pourquoi. J'ai aussi écrit en décembre au Dr Wonga Mbekeni[1], à Tsolo, pour le remercier d'avoir assisté aux funérailles de ma mère et d'avoir participé aux frais de la cérémonie. Je lui ai également adressé mes condoléances pour la mort de Nkosazana Nozipho[2] et demandé de me faire parvenir certaines informations. Faute de réponse, je pars du principe qu'il n'a jamais reçu cette lettre pourtant si importante. Mais surtout, réponds-moi immédiatement sans attendre de ses nouvelles.

As-tu pu savoir où Nyanya était détenue ? Si tu as l'occasion de la voir, transmets-lui tout mon amour et dis-lui que je suis très fier d'elle. Transmets aussi mes

1. Cousin de Nelson Mandela et chef tribal qui négocia son mariage avec Winnie Madikizela.
2. Sœur de Wonga Mbekeni.

plus sincères salutations à Amakhosazana Nombulelo[1] et Nobatembu[2]. Nombulelo travaille-t-elle encore à la fabrique d'édredons de Selby ? Je n'oublie pas Nkosazana Nqonqi[3] pour qui j'ai la plus grande admiration. Sa force de caractère a toujours été un exemple pour moi. En 1942, elle habitait près de la centrale électrique d'Orlando East, puis elle a déménagé près de la salle communale avant de partir à Jabavu et enfin à Killarney. Elle nous a toujours accueillis avec une grande chaleur, aussi bien moi que d'autres membres de la famille. Nobandla habitait chez elle, à Killarney, à l'époque de notre mariage. J'espère qu'elle vivra assez longtemps pour assister à ma libération, afin que je puisse la remercier de tout ce qu'elle a fait pour nous. N'oublie pas de me parler de ton enfant, qui doit être grand à présent.

L'an dernier, j'ai reçu de très belles lettres de Jonguhlanga[4], de Nkosikazi NoEngland[5] et du chef Vulindlela[6]. Durant mes presque sept années passées en prison, j'ai reçu de nombreuses lettres d'amis dispersés dans tout le pays, des lettres que je chéris toutes sans exception. Mais les lettres de la famille revêtent une importance spéciale pour moi, surtout lorsqu'elles émanent des Abahlekazi ou des Nkosikazi, en qui j'ai toute confiance car ils ont consenti d'immenses sacrifices pour moi. Quant à toi, Nkosazana, je te connais depuis le début des années cinquante, et je tiens à dire que tes plus grandes qualités sont sans conteste l'honnêteté, l'amour et le dévouement que tu apportes à la famille. Ta façon de discuter ouvertement les problèmes avec moi, tes critiques constructives et éclairées à mon égard,

---

1. Nombulelo Mtirara, sœur de Sabata.
2. Petite-cousine de Nelson Mandela.
3. Nqonqoloza Mtirara, tante de Nelson Mandela.
4. Le chef Jonguhlanga, cousin de Nelson Mandela.
5. L'épouse de Dalindyebo, régent de la nation thembu.
6. Parent de Nelson Mandela.

m'ont fait une grande impression qui persiste encore à ce jour. Avec Niki et toi à la maison, je n'ai en fait que peu de raisons de m'inquiéter. Je sais que vous ferez de votre mieux pour que tout aille bien. Mes meilleures salutations à Nkosazana Samela et à son mari, ainsi qu'à Nomfundo et Mtsobise[1].

Bien cordialement,

Tat'omncinci

Lettre de Nelson Mandela à Winnie

Lettre spéciale pour Zami
16 juillet 1969

Ma chérie,

Cet après-midi, le commandant a reçu le télégramme suivant de la part de Mendel Levin :

Veuillez avertir Nelson Mandela que son fils Thembekile a trouvé la mort le 13 courant dans un accident de la route au Cap.

J'ai du mal à croire que je ne reverrai jamais Thembi. Il avait eu vingt-quatre ans le 23 février. Je l'avais revu fin juillet 1962, quelques jours après mon retour de l'étranger. C'était alors un jeune homme vigoureux de dix-sept ans, que la mort ne semblait jamais devoir toucher. Il portait l'un de mes pantalons, un petit peu trop grand pour lui. Ce détail m'est resté en mémoire, car il faisait très attention à son allure, possédait de nombreux vêtements et n'avait donc aucune raison d'utiliser les miens. La signification émouvante de son geste était si évidente que j'en suis resté profondément touché. Les jours suivants, je n'ai cessé de penser à l'angoisse

---

1. Cousines de Nelson Mandela.

et à la tension psychologique que mon absence avait imposées à mes enfants. Je me suis rappelé ce fameux jour de décembre 1956, alors que j'attendais de passer en jugement au fort de Johannesbourg. Kgatho avait six ans et vivait à Orlando East ; il savait que j'étais en prison, mais il est quand même allé à Orlando West pour dire à Ma qu'il avait envie de me voir. Cette nuit-là, il a dormi dans mon lit.

Mais revenons-en à Thembi. Il était venu me dire au revoir sur la route de l'internat. À son arrivée, il m'a salué avec chaleur, gardant fermement ma main dans la sienne pendant un certain temps. Puis nous nous sommes assis pour discuter. Quand la conversation s'est portée sur ses études, il m'a livré une analyse du *Jules César* de Shakespeare que j'ai trouvée très pertinente pour un garçon de son âge. Nous correspondions régulièrement depuis qu'il étudiait à Matatiele puis ensuite, lorsqu'il est entré à Wodehouse. En décembre 1960, j'avais effectué un long trajet en voiture pour le voir. Durant cette période, je le considérerais encore comme un enfant et me comportais en conséquence. Notre discussion de juillet 1962 m'a fait comprendre que je ne parlais plus à un enfant, mais à quelqu'un qui commençait à construire sa propre vie. Le fils se changeait en ami. Ce jour-là, j'ai été d'autant plus triste de le voir partir que ma condition de hors-la-loi m'empêchait d'accompagner mon propre fils jusqu'à l'arrêt de bus. Ce fut ainsi que mon enfant – non, mon ami – partit seul pour tenter de se faire une place dans un monde où je ne pourrais le croiser que rarement et en secret. Je savais que tu lui avais déjà donné de l'argent et des vêtements, mais je vidai néanmoins mes poches pour lui offrir les rares pièces qu'un misérable fugitif pouvait rassembler. Je me souviens aussi qu'il était resté assis derrière moi toute une journée pendant le procès de Rivonia. Je n'avais pas arrêté de me tourner vers lui pour lui sourire. À ce moment du procès, tout le monde pensait que nous serions condamnés à mort, et cela se lisait sur son visage. Il hochait la tête, mais ne me retournait pas mon sourire. Je n'aurais jamais cru que je ne le reverrais pas. C'était il y a cinq ans.

Entre-temps, tu m'as tenu informé de son devenir par tes lettres et tes visites. J'ai beaucoup apprécié son attachement à la famille et son intérêt pour ce qui s'y passait. Il l'a d'ailleurs prouvé à travers la lettre chaleureuse qu'il t'a écrite en juin 1967, puis en venant te chercher à l'aéroport quand tu m'as rendu visite ce même mois. Ainsi qu'en s'occupant de Ma[1] au Cap et en l'emmenant au port prendre le bateau de l'île, en te rendant visite à Johannesbourg avec sa famille, en se promenant avec Zeni et Zindzi. J'ignore s'il a pu se rendre sur la tombe de Ma. Il m'a fait parvenir quelques messages par l'intermédiaire de Kgatho et m'a accordé l'honneur de choisir le prénom de son enfant. Maki m'a dit qu'il leur avait offert des vêtements, à Kgatho et elle, accompagnés d'autres choses dont ils avaient besoin. Je sais que sa mort est un coup dur pour toi, ma chérie, et je te transmets tout mon soutien dans cette épreuve. J'ai envoyé nos condoléances à Ntoko[2]. Même s'il est parti bien trop tôt, il reposera en paix car il a fait son devoir envers ses parents, ses frères et sœurs, et tous ses proches. Il nous manquera à tous. C'est terrible que ni toi ni moi ne puissions présenter nos derniers respects à ce fils bien-aimé. En l'espace de dix mois, j'ai perdu ma mère et mon aîné, tandis que mon épouse se voyait emprisonnée pour une durée indéterminée. C'est un poids trop lourd à porter même pour un homme au mieux de sa forme. Mais je ne me plains pas, ma chérie. Sache que tu es ma fierté et celle de notre grande famille.

---

1. La mère de Nelson Mandela, morte en septembre 1968.
2. La veuve de Thembi.

Jamais je n'ai tant désiré être à tes côtés. C'est bon de ressentir de tels sentiments en ces jours amers. L'écrivain P.J. Schoeman a conté l'histoire d'un chef puissant qui emmena un jour ses guerriers à la chasse. Durant cette chasse, son fils fut tué par une lionne, et lui-même gravement blessé. Il fallut cautériser la plaie à l'aide d'une lance chauffée à blanc, ce qui lui causa d'atroces souffrances. Plus tard, Schoeman vint prendre de ses nouvelles. Le chef lui répondit alors que la blessure invisible était la plus douloureuse des deux. Je sais maintenant ce que voulait dire ce grand chef. Je pense à toi à chaque heure du jour, Mhlope[1]. Je t'envoie plein d'amour et un million de baisers.

Avec tout mon amour,
Dalibunga

Lettre de Nelson Mandela à ses filles Zenani et Zindzi

3 août 1969

Mes chéries,

Le 17 juillet, j'ai reçu un télégramme de Kgatho dans lequel il m'informait que Buti Thembi, votre frère bien-aimé, avait trouvé la mort le 13 dans un accident de la route à Touws River, près du Cap. Il semblerait que deux Européens récemment arrivés d'Italie aient également succombé à cet accident. Votre frère sera enterré aujourd'hui même à Johannesbourg. Dans son télégramme, Kgatho dit qu'il m'enverra une lettre détaillée concernant les circonstances du drame, mais comme le courrier met très longtemps à me parvenir, je n'ai toujours rien reçu et ne suis donc pas en mesure de vous en dire plus sur le sujet.

Maman et moi vous exprimons notre plus profond soutien. Nous étions tous très fiers de Thembi, qui était

----
1. Un autre surnom de Winnie Mandela.

en retour très dévoué à notre famille, et c'est terrible de penser que nous ne le reverrons plus. Je sais qu'il vous aimait beaucoup. Dans sa lettre du 1er mars, maman m'a raconté qu'il était venu en vacances avec sa famille à Johannesbourg et qu'il vous avait fait le grand plaisir de vous emmener en promenade à plusieurs reprises. Elle m'a aussi expliqué qu'il vous avait invitées à passer les vacances de décembre au Cap et que vous attendiez déjà ce moment avec grande impatience. Là-bas, vous auriez vu la mer, des endroits tels que Muizenberg et le Strand où vous auriez pu nager. Vous auriez visité le fort de Bonne-Espérance, un grand fort de pierre achevé en 1679 où vécurent les premiers gouverneurs de la ville. C'est là que le fameux roi Cetywayo fut détenu après la bataille d'Isandhlwana qui vit l'armée zouloue battre les Anglais en janvier 1879. Au Cap, vous auriez aussi vu Table Mountain, qui s'élève à 3 549 pieds[1]. De là, on aperçoit Robben Island entre les vagues. La mort de Thembi vous prive de ces vacances, de ces belles visites dont je viens de vous parler. Nous sommes tous très tristes d'avoir perdu notre Thembi. Il nous manquera énormément.

Maman et moi n'avons pas pu nous rendre à ses funérailles, car nous sommes tous deux en prison et n'avons pas obtenu d'autorisation de sortie pour l'occasion. Vous n'avez pas pu y assister non plus, mais à votre retour de l'internat, Kgatho s'arrangera pour vous emmener au cimetière afin que vous puissiez dire adieu à votre frère. J'espère que maman et moi pourrons un jour, nous aussi, nous recueillir sur sa tombe. Mais maintenant qu'il est parti, nous devons surmonter le douloureux épisode de son décès. Il repose en paix, mes chéries, libéré des soucis, de la maladie, du besoin ; il ne ressent plus ni souffrance ni faim. Vous, vous devez continuer à faire vos devoirs, à jouer et à chanter.

---

1. Soit 1 086 mètres *(NdT)*.

Je vous écris une bien triste lettre aujourd'hui. À l'image de celle du 23 juin rédigée suite à l'arrestation de maman. Cette année fut bien difficile pour nous tous, mais les beaux jours reviendront, des jours de rires et de joies. Et ce qui est encore plus important, un jour viendra où maman et moi serons de nouveau avec vous à la maison, pour partager la table familiale et vous aider à grandir. D'ici là, nous vous écrirons régulièrement.

Je vous envoie plein d'amour, mes chéries.

Bien affectueusement,

Tata[1]

Lettre de Nelson Mandela à Irene Buthelezi[2]

3 août 1969

Chère Mndhlunkulu,

J'ai été très ému par le télégramme de condoléances envoyé par le chef Mangosuthu de la part de la famille, message que j'ai reçu le 18 juillet (jour de mon anniversaire). J'aimerais lui faire savoir à quel point ce geste m'a touché. 1968 et 1969 ont été des années éprouvantes. J'ai perdu ma mère il y a dix mois. Le 12 mai, ma femme a été incarcérée pour une durée indéterminée au titre de la loi antiterroriste, laissant nos filles quasi orphelines. Et je viens juste de perdre mon fils aîné. La disparition d'un être cher est toujours terrible, qu'importe la cause de la mort ou l'âge du défunt. Mais quand l'inévitable se rapproche petit à petit, comme dans le cas d'une maladie, les proches peuvent se préparer à affronter l'issue fatale. Par contre, quand la mort frappe un jeune en pleine forme, il faut avoir déjà vécu semblable expérience pour en appréhender toute l'horreur. C'est ce qui m'est arrivé le 16 juillet quand j'ai appris la mort

---

1. « Père » en langue xhosa.
2. L'épouse du chef Mangosuthu Buthelezi.

de mon fils. Je fus si choqué que je suis resté quelques secondes sans réaction. J'aurais pourtant dû être plus aguerri puisque ce n'était pas la première fois que je perdais un enfant. Dans les années quarante, j'ai perdu une fillette de neuf mois. Elle avait été hospitalisée, son état s'améliorait, mais de soudaines complications se sont soldées par sa mort dans la nuit. J'étais à ses côtés dans les moments critiques durant lesquels elle tentait de retenir une ultime étincelle de vie dans son petit corps frêle. J'ignore encore aujourd'hui si je dois m'estimer chanceux d'avoir été témoin d'une telle scène. Cette vision m'a hanté pendant des journées entières et me revient souvent en mémoire ; elle aurait au moins dû m'endurcir en vue d'autres catastrophes du même genre. Puis est arrivé le 26 septembre (l'anniversaire de ma femme) et l'annonce de la mort de ma mère. Je l'avais vue pour la dernière fois en septembre de l'année précédente, lorsqu'elle était venue me rendre visite à l'âge vénérable de soixante-seize ans après un voyage solitaire depuis Umtata. Son état de santé m'avait alors beaucoup inquiété, car même si elle s'efforçait de paraître guillerette, elle avait perdu du poids et semblait très fatiguée. À la fin de la visite, je l'ai regardée s'avancer lentement vers le bateau qui allait la ramener sur le continent, et je n'ai pas pu m'empêcher de penser que je ne la reverrais plus. Mais au fil des mois, ce souvenir s'est estompé au bénéfice de la lettre écrite juste après, dans laquelle elle affirmait être en bonne santé. J'ai donc été pris par surprise quand la mauvaise nouvelle est tombée le 26 septembre dernier, et les jours suivants dans ma cellule ont été un long cauchemar dont je n'ai guère envie de me rappeler. Mais ni cette expérience ni celle des années quarante n'est comparable à ce que j'ai vécu le 16 juillet. Quand j'ai appris la nouvelle à 14 h 30, j'ai eu l'impression que mon cœur cessait de battre et que le sang chaud qui coulait dans mes veines depuis cinquante et un ans s'était soudain changé en glace. Je n'avais plus aucune force, je ne pouvais plus ni penser ni parler. J'ai fini par regagner ma cellule avec un poids sur les épaules que l'on ne devrait pas avoir à porter dans ce genre d'endroit. Comme à leur habitude, mes amis prisonniers se sont efforcés de me remonter le moral. Le télégramme de mon deuxième fils, le 17 juillet, m'a fait beaucoup de bien. Quant à celui du chef, il m'a fait forte impression et m'a grandement aidé à surmonter le choc. Je n'oublierai jamais sa compassion à mon égard, qu'il avait d'ailleurs déjà montrée lors du décès de ma mère. Je me sens de nouveau solide et confiant grâce aux messages de solidarité de mes plus chers amis, au nombre desquels j'ai l'honneur de vous compter, le chef et vous.

Je repense souvent aux années quarante, quand j'habitais Mzilikazi, là où j'ai rencontré vos parents. Votre père, le fils de Mzila, était un vieux sage auquel je vouais une grande admiration. Il était digne, courtois, sûr de lui, et nous sommes restés en très bons termes durant les quatre années de mon séjour à Mzilikazi. Nos conversations m'ont révélé un homme fier de ses traditions et des réalisations de son peuple, et c'est sans doute l'aspect de sa personnalité qui m'aura le plus fasciné.

Mais le respect de son histoire et de sa culture ne l'empêchait pas d'être partisan d'une bonne éducation et ouvert aux idées progressistes. Votre frère et vous-même pouvez en témoigner. On le voyait souvent au Centre social bantou[1], en grande tenue noire et or, avec médailles et rubans, jouant avec talent à divers jeux avec d'autres messieurs distingués de la ville. Je me souviendrai de lui comme d'un homme qui m'a toujours aidé et encouragé dans les moments difficiles. Je me souviendrai aussi du sourire que sa dame ne manquait jamais de m'adresser ; je le savourais déjà à l'époque, mais il faut être en prison depuis sept ans pour apprécier la

_____

1. À Johannesbourg.

bonté humaine à sa juste valeur. J'ai pris grand plaisir à l'aider quand il a fallu mettre en ordre les affaires du vieil homme. Soyez certaine que je me réjouis de mes relations étroites avec votre famille et que je tiens le chef en grande estime. Mes meilleurs respects à vous tous, au Dr Dotwane et à votre belle-sœur.

Bien cordialement,

Nelson

Lettre de Nelson Mandela au brigadier Aucamp, aux bons soins du commandant de Robben Island

5 août 1969
À l'attention du colonel Van Aarde,
commandant de Robben Island

Je vous prie de bien vouloir approuver l'envoi de ce pli urgent au brigadier Aucamp.
[signature] Nelson Mandela 466/64[1]

5 août 1969[2]
À l'attention du brigadier Aucamp
Aux bons soins de l'administrateur des prisons
Boîte postale 136, Pretoria
TRÈS URGENT

Je vous serais reconnaissant d'approuver l'envoi à ma femme de la présente lettre, qui [traite] la question cruciale et urgente de notre représentation légale. Veuillez, je vous prie, vous arranger avec le personnel [de la Police spéciale] pour qu'elle la reçoive le plus rapidement possible.

---

1. Note manuscrite en bas de page : « Par courrier ordinaire », signé et daté du 5 août 1969.
2. Note manuscrite en haut de page, en afrikaans : « Lettre de Nelson Mandela 466/64 au brigadier Aucamp ».

Je vous serais également très reconnaissant de m'accorder la permission, que je sollicite depuis le 20 mai, d'entrer en contact avec le cabinet de MM. Frank, Bernadt et Joffe[1]. J'en profite pour vous rappeler qu'entre l'arrestation de ma femme et la fin juin, aucune des douze lettres que j'ai envoyées n'est parvenue à son destinataire. De plus, quatre visiteurs successifs prévus ces six derniers mois ne sont pas venus. Quant aux lettres [*qui me sont destinées*], elles mettent trop longtemps à me parvenir, ce qui représente un traitement discriminatoire comparé à celui réservé aux autres prisonniers. Une lettre arrivée à Robben Island le 24 avril m'a été distribuée quarante-quatre jours plus tard, le 7 juin. Une autre, reçue au bureau de poste le 17 juin, m'a été remise trente-neuf jours plus tard, le 26 juillet. J'ajouterai qu'à ce jour je n'ai reçu aucune information claire concernant la mort de mon fils aîné. Le cadet m'a adressé un télégramme le 17 juillet – quatre jours après l'accident fatal – dans lequel il m'annonçait l'arrivée d'une lettre détaillée. Mais je suppose qu'étant donné les présentes dispositions, je ne la recevrai pas en temps et en heure malgré sa nature particulière. À l'inverse, je connais le cas d'un prisonnier qui a reçu six jours plus tard une lettre datée du 16 juin. Une autre lettre, expédiée le 13 juillet, lui a été remise six jours après qu'elle eut été écrite. En conséquence, il me semble raisonnable de vous demander d'accéder diligemment à ma requête. Il est anormal de me tenir écarté [*d'affaires*] d'une telle importance pour moi et pour ma famille, et j'en appelle donc à vos bons offices pour régler ce problème. Dans le même ordre d'idées, je voulais vous dire que j'apprécie énormément le fait que vous me laissiez communiquer avec ma femme. Si vous m'accordiez la permission évoquée ci-dessus, je pourrais gérer les soucis familiaux causés

1. Ses avocats.

par son emprisonnement, ce qui serait un complément et une suite logiques à l'aide que vous avez déjà apportée à notre couple.

[*signature*] Nelson Mandela 466/64

Lettre de Nelson Mandela à Winnie

5 août 1969[1]
TRÈS URGENT

Ma chérie,

J'ai réfléchi à la question du cabinet d'avocats qui devra assurer ta défense si tu es inculpée suite à ta période de détention.

J'ignore de quelle manière les services de M. Mendel Levin ont été requis dans cette affaire, et je n'ai rien contre son cabinet, mais je te conseille fortement de demander au plus vite à M. Joel Carlson de te représenter et de prendre nos affaires en charge. Je n'ai pas besoin de te rappeler les services inestimables que M. Carlson nous a rendus par le passé, ainsi que sa longue expérience dans les cas de cette nature et l'intérêt personnel qu'il porte à notre défense. J'estime qu'en définitive il serait déraisonnable de ne pas s'en remettre à ses talents.

Tu m'as fait remarquer à juste titre que sa désignation poserait certains problèmes, puisque les autorités pénitentiaires nous ont informés qu'il était interdit d'entrée dans toutes les prisons sud-africaines. Les autorités sont sans doute en droit d'imposer ces restrictions sans que nous ayons notre mot à dire. Mais de leur côté, elles n'ont pas leur mot à dire dans notre choix de tel ou tel cabinet. Si M. Carlson n'a pas le droit de te rendre visite en prison, la police sud-africaine est obligée

---

1. Note manuscrite en haut de page, en afrikaans : « Lettre urgente de Nelson Mandela 466/64 à sa femme ».

de t'emmener à son bureau ou au tribunal... Même lorsque j'étais emprisonné pendant l'état d'urgence de 1960, la police m'a emmené plusieurs fois à mon bureau de Johannesbourg pour que je puisse travailler avec mon comptable. Les accusés du procès des traîtres, eux aussi détenus pendant l'état d'urgence, ont souvent pu consulter leurs avocats... pendant les suspensions d'audience. Je te suggère donc de prendre rapidement contact avec M. Carlson par lettre recommandée afin de lui demander d'assurer ta défense dès que tu seras inculpée. Quant à M. Levin, tu pourras lui dire que tu agis sur mon conseil.

Je ne te pousserais pas à agir ainsi si je ne le jugeais pas absolument nécessaire. J'ajoute que depuis le 20 mai, j'ai multiplié en vain les demandes de permission exceptionnelle pour aller discuter de ton arrestation et de ses conséquences avec M. Carlson ou ses représentants au Cap... En attendant, ma chérie, sois forte et prends soin de toi. Je pense à toi tout le temps. Je t'envoie plein d'amour et un million de baisers.

Avec tout mon amour,

Nelson

Lettre de Nelson Mandela à sa nièce Nomfundo

8 septembre 1969

Ma chère Mtshana,

J'ai été très choqué d'apprendre qu'une adolescente telle que toi, habitant dans une ville aussi dure et cruelle que Johannesbourg, avait passé les quatre derniers mois seule, exposée à tous les dangers. Ceux qui ont arraché ta tante[1] à son foyer n'ont pas daigné prendre les mesures nécessaires pour s'assurer qu'un adulte veillerait sur ta sécurité et sur celle de la maison. De quelle manière tu

---

1. Winnie Mandela.

allais te nourrir, acheter habits et savons, aller à l'école et en revenir, payer tes livres, tes frais de scolarité et tout ce dont une fille de ton âge a besoin, voilà des préoccupations qui ne les concernaient en rien. J'imagine les difficultés dans lesquelles tu te débats à l'heure actuelle. Toutes les tâches domestiques, la cuisine et le ménage, sont à ta charge, ce qui te laisse peu de temps pour tes devoirs. Sans compter l'angoisse de la solitude, la peur de l'inconnu, l'incertitude quant à la durée de détention de ta tante. Peut-être, certains jours, pars-tu à l'école sans avoir mangé ni bu un bon thé parce qu'il n'y a plus d'argent pour acheter de la viande, du lait, des œufs, du sucre, du pain, du beurre, du maïs, du charbon ou du pétrole pour la lampe.

Il est possible que tu sois restée longtemps prostrée à te demander ce que tu avais fait pour mériter ça, à te comparer aux enfants heureux et bien nourris que tu côtoies à l'école et à Soweto, des enfants qui vivent avec leurs parents, qui rient tout le temps, qui n'ont jamais connu la souffrance et ignorent les soucis qui t'accablent. Il t'arrive probablement de douter que tu nous reverras un jour, ta tante et moi, et tu t'interroges alors sur les raisons d'une telle souffrance humaine dans le monde chrétien du XXe siècle. Dans ma vie, et malgré mon grand âge, j'ai connu moi aussi des moments de doute. Les connaissances de base que j'ai accumulées me permettent d'analyser avec intérêt les progrès réalisés par l'homme depuis un million d'années qu'il parcourt la Terre, partant d'un statut de sauvage superstitieux et arriéré pour parvenir à l'individu cultivé qu'il est censé être à présent. Mais les tourments cruels que tu partages avec d'autres membres de la famille, toute cette misère et cette souffrance, poussent à se demander s'il est vraiment possible d'associer à l'être humain des termes tels que chrétien ou civilisé. Aujourd'hui, te voilà orpheline. Tu passes la majeure partie de tes journées dans la solitude, la tristesse et la peur, parce que ta tante et moi, qui devions te lancer dans la vie, avons été emprisonnés par d'autres êtres humains, nos propres compatriotes, qui auraient pourtant dû nous traiter avec l'empathie que l'on est en droit d'attendre de gens chrétiens et civilisés. Nous avons été arrêtés et jetés en prison, non parce que nous avions tué, volé ou commis quelque autre crime, mais parce que nous nous battions pour la vérité, l'honneur, la justice et le principe selon lequel aucun être humain n'est supérieur à un autre. Si tante Nobandla et moi devions passer notre vie derrière les barreaux, si nous n'avions plus jamais l'occasion de te revoir, si nous ne pouvions pas t'envoyer à l'université comme nous l'avions espéré, ni t'offrir un bon mariage une fois le moment venu, ni t'aider à t'installer dans ta propre maison, ma chère Mtshana, alors au moins tu en connaîtrais les vraies raisons. Ce ne serait pas par manque d'amour envers toi, ni envers Kgatho, Maki, Zeni et Zindzi, ce ne serait pas non plus par oubli de notre devoir parental. Au contraire, nous vous aimons si fort que nous ne pouvons admettre que, dans votre propre pays, vous ne disposiez pas des droits et des opportunités dont les êtres humains bénéficient ailleurs depuis des siècles. Voilà pourquoi nous sommes prisonniers, pourquoi nous sommes loin de la maison, pourquoi tu es seule au 8115 Orlando West.

Quelles que soient les difficultés auxquelles tu fais face, Mtshana, ne te décourage pas et n'abandonne pas tes études. Même en prison, nous ferons tout notre possible pour te garder à l'école et t'envoyer à l'université. Tu dois passer en classe supérieure à la fin de l'année. Et malgré ces épreuves, tu ne mourras ni de faim ni de solitude, car Sisi Tellie, oncle Marsh et tante Niki seront toujours là pour t'aider. Nous avons aussi de nombreux amis fidèles, comme tante Gladys[1], à qui tu peux

---

1. Tante maternelle de Winnie Mandela.

demander conseil et assistance. Un jour, nous reviendrons à la maison. Et toi, tu vivras heureuse avec nous, comme les autres enfants de ton école et [de] Soweto. Plus de solitude, plus de misère, plus d'inconnu. Les dangers qui te guettent aujourd'hui auront disparu. Tu n'auras plus à te battre autant, tu auras une assiette bien remplie et enfin le temps de rire. En attendant, sache que nous sommes très fiers de notre Mtshana, si intelligente et si courageuse, et que rien ne nous fera plus plaisir que d'apprendre ta réussite aux examens.

Mon amour et mes salutations à Kgatho, Maki, Zeni, Zindzi, Matsobiyane[1], ainsi qu'à Sisi Tellie, oncle Marsh, tante Niki et tante Gladys.

Bonne chance !

Je t'envoie plein d'amour, ma Mtshana.

Ton Malume[2]

Lettre de Nelson Mandela à Irene Mkwayi[3]

29 septembre 1969

Chère Nolusapho,

J'ai éprouvé un grand réconfort en lisant l'émouvant message de soutien que vous m'avez envoyé suite au décès de mon fils aîné Thembi. Le texte imprimé sur la carte, ainsi que votre touchante note manuscrite, étaient particulièrement appropriés et m'ont fait beaucoup de bien.

J'ai appris la terrible nouvelle le 16 juillet et, six jours plus tard, j'ai demandé au commandant la permission d'aller assister aux funérailles, à mes frais, avec ou sans escorte. J'ai ajouté que si Thembi était déjà enterré au moment où ma requête serait acceptée, je souhaiterais

---

1. Fille de Nobatembu Mtirara.
2. « Oncle » dans la langue xhosa.
3. L'épouse de Wilton Mkwayi, condamné à perpétuité au cours du « petit procès de Rivonia ».

alors me rendre sur sa tombe afin d'y « poser la pierre » (*ukubek'ilitye*) – le rituel de ceux qui n'ont pu assister à l'enterrement.

Dix mois auparavant, j'avais déposé une requête similaire suite à la mort de ma mère, et même si les autorités pénitentiaires avaient alors adopté une ligne dure en refusant ce qui m'apparaissait comme une demande raisonnable, j'espérais vaguement qu'un second décès dans la famille, à si peu d'intervalle, les ferait fléchir et me permettrait de faire mes adieux à Thembi. Dans le corps de ma requête, j'insistais sur le fait que l'on m'avait déjà empêché d'assister aux funérailles de ma mère, et qu'une décision positive serait un geste très généreux de leur part. J'ajoutais que je n'avais pas vu Thembi depuis cinq ans, ce qui renforçait d'autant mon besoin d'être présent à l'inhumation.

Je savais bien sûr que trente ans plus tôt, dans une de leurs colonies, les Britanniques avaient incarcéré un combattant de la liberté qui deviendrait ensuite Premier ministre, une fois l'indépendance acquise en 1947[1]. Il se trouvait en prison quand l'état de santé de sa femme s'était brusquement détérioré et qu'il aurait dû être à ses côtés pour l'emmener se faire soigner en Europe. L'impérialisme britannique a répandu la souffrance et la misère sur des millions de personnes à travers le monde, et quand les Anglais finissaient par partir, ils laissaient derrière eux des pays exsangues dont les habitants se voyaient condamnés à de longues années de pauvreté, de famine, d'épidémies et d'analphabétisme.

Cette période constitue un chapitre noir de l'histoire britannique, critiqué à juste titre par de multiples historiens. D'un autre côté, les Anglais sont connus de leurs amis comme de leurs ennemis pour leur hauteur de vue et leur approche raisonnée des problèmes humains, ainsi que pour leur respect envers ceux qui sont prêts

---

1. Jawaharlal Nehru, en Inde.

à sacrifier leur vie pour une noble cause. Souvent, lors de conflits les opposant aux mouvements indépendantistes de leurs colonies, ils traitaient leurs opposants politiques avec humanité et en venaient même à leur accorder certaines faveurs. Ainsi, quand le militant susmentionné fut confronté à la maladie de sa femme, les Anglais le libérèrent pour qu'il puisse voyager avec elle. Malheureusement l'épouse mourut en Europe, et l'homme endeuillé retourna dans son pays et en prison. Voilà comment un gouvernement éclairé doit se comporter envers ses concitoyens, voilà comment le gouvernement britannique, il y a de cela un peu plus de trente ans, répondit à une requête présentée par un opposant et motivée par des raisons familiales.

Dans les deux cas, ma mère et Thembi, je n'étais pas confronté à la maladie, mais à la mort. Je ne voulais pas partir à l'étranger, juste me déplacer dans mon propre pays, sous la surveillance constante de forces de police expérimentées. Pour Thembi, ma demande fut tout simplement ignorée, sans l'ombre d'un accusé de réception. On m'a également refusé l'accès aux coupures de presse concernant l'accident, ce qui fait qu'à ce jour je ne sais toujours pas clairement comment mon fils est mort. Tous mes efforts pour obtenir qu'un avocat enquête sur les circonstances de l'accident et s'occupe de la succession du défunt se sont soldés par autant d'échecs. Non seulement je n'ai pas le droit d'aller rendre un dernier hommage à mon fils aîné, mon ami, la joie de mon cœur, mais je reste dans une totale ignorance quant au devenir de ses biens. Le 6 septembre, j'ai reçu un rapport effrayant sur la situation de mon foyer. Ma nièce Nomfundo, encore adolescente, vit pratiquement seule à la maison, et j'ai l'impression que la dame qui habitait avec elle depuis l'arrestation de Zami a eu peur de rester. Une telle indifférence me sidère et garde béantes les plaies douloureuses que la mort a ouvertes dans mon cœur.

Votre message doit donc être considéré à l'aune de ces faits, à l'aune des obstacles et des frustrations qui m'assaillent. Fort heureusement, mes nombreux amis – à l'intérieur comme à l'extérieur de la prison – m'ont inondé de messages de sympathie et de soutien. Le pire est derrière moi. Et parmi ces messages, il y a le vôtre, Nolusapho, femme des Amagqunukhwebe, les enfants de Khwane, Cungwa, Pato et Kama. Je veux vous dire à quel point j'ai apprécié cette magnifique carte. Même si je n'ai pas encore eu l'honneur et le privilège de vous rencontrer, je vois en vous une personne qui aime son peuple et place le bien-être des autres avant le sien. Que vous m'ayez envoyé ce courrier malgré vos propres soucis de santé parle en votre faveur bien mieux qu'un long discours. Je vous souhaite un prompt et complet rétablissement. Merci pour les jolies cartes de Noël que Nomazotsho et vous m'avez envoyées. Tout mon amour et mes meilleures salutations à Georgina, Nondyebo, Beauty, Squire et Vuyo[1].

Bien cordialement,
Nelson

Lettre de Winnie Mandela à Mendel Levin

11 novembre 1969
Objet : Ma situation

Cher monsieur,

Ayant reçu votre courrier ce jour, j'ai remarqué que les lettres que vous aviez écrites en mon nom étaient facturées à hauteur de cinq cents rands. Et ce depuis le 28 octobre, date à laquelle il a été publiquement annoncé au tribunal que mon mari avait demandé à M. Carlson de me représenter. Je souhaite donc vous informer que ma situation financière ne s'est guère

---

1. Les enfants d'un cousin de Nelson Mandela.

173

améliorée depuis nos trois dernières entrevues organisées par les autorités pénitentiaires dans le seul but d'évoquer des fonds dont je ne dispose pas, d'où votre promesse solennelle, répétée maintes fois en présence du commandant Swanepoel, de travailler sur mon cas sans percevoir d'honoraires.

J'ai tenu à mentionner cette déclaration d'intention à mon nouvel avocat, tout comme je lui ai indiqué, sans entrer dans les détails, que les informations fournies par ce même commandant me laissaient penser qu'il n'y aurait pas de fonds alloués à ma défense. Ce dont je vous avais prévenu dans ma dernière lettre, avant même de vous signer un pouvoir.

Je dois avouer que les événements du 28 octobre ont soulevé de bien étranges questions. Vous admettrez sans peine qu'une personne placée en isolement carcéral éprouve de grandes difficultés à saisir les motivations des gens. Et si je ressens une telle confusion après cinq mois et demi d'incarcération, que doit-il passer par la tête d'une femme emprisonnée pendant sept ans ? C'est afin de clarifier cette situation que j'ai demandé le 19 octobre l'autorisation de rencontrer Mme Kay[1], requête restée sans réponse. De même, cela fait maintenant six mois que je me bats en vain pour que l'on m'autorise à voir mon mari.

Je trouve donc d'autant plus surprenant le fait que les personnes qui ont pu lui rendre visite soient proches de vous, et que celles-ci aient eu en définitive plus de contacts avec vous qu'avec moi. J'avais alors supposé que Nelson avait dû discuter de tout cela avec elles, bien que ma belle-sœur Telia, mon beau-fils et ma sœur aient tous transmis des messages à M. Carlson de la part de mon mari, lequel avait précédemment reçu la visite de M. Dinath, que vous connaissez bien. Même si cela n'a plus d'importance, j'ai du mal à comprendre comment

1. Maud Katzenellenbogen.

ces faits n'ont pas attiré mon attention à un moment où j'aurais peut-être encore pu communiquer avec mon mari pour éclaircir cette affaire.

Je suis au regret de vous dire que je n'ai pas ces cinq cents rands et ne les aurai sans doute pas dans les dix ans à venir, si je survis jusque-là. Je ne compte pas non plus ajouter aux soucis de mon mari en l'informant de la présente situation. Non seulement il purge une peine de prison à perpétuité, mais, selon ses propres termes, les événements des onze derniers mois ont représenté un poids trop lourd à porter même pour un homme au mieux de sa forme. Après tout, nous ne sommes que des êtres humains.

Je peux néanmoins vous assurer que ma reconnaissance était sincère lorsque j'ai tenté de l'exprimer au tribunal avant d'être coupée. J'attends désormais de rencontrer M. Zwarenstein, puisqu'on m'a informée dès le mois de juin qu'il devait me représenter. Inutile de préciser que je me souviendrai très longtemps des propos du commandant Swanepoel, parmi lesquels sa réprobation de ma tendance indécrottable à donner ma confiance à tout-va.

Bien cordialement,
Winnie Mandela

Lettre de Winnie à Nelson Mandela

12 novembre 1969

Mon chéri,

C'est merveilleux de pouvoir t'écrire à nouveau. Les nombreux messages que tu as réussi à me transmettre m'ont permis de partager tes moments difficiles durant ces longs mois de silence. Merci mon amour, car j'avais toutes tes lettres avec moi le 28 octobre, jour où j'ai mené mes « croisés » sur le chemin de la captivité. Nous partagions alors l'esprit de ces chrétiens qui ont emmené les leurs dans des grottes, il y a de cela deux mille ans, pour sauvegarder la parole des Évangiles. J'ai eu la très belle surprise de recevoir ta jolie carte d'anniversaire le 26 octobre[1], seulement deux jours avant d'être inculpée. Les mots ne peuvent décrire ce que j'ai éprouvé en la lisant. Depuis, je la relis sans cesse dans la solitude de ma cellule et y trouve chaque fois de nouvelles raisons d'espérer. Même l'enveloppe abîmée raconte une histoire, symbole de toutes les épreuves traversées, sans regret, ces onze dernières années.

Ai-je besoin de te dire à quel point je suis triste que mes efforts pour te rendre visite n'aient pas abouti ? Le procès doit débuter le 1er décembre et nous n'avons que très peu avancé avec M. Carlson. De nombreux problèmes nous ont empêchés d'avoir ne serait-ce qu'une entrevue convenable. Comme tu fais toi aussi partie de la conspiration, je suppose qu'il n'y a pas de mal à t'apprendre que nous sommes vingt-deux à être inculpés au titre de la loi de répression du communisme. L'acte d'accusation comporte vingt et un points, dont certains ne concernent que moi. Il est impératif qu'un homme de loi t'explique les tenants et les aboutissants de cette affaire qui nous touche tous les deux.

J'ai fait une grosse rechute en septembre, mais le spécialiste a aussitôt augmenté mon traitement. Le médecin de la prison s'est comporté presque comme un père avec moi. Il m'a expliqué, comme le spécialiste de Johannesbourg, que mon état était devenu chronique et ne cesserait de se détériorer tant que je resterais angoissée. Mais comment s'arrêter de penser ? C'est bien sûr impossible, mon chéri, quand on est privé du moindre contact avec l'extérieur. Peut-être cela ira-t-il mieux quand nous serons ensemble. Il y a cinq femmes parmi

---

1. Reçue avec quatre mois de retard, puisque leur anniversaire de mariage tombe le 14 juin.

les accusés. Malheureusement, les autres sont un peu jeunes. Je dois aussi te dire que ces trois derniers mois, quand j'étais très malade, le médecin et le brigadier se sont arrangés pour me fournir un lit, sinon je ne pouvais plus m'allonger. Mais je vais mieux, ne t'inquiète pas. Si tu souhaites plus de précisions, je suppose que personne ne verra d'inconvénient à te transmettre les rapports des spécialistes.

Nous devons prendre des dispositions pour les enfants. À ce propos, j'ai vu mes deux sœurs et leurs maris au tribunal, ainsi que Maud et d'autres amis. Je ne saurais décrire ma joie de les revoir après six mois d'isolement. Niki a déjà pu me rendre visite. C'est incroyable comme les gens semblent différents, à travers le prisme de la vie en prison. J'ai découvert une Niki complètement différente ; elle m'a apporté de nouveaux habits, les anciens étant devenus trop grands. Les filles ne sont pas encore revenues car son mari n'a plus de documents de voyage. Elles ont passé leurs vacances avec l'oncle Allan Nxumalo[1]. D'après Niki, on a promis à Marshall de lui rendre les documents. Les pauvres petites en ont sans doute été très attristées, mais elles sont aussi très compréhensives. Oncle Mashumi a été les voir à l'école et dit que tout se passe bien. J'ai écrit à Kgatho pour lui donner des messages pour toi, mais j'ai appris ensuite qu'il t'avait probablement déjà rendu visite. La meilleure nouvelle de l'année, c'est quand Niki m'a annoncé que Kgatho était de retour à la maison avec Nomfundo. M. Levin prétend qu'il se désintéresse des études, ce qui me paraît dur à croire même si j'avoue avoir nourri cette crainte au fond de moi suite aux bouleversements émotionnels dont nous avons souffert. Est-ce exact ? As-tu pris des arrangements avec lui pour l'année prochaine, ou dois-je continuer comme je le pensais ?

---

1. Un ami du Swaziland qui s'occupait souvent de Zeni et Zindzi pendant les vacances scolaires.

L'un des plus émouvants messages de soutien vient de papa, qui a demandé à Niki de te remonter le moral. Il envoie notre belle-sœur représenter la famille car mon frère doit corriger des copies à l'école dont il est désormais proviseur. Papa n'a obtenu ni la licence pour la vente d'alcool ni le prêt de la Bantu Investment Corp., sans doute à cause de ses enfants.

As-tu reçu les résultats de tes examens ? Vu les circonstances, un succès serait miraculeux. As-tu encore assez d'argent ?

Je ne sais pas par quel bout prendre la question du tuteur des enfants. Il ne me semble guère indiqué d'attendre la fin du procès alors qu'elles rencontrent déjà tant de difficultés. Je parlerai de leurs documents de voyage avec le commandant Coetzee de Johannesbourg, car leur validité expire dans quelques semaines. Il nous a déjà apporté son aide et m'a suggéré de m'adresser à lui pour tout ce qui concerne la scolarité des filles.

J'imagine combien cette affaire doit te soucier. J'ai beaucoup appris, mon chéri, et suis à présent capable de débusquer même ce qui se cache sous les meilleurs déguisements. Quel dommage que je n'ai pas pu te rendre visite avant ton inculpation. J'ai développé un grand intérêt pour les relations humaines et le comportement. Découvrir toutes ces catégories auxquelles nous appartenons s'est révélé un rude apprentissage. Certains d'entre nous voient des relations entre les objets tandis que d'autre voient des objets entre les objets. Faut-il observer puis désespérer jusqu'à commettre un suicide physique, ou désespérer puis rester à observer, ce qui revient à commettre un suicide moral ? Non, ces deux attitudes sont indignes. Il faut trouver une voie intermédiaire car certains hommes, contre toute raison, ne s'adapteront jamais. Je me rappelle cette histoire de mon grand-père, qui est censé avoir dit à quelqu'un : « Quel sorte d'hommes est-ce là ? Ils t'achètent une vache et te paient avec ton propre cheval. »

J'ai beaucoup ri quand tu as évoqué l'étudiant en médecine. Mon esprit est soudain retourné en arrière, aux portes du 76 Hans Street[1], quand l'horrible voiture verte a refusé de démarrer au pire moment, que quelqu'un l'a vue et s'est évanoui. Te souviens-tu du jour où MaMhlophe a été ramenée d'Orlando sur un malentendu et a croisé Mhlekazi au bureau le lendemain matin ? Ils s'étaient attendus chacun de son côté sans s'être arrangés au préalable. Sans oublier la « Cigarette[2] » et la fameuse déclaration : *« Lo mfana ondisuse kuwe unzima. »*[3] À présent, il doit se dire que c'était bon débarras. Et puis il y avait MaMhlophe et Tshezi, dans ce bureau à Bara[4], qui ne pouvaient pas se sentir.

Les filles et moi avons aussi partagé quelques bons moments. Un jour, deux vieilles femmes et le prêcheur méthodiste sont venus prier à la maison. Nous nous sommes installés au salon même si j'étais malade. Malheureusement, ils avaient choisi l'heure de la police[5]. Le prêcheur était au beau milieu d'une intense prière quand des coups violents ont retenti à la porte. Je suis allée ouvrir, et quand je suis revenue m'asseoir, il n'y avait plus personne. C'était il y a un an et je ne les ai plus jamais revus ! J'aurais tant aimé que tu sois là.

Prends soin de toi, mon chéri, je t'envoie plein d'amour et un million de baisers.

À toi pour toujours,
Zami

---

1. Le foyer de Jeppe où résidait Winnie Mandela pendant ses études de travailleuse sociale à l'école Jan Hofmeyr de Johannesbourg.

2. Surnom donné par Winnie Mandela à Kaiser Matanzima.

3. « Ce jeune homme qui m'a séparé de toi est puissant. »

4. L'hôpital Baragwanath.

5. La police venait vérifier que Winnie Mandela était chez elle, conformément à l'ordonnance judiciaire.

P.-S. : As-tu reçu des nouvelles de Sabata[1] ? Il vient à la fin de l'année régler la succession de Thembi, puisque la propriété de Qunu lui avait été transférée juste avant sa mort. Je ne sais pas si je pourrai le rencontrer, mais j'en ferai la demande.

Lettre de Nelson Mandela à Winnie

16 novembre 1969

Dade Wethu[2],

Donc ce 1er décembre, tu comparaîtras en compagnie de vingt et un autres prévenus devant la Cour suprême de Pretoria au titre de la loi contre le sabotage ou, sinon, de la loi de répression du communisme. J'ai appris que vous aviez tous confié votre défense à M. Joel Carlson.

Vu l'acte d'accusation, il me paraît évident que je devrais être amené à témoigner en ta faveur, et j'attends avec impatience une entrevue avec ton avocat et toi. Je considérerais en effet injuste et contraire aux principes élémentaires de la justice de t'obliger à t'engager dans un long procès, pour y répondre de graves accusations, sans que nous ayons pu nous rencontrer au préalable. Nous sommes séparés depuis décembre dernier, et je suis sûr que nous revoir permettrait non seulement d'apaiser les angoisses de ces cinq derniers mois, mais aussi d'améliorer à la fois ton état de santé et ton état d'esprit. Une telle rencontre étant indispensable pour que tu bénéficies d'un procès ne serait-ce que vaguement équitable, j'espère très sincèrement qu'elle pourra avoir lieu. Je suis également prêt à discuter de la meilleure manière de conduire ta défense pour anticiper les pièges que l'accusation ne manquera pas de tendre. Depuis notre mariage en juin 1958, tu as été traînée,

---

1. Le roi de la nation thembu.
2. Terme xhosa signifiant « sœur ».

180

sous un prétexte ou sous un autre, devant trois juridictions criminelles et une civile. Aujourd'hui, il vaut mieux oublier ces tristes affaires qui nous ont causé bien du chagrin. Mais je crains que ce cinquième procès soit d'une tout autre ampleur et qu'il t'amène à vivre la plus amère des expériences. Certains s'emploieront au premier chef à détruire l'image que nous avons façonnée ces dix dernières années. Ils essaieront à tout prix de réussir là où ils ont échoué lors des procès précédents. Je t'écris ceci pour te prévenir et te permettre de te préparer mentalement et physiquement à recevoir les coups impitoyables qui te seront assénés sans relâche du début à la fin du procès. De fait, ce procès et tout ce qui l'entoure influencera sans doute pour longtemps ta façon de penser et d'agir, au point de représenter un véritable tournant dans ton existence. Il t'obligera à réexaminer en profondeur des valeurs que tu chérissais et à renoncer à des plaisirs autrefois chers à ton cœur.

Les longs mois que tu viens de passer en prison ont déjà été une rude épreuve, et quand cette affaire touchera à son terme, tu auras acquis une meilleure connaissance de la nature humaine, de sa fragilité, et de ce qu'un être humain est capable d'infliger à ses semblables pour conserver ses privilèges. Devant cette menace, tous les beaux principes de la démocratie occidentale dont on nous abreuve dans les livres volent en éclats. Ni les valeurs morales de la civilisation moderne, ni les enseignements de la foi chrétienne, ni l'idée d'une quelconque fraternité universelle, ni même le plus évident sens de l'honneur n'empêcheront les privilégiés d'employer tous les moyens de pression disponibles contre ceux qui luttent pour la dignité humaine. Car ceux qui sont en première ligne de ce combat doivent être prêts à subir le feu de l'ennemi afin d'inspirer leurs camarades et de leur rendre les choses plus faciles. Le véritable combattant de la bataille des idées, celui qui s'efforce de libérer l'opinion publique des chaînes de son époque, ne doit jamais se décourager s'il est en même temps loué et condamné, honoré et humilié, acclamé comme un saint et maudit comme le pire des pécheurs. Durant ta courte mais intense carrière politique, tu as reçu tous ces qualificatifs contradictoires sans jamais flancher ; au contraire, tu es restée fidèle à tes convictions. Aujourd'hui, l'épreuve qui t'attend est d'un autre calibre car ces convictions risquent de te valoir de nombreuses années de souffrance derrière les barreaux. Mais je n'ai pas le moindre doute sur ta volonté de te battre jusqu'au bout avec toute la ténacité et l'ardeur dont tu as déjà fait preuve. Tu sais que les victoires importantes sont remportées par ceux qui restent debout, non par ceux qui rampent à terre.

Ta stratégie doit prendre en compte le fait que tu seras opposée à un adversaire disposant de grandes ressources financières, de gros moyens de propagande, et qui n'hésitera pas à déformer les faits à son avantage. Dans une telle situation, la seule défense sur laquelle il n'existe aucune prise est celle qui repose sur la vérité, l'honnêteté et le courage de ses convictions. Rien ne doit être dit ou fait qui pourrait ne serait-ce que suggérer un reniement de tes principes. Le reste, nous pourrons en discuter lors de notre rencontre, si elle a lieu comme je l'espère. Dans le cas contraire, je sais au moins que tu es entre de bonnes mains et tout à fait capable de t'en sortir sans mon aide. Pour le moment, je peux juste t'envoyer mes meilleurs vœux et serrer les poings en pensant à toi. Je ferai tout ce qui est en mon pouvoir pour t'aider, Ngutyana[1]. Comment va notre chère Nyanya ? Parle-moi un peu d'elle.

Je viens d'apprendre une terrible nouvelle comme quoi Cameron[2] aurait été victime d'une attaque cérébrale

---

1. Autre surnom de Winnie Mandela.
2. Cameron Madikizela.

au Botswana, laquelle l'aurait laissé paralysé et amputé d'une jambe. Être frappé par un tel coup du sort loin de son pays et de ses proches est une catastrophe dont il doit être bien difficile de se remettre. Je repense à toute l'aide qu'il t'a apportée en mon absence et regrette que tu ne sois pas en position de lui rendre la pareille. Normalement, comme tu es en attente de jugement, tu as le droit d'écrire autant de lettres que tu le désires. Aussi je te suggère de lui écrire immédiatement pour lui souhaiter de notre part un prompt rétablissement. Kgatho m'a rendu visite le 25 octobre, après Nkosazana Tellie qui était quant à elle venue le 6 septembre.

Le 8 novembre, j'ai reçu de sa part une lettre étrange dans laquelle elle se plaint d'avoir été oubliée quand la famille est venue te voir le 28 octobre. Elle nous aide beaucoup et n'est visiblement guère appréciée de certaines personnes, aussi j'espère que tu pourras lui faire savoir à quel point elle compte pour nous.

J'ai reçu une lettre chaleureuse d'Amina[1] qui te noie sous les compliments. Tu vois que nos amis ne t'oublient pas. Je suppose que Lily[2] a enfin reçu ma lettre ; elle m'avait envoyé un très touchant message de soutien en juillet. Irene m'a d'ailleurs fait parvenir une carte de condoléances tout aussi émouvante. Il semblerait qu'elle soit vraiment devenue une fille formidable. Ce mois-ci, j'ai écrit à Mme Adelaïde Mase, l'épouse du frère de Mamqwati[3] à Engcobo, pour les remercier de la lettre qu'ils m'avaient envoyée en août. Mamqwati m'a également écrit au mois d'octobre, en réponse à la lettre que j'avais signée en notre nom.

Les mots employés en en-tête de la présente lettre ne doivent pas te surprendre. Par le passé, j'ai employé bien des termes affectueux à ton égard car je m'adressais

---

1. Amina Cachalia.
2. Lilian Ngoyi.
3. Evelyn Mase, la première femme de Nelson Mandela.

alors à Nobandla, épouse d'Ama-Dlomo. Aujourd'hui je n'userai pas de ce privilège, car nous sommes égaux dans le combat pour la liberté, et ta responsabilité est aussi grande que la mienne. À cette occasion, nous ne sommes pas mari et femme, mais frère et sœur. C'est donc ainsi que je m'adresserai à toi jusqu'à ton retour au 8115 ou ailleurs. D'accord ? Peut-être cet arrangement laissera-t-il un peu de place aux étudiants, en médecine ou pas, qui ont croisé nos chemins.

Enfin, Mhlope, sache que tu es la fierté de mon cœur, et qu'avec toi à mes côtés je me sens partie prenante d'une force invisible prête à changer le monde. Je veux croire qu'un jour, malgré les temps difficiles que nous vivons actuellement, tu seras de nouveau libre d'aller admirer les champs et les oiseaux de notre beau pays, libre de respirer son bon air et de profiter des doux rayons du soleil. Tu reverras les envoûtants paysages de Faku, qui ont bercé ton enfance, et le royaume de Ngubengcuka où se trouvent les ruines de ton *kraal*[1].

Tu me manques tellement ! Je t'envoie plein d'amour et un million de baisers.

Avec tout mon amour,

Dalibunga

Lettre de Nelson Mandela à Mashumi Paul Mzaidume[2]

19 novembre 1969

Mon cher Radebe,

Je suis fort troublé d'apprendre que mon fils Makgatho, 8115 Orlando West, ne semble guère motivé pour intégrer Fort Hare l'année prochaine. Il était censé s'inscrire au début de cette année, mais avait dû passer un examen

---

1. Hameau de forme circulaire composé de plusieurs rondavelles *(NdT)*.
2. Oncle de Winnie Mandela.

supplémentaire en mars et ne pensait pas pouvoir être admis. Le voir perdre encore un an serait pour moi une véritable tragédie, aussi te serais-je très reconnaissant de faire tout ce qui est en ton pouvoir pour qu'il entre à tout prix à l'université en février.

Lors de sa visite du 25 octobre, il m'a certifié avoir rempli le dossier adéquat et l'avoir envoyé au service des inscriptions. Nous avons également évoqué les frais de scolarité ainsi que son argent de poche, et je lui ai indiqué deux amis à Johannesbourg qui seraient, je pense, en mesure de l'aider. Kgatho pourra te fournir noms et adresses ; je crois qu'il vaudrait mieux que tu les rencontres en personne pour tout mettre en ordre.

Précise bien à Kgatho qu'en demandant ton aide, je ne mets nullement en doute ses affirmations. J'ai une totale confiance en son intégrité et en son sens de l'honneur. Loin de moi l'idée qu'il puisse vouloir me mentir sur ses projets d'avenir. Néanmoins, comme je suis tenu éloigné de Johannesbourg, il me semble normal de m'émouvoir d'informations suggérant qu'il n'agirait pas avec la vigilance et la célérité que j'attends de lui. Je m'aperçois également qu'il pourrait rencontrer certains problèmes pour lesquels, étant donné ma situation, il hésiterait à se confier à moi. J'en viens même à me demander s'il ne trouve pas gênant, voire humiliant, d'évoquer ses difficultés financières avec des étrangers. Voilà pourquoi je te prie d'intervenir, car il me semble que la présence d'un membre de la famille qui négocierait en son nom le protégerait au moins de l'embarras.

Il dispose en ce moment d'un bon travail et d'un revenu régulier grâce auquel il finance notamment l'éducation de ses sœurs. Il peut donc douter de la pertinence d'abandonner un poste lucratif, qui lui permet d'assumer d'importantes responsabilités familiales, dans le seul but de recommencer à zéro dans quelques années. Et n'oublions pas son âge : à dix-neuf ans, n'importe quel jeune homme aurait du mal à résister aux charmes éclatants d'une grande et belle ville. Je te raconte tout ceci car je pense que tu dois être pleinement informé des éléments susceptibles d'influencer le cours de ses actes et de ses pensées. De toute façon, je m'en remets à toi et à Mzala Khathi[1] pour agir au mieux.

À ce propos, j'ai reçu samedi dernier une charmante lettre de ma fille aînée, Maki, qui passe son certificat au lycée d'Orlando. Elle a de bons résultats en sciences, mais la mort de son grand frère, Thembi, qui l'aidait financièrement, semble modifier ses projets. Elle me dit qu'elle ne compte plus embrasser une carrière scientifique car elle n'aura pas assez d'argent pour mener les études nécessaires. Quand j'ai quitté mon foyer en avril 1961, nous avions pris des dispositions concernant l'éducation de l'ensemble des enfants, et tout s'est déroulé comme prévu jusqu'à la fin 1967. D'ailleurs, même après cette date, Zami est parvenue à garder le cap malgré les lourdes difficultés qui s'abattaient sur elle. Maintenant qu'elle se retrouve elle aussi en prison, tous nos plans partent à vau-l'eau. N'hésite pas à mentionner également cet aspect des choses à mes amis.

J'essaie de ne pas trop penser à Zeni et Zindzi. C'était déjà dur pour elles de ne plus m'avoir à la maison, et voilà que Zami [*Winnie*] a suivi le même chemin. Je ne peux qu'espérer que ce bouleversement familial ne les aura pas trop gravement affectées. Je leur ai écrit en juin et en juillet, mais j'ai appris ensuite que ces deux lettres ne leur étaient jamais parvenues. Avoir si peu de nouvelles des filles ne fait qu'accroître mon angoisse. Je me console en me disant que toi, Khathi, Marsh, Niki et plein d'autres êtes là pour leur donner l'affection dont elles ont tant besoin. S'il y a bien une chose qui pèse sur l'état de santé de Zami, c'est la détresse dans laquelle sont plongés nos précieux enfants. Mais tu

---

1. Kathaza, fille d'un cousin de Nelson Mandela. Mzala signifie « cousine ».

seras heureux de savoir qu'elle te compte parmi ceux qui ne ménageront certainement pas leurs efforts pour faire oublier à nos filles leur statut d'orphelines.

Je reçois régulièrement de ses nouvelles, et j'ai le plaisir de t'annoncer qu'en dépit d'une santé défaillante, son moral est au plus haut. Quelle femme ! Elle s'était déjà montrée courageuse au moment de me traîner devant l'autel, mais je ne l'aurais jamais crue capable d'une telle bravoure. Comparer mes modestes efforts aux sacrifices qu'elle consent me remplit d'humilité. Mon seul souci à l'heure actuelle est de savoir comment C.K.[1] et Niki prennent toute cette affaire. Radebe, ce fut un immense plaisir pour moi de recevoir la très belle lettre que tu m'as envoyée il y a exactement douze mois, et d'avoir des nouvelles de mamie et des cousins. Les enfants grandissent à une vitesse incroyable. J'ai du mal à croire que Khathi va déjà à l'université. Je comptais d'ailleurs lui écrire pour lui demander comment ça se passait à Fort Hare, mais j'ai préféré t'écrire à cause de Kgatho. Transmets mon affection et mes meilleurs vœux à tout le monde.

Bien cordialement,

Madiba

Lettre de Winnie à sa belle-sœur Tellie Mtirara

3 décembre 1969

Ma chère Nkosazana,

Quelle n'avait pas été ma surprise de constater lors de ta visite que tu n'étais plus que l'ombre de toi-même. Une semaine plus tard, j'ai pu lire un bout de cette lettre de Nelson dans laquelle il disait que tu lui avais toi-même écrit pour te plaindre de divers conflits familiaux. J'espérais te voir au tribunal, comme tu l'avais promis,

---

1. Columbus Madikizela, le père de Winnie Mandela.

ce qui m'aurait permis d'évoquer ces problèmes avec mes sœurs et toi. J'aurais fait les démarches nécessaires pour être autorisée à te voir.

J'aimerais que tu me rendes à nouveau visite aussi vite que possible. J'ai écrit la lettre dont tu avais demandé à Kgatho de me parler, même s'il s'agissait juste d'une note autorisant un membre de ma famille à récupérer mes vêtements. J'avais besoin de quelques effets de rechange pour remplacer les habits d'été et les chaussures que j'avais depuis mai et qui commençaient à s'abîmer. J'avais dû emprunter des pantoufles à une amie en promettant de lui en acheter des neuves. La prochaine fois, j'aimerais aussi me débarrasser de certains habits d'hiver. Je n'avais même pas de quoi tenir mes bas, qui d'ailleurs m'avaient été eux aussi donnés par une amie. Je trouvais terriblement gênant d'en être réduite à ces extrémités, jusqu'à ce que je finisse par récupérer mes vêtements grâce à ton aide précieuse. Nous avons été interrompues [*cette fois-là*] avant de pouvoir discuter de quoi que ce soit d'utile.

Je t'en prie, viens dès que possible. Mille mercis d'avoir organisé la visite de Kgatho. J'étais tellement heureuse de revoir mon garçon ; c'est un homme à présent, qui s'exprime comme un adulte. Je voudrais aussi te parler de lui, de sa scolarité pour laquelle le temps presse. J'aurais tant de choses à te dire sur tout ce que tu as fait pour ton frère et moi, sans parler des enfants. Comme tu es en vacances ce mois-ci, je me demandais si tu aurais l'occasion d'aller voir les filles. J'ai appris que tu leur avais offert des tonnes de provisions quand elles sont retournées à l'école après mon arrestation. J'ai toujours su que tu étais plus qu'une simple tante pour elles.

Comment va Thoko[1] ? Ma sœur m'a dit que tu la voyais très souvent. J'espère que sa foi chrétienne l'aide à

---

1. La veuve de Thembi *(NdT)*.

188

surmonter cette tragédie. Dis-lui à quel point j'ai apprécié qu'elle laisse Kgatho prendre ses responsabilités.

J'espère vraiment te revoir très bientôt. Des nouvelles de Nomaphelo[1] ? Passe mon bonjour à Mfundo et dis-lui que j'ai rêvé qu'elle ne lavait plus par terre le vendredi ! Essaie de manger un petit peu plus. Plein d'amour à mon garçon.

Bien affectueusement,
Nobandla

Lettre de Nelson Mandela à Winnie

1er janvier 1970
Envoyée le 20/01/70

Dade Wethu,

Dans son roman *Skaduwees van Nasaret* [Les Ombres de Nazareth], Langenhoven décrit le procès du Christ mené par Ponce Pilate, quand Israël était encore une colonie romaine et Pilate son gouverneur militaire. J'ai lu ce livre en 1964 et en parle donc de mémoire. Même si cet épisode s'est déroulé il y a environ deux mille ans, l'histoire contient des vérités universelles qui restent aussi significatives aujourd'hui qu'elles l'étaient à l'apogée de l'Empire romain. Après le procès, Pilate écrit à l'un des amis à Rome et lui fait d'étranges confessions. Voici en gros son récit, que j'ai mis à la première personne pour raisons pratiques.

Gouverneur d'une province romaine, j'ai mené bien des procès concernant divers types de rebelles. Mais je n'oublierai jamais le procès de Christ. Un jour, des prêtres juifs accompagnés d'une foule de fidèles enragés se sont rassemblés devant mon palais pour me demander de crucifier Christ, qui se proclamait roi des Juifs. Ils désignaient un homme lourdement enchaîné aux bras et aux chevilles. Nos regards se croisèrent. Malgré le tumulte et la fureur qui

---

1. Leabie, une sœur de Nelson Mandela.

l'entouraient, il restait parfaitement calme, confiant, comme s'il avait des millions de partisans derrière lui. Je dis alors aux prêtres que leur prisonnier avait violé la loi juive, pas la romaine, et que c'était donc à eux de le juger. Mais ils s'obstinèrent à réclamer sa crucifixion. Je saisis très vite leur dilemme. Christ était devenu une force importante dans le pays, le peuple le soutenait. Donc les prêtres se sentaient impuissants et ne voulaient pas endosser la responsabilité de sa condamnation. Leur seul espoir résidait dans cette tentative de pousser Rome à faire ce qu'ils ne pouvaient pas se permettre.

Comme la coutume voulait qu'un prisonnier soit gracié pendant les fêtes de Pâques, et que cette période approchait, je leur suggérai de libérer celui-là. Mais les prêtres exigèrent à la place la libération de Barabbas un bandit notoire, et l'exécution de Christ. Je décidai alors de tenir procès. J'ordonnai que l'on m'amène le prisonnier. Ma femme et celles de quelques autres dignitaires romains occupaient la travée réservée aux hôtes de marque. Elle se levèrent quand Christ entra, comme pour marquer leur respect, puis se rassirent quand elles réalisèrent qu'il s'agissait juste d'un Juif prisonnier. Pour la première fois de ma vie, je me suis trouvé en face d'un homme qui paraissait lire en moi alors qu'il me restait indéchiffrable. L'espoir et l'amour rayonnaient sur son visage, mais il semblait en même temps accablé par la folie et les souffrances de l'humanité tout entière. Quand il leva les yeux, son regard me donna l'impression de traverser le plafond et de s'élancer par-delà les étoiles. L'autorité n'était clairement pas du côté du juge, moi en l'occurrence, mais du côté du banc des accusés. Ma femme me fit passer un mot, dans lequel elle m'indiquait avoir rêvé la nuit précédente que je condamnais un innocent dont le seul crime était d'apparaître comme le messie de son peuple. « Devant toi, Pilate, se tient l'homme de mon rêve. Que justice soit faite. » Je savais que ma femme avait raison, mais mon devoir m'ordonnait de juger sans prendre en compte culpabilité ou innocence. Je rangeai donc le mot dans ma poche et repris le cours du procès. J'informai le prisonnier des charges qui pesaient sur lui, puis lui demandai s'il plaidait coupable ou non coupable. Il m'ignora à plusieurs reprises, comme s'il était clair dans son esprit que j'avais déjà fait mon choix et que tout le reste n'était que comédie. Je répétai pourtant ma question en l'assurant qu'il était en mon pouvoir de lui sauver la vie. Ce fut alors qu'il sourit et s'exprima pour la première fois. Il reconnut être roi. Sa réponse me bouleversa. Je m'étais attendu à ce qu'il nie, comme tous les prisonniers, mais son aveu précipita les choses.

Tu sais bien, mon cher ami, qu'un juge romain qui officie à Rome n'est guidé que par les accusations, la loi et les preuves dont il dispose. Aucun autre facteur ne saurait influencer sa *décision. Mais ici, dans les lointaines provinces, nous sommes en guerre. Sur un champ de bataille, seuls les résultats comptent ; la victoire l'emporte sur la justice car le juge lui-même est jugé. Voilà pourquoi, même si je savais cet homme innocent, mon devoir exigeait que je le condamnasse à mort. Ainsi fut fait. La dernière fois que je l'ai vu, il grimpait péniblement vers le Calvaire au milieu des huées, des insultes et des coups, ployé sous le poids de la lourde croix sur laquelle il allait mourir. Je t'écris cette lettre car je crois que me confesser à un ami soulagera quelque peu ma conscience.*

Ce récit du procès de Jésus n'appelle aucun commentaire, sauf pour préciser que Langenhoven écrivit cette histoire dans les années vingt afin de secouer la conscience politique des siens à une époque où, même si l'Afrique du Sud bénéficiait d'une indépendance formelle, les organes judiciaires et gouvernementaux restaient sous contrôle anglais.

Cette histoire peut rappeler de mauvais souvenirs aux Afrikaners, rouvrir de vieilles blessures, mais cet épisode est à présent derrière eux. Alors que pour toi et moi, il s'agit d'un combat moderne. J'espère que tu auras trouvé ce récit utile et qu'il t'aura procuré un peu d'espoir.

Molokazana[1] est venue me voir samedi dernier. C'est une fille charmante, j'ai été très heureux de la voir. Le 14 janvier 1970, elle sera à Johannesbourg pour la cérémonie du *Kulula*. Je vais écrire à Ntambozenqanawa[2] et à Jongintaba Mdingi[3] pour leur demander de lui prêter main-forte. Je lui ai écrit le mois dernier, ainsi qu'à Vuyo Masondo, pour lui adresser nos condoléances suite à la mort de son frère à Umtata.

Que la chance t'accompagne, Mhlope.

Je t'envoie plein d'amour et un million de baisers.

Avec tout mon amour,

Dalibunga

---

1. Thoko, la veuve de Thembi.
2. Chef Ntambozenqanawa Mtirara, un cousin de Nelson Mandela.
3. Chef Jongintaba Mdingi, qui avait le droit de choisir le prénom des enfants de Nelson Mandela.

Lettre de Winnie Mandela au brigadier Aucamp[1]

15 janvier 1970

Monsieur le brigadier,

Je voulais vous remercier pour m'avoir permis de récupérer les vêtements que ma belle-sœur, Telia Mtirara, avait remis à la Police spéciale en septembre 1969. Je les ai récupérés hier, le 14 janvier 1970.

Je souhaiterais également vous demander l'autorisation de bénéficier d'un plombage dentaire… J'ai cru comprendre que je devais m'adresser à vous pour obtenir une consultation chez un dentiste.

Vous remerciant encore une fois, je vous prie d'agréer, Monsieur le brigadier, mes sincères salutations.

[*signature*] W. Mandela

Lettre de Joel Carlson à l'administrateur des prisons

20 janvier 1970

Objet : Prisonnières en attente de jugement détenues dans le quartier des femmes de la prison centrale de Pretoria, dans le cadre de l'affaire « l'État contre Samson Ratshivhanda Ndou et 21 autres prévenus »

Cher monsieur,

De nouvelles difficultés sont apparues concernant le traitement des cinq prisonnières en attente de jugement dans l'affaire susmentionnée. Pour rappel, il s'agit de Mmes Winnie Mandela, Joyce Nomafa Sikhakhane, Rita Anita Ndzanga, Venus Thokozile Mngoma et Martha Dlamini.

1 – J'ai appris que le vendredi 16 courant, la gardienne chef Jacobz (*sic*) avait lu puis confisqué certaines notes et

---

1. Lettre retrouvée aux Archives nationales.

instructions rédigées par Mme Mandela à mon attention en tant qu'avocat de la défense. Ces faits se sont déroulés avant que les prisonnières soient transférées du quartier des femmes au quartier des hommes, où se tiennent nos réunions. Dès que j'en ai eu connaissance, j'ai téléphoné à Jacobz (*sic*) depuis le quartier des hommes, pour lui demander de me remettre immédiatement ces documents. Elle a refusé en affirmant qu'elle devait d'abord les soumettre au brigadier Aucamp et qu'ils seraient ensuite rendus à Mme Mandela à son retour en cellule. Selon elle, c'était le brigadier lui-même qui avait ordonné la confiscation. À ce jour, ces notes n'ont pas été rendues à Mme Mandela et se trouvent toujours en possession des autorités pénitentiaires. Cette confiscation opérée par la gardienne chef Jacobz (*sic*) étant totalement illégale, je vous demande de prendre toutes les mesures nécessaires pour que lesdits documents soient restitués au plus vite à Mme Mandela.

2 – Les prisonnières m'ont également informé que Jacobz (*sic*) leur avait ordonné de lui remettre tous les documents relatifs à leur défense, et ce avant qu'elles soient autorisées à quitter le quartier des femmes pour rencontrer leurs avocats. Non seulement Jacobz (*sic*) a pris connaissance de ces documents, mais elle s'est aussi permis de les commenter. Cette pratique a, semble-t-il, été adoptée par la gardienne chef en rapport aux instructions écrites fournies par les prisonnières à leurs avocats depuis le 15 décembre 1969. La question du devenir de ces documents s'était posée très rapidement, et d'importantes objections avaient été soulevées quant au fait que le personnel de la prison y ait accès. J'avais alors reçu l'assurance que les autorités pénitentiaires ne pourraient plus ni les consulter ni les confisquer, que ce soit en présence ou en l'absence des prisonnières, suite à quoi j'avais pu demander à celles-ci de rédiger des déclarations sur certains points précis. J'apprends

donc à présent que ces garanties sont restées lettre morte pendant mes vacances et que Jacobz (*sic*) a pris l'habitude de lire ces documents cruciaux en détail. Si elle persiste dans cette attitude, il deviendra impossible aux prisonnières de préparer des pièces pourtant indispensables à leur défense, comme il me sera impossible de leur confier des documents à lire à tête reposée.

3 – Lesdites prisonnières ont aussi tenu à me signaler qu'en dépit du règlement, elles ne bénéficiaient plus d'aucune promenade depuis l'ajournement des audiences au tribunal, que ce soit en semaine, pendant les week-ends ou les jours fériés. C'est une situation inacceptable ; mes clientes doivent bénéficier des promenades prévues par la loi.

En conséquence, je m'en remets aujourd'hui à vous pour veiller à ce que les actes susmentionnés ne se reproduisent pas.

Veuillez agréer, cher monsieur, mes plus sincères salutations.

J. Carlson

Lettre de Joel Carlson à l'administrateur des prisons

20 janvier 1970

Objet : Entrevue avec Nelson Mandela, prison de Robben Island, dans le cadre de l'affaire « l'État contre S. R. Ndou et 21 autres prévenus »

Cher monsieur,

Je me réfère ici à la lettre datée du 22 décembre et adressée à la boîte postale de mon correspondant à Pretoria. Celui-ci l'a reçue pendant que j'étais en vacances au Cap ; j'en ai pour ma part obtenu copie à mon retour à Johannesbourg.

Je ne saurais accepter votre décision visant à charger un autre avocat d'interroger M. Mandela. En dehors du fait qu'il s'agit là d'une discrimination envers ma personne, la désignation d'un confrère me paraît irréalisable pour les raisons suivantes :

1 – Je ne représente pas moins de vingt-deux prévenus.

2 – L'acte d'accusation évoque une conspiration menée par ces vingt-deux prévenus en compagnie de sept autres personnes, dont M. Mandela, sur une période de plus d'un an et demi.

3 – L'acte d'accusation et ses annexes occupent vingt-neuf pages et énoncent vingt et une charges contre chacun des prévenus.

4 – L'État se propose de présenter un grand nombre de témoins dans un procès qui dure déjà depuis plusieurs semaines et durera sans doute des mois.

5 – Du fait de ma présence aux audiences et du temps considérable passé à travailler avec les prévenus, je bénéficie d'une parfaite connaissance du dossier de la défense.

6 – Les minutes du procès couvrent déjà plusieurs centaines de pages.

Pour toutes ces raisons qui attestent ma pleine maîtrise de l'acte d'accusation et des documents afférents, je m'estime seul capable d'évoquer les points importants de l'affaire avec M. Mandela, afin de déterminer s'il est en mesure de témoigner ou de m'apporter des éléments d'information utiles à la défense de mes clients.

En conséquence, je souhaite qu'il soit mis un terme à la procédure visant à désigner un autre avocat pour se rendre à Robben Island, et qu'il soit admis que m'empêcher de rencontrer M. Mandela représenterait un grave préjudice pour mes clients. Ceux-ci ne comprennent d'ailleurs pas pourquoi ils devraient en être victimes et réclament que je me charge de cette tâche.

C'est pourquoi je vous demande aujourd'hui, en leur nom, de reconsidérer votre position et de m'autoriser à interroger M. Mandela. Si vous persistiez dans votre refus, je me verrais obligé d'en référer à la cour afin qu'elle fasse respecter les droits de mes clients.

Veuillez agréer, cher monsieur, mes plus sincères salutations.

J. Carlson

Lettre de Nelson Mandela au commandant de Robben Island

29 janvier 1970
À l'attention du lieutenant Nel

Je vous prierais de bien vouloir enquêter sur les points suivants :

1 – À une certaine date antérieure au 28 octobre 1969, Mme Jane Xaba[1], de Johannesbourg, m'a écrit une lettre que je n'ai jamais reçue.

2 – Début décembre 1969, Mme Rebecca Kotane[2], également de Johannesbourg, m'a envoyé une carte de Noël ainsi qu'une lettre dans laquelle elle m'informait du décès de l'oncle de son mari. Je n'ai rien reçu de tout cela.

3 – Durant la première semaine de décembre 1969, j'ai envoyé six cartes de Noël à des amis et à des membres de ma famille. L'une d'elles était adressée à ma belle-fille, Lydia Thoko Mandela, qui vit au Cap. Lors de sa visite du 27 décembre, elle m'a dit n'avoir rien reçu.

4 – Le 4 avril 1969, j'ai écrit à Mme Amina Cachalia, de Johannesbourg, une lettre qui ne lui est parvenue

---

1. Sœur de Marshall Xaba.
2. La femme du militant Moses Kotane.

que la première semaine de septembre. Je serais ravi de connaître l'explication, s'il y en a une, de ce délai de cinq mois.

5 – Le 4 mai, j'ai écrit à ma belle-mère une lettre qui remplaçait la visite d'avril 1969. Ma lettre mensuelle était quant à elle adressée à Sidumo Mandela. Ces deux lettres apparaissent dans vos registres comme ayant été postées le 7 mai. J'aimerais savoir si elles ont bien été envoyées en recommandé comme je l'avais spécifié.

6 – J'ai écrit à Mme Nolusapho Mkwayi le 19 novembre et souhaiterais savoir à quelle date cette lettre a été postée.

En plus des requêtes ci-dessus, je vous serais reconnaissant de bien vouloir me fournir la liste des lettres arrivées à mon intention entre le 1er janvier 1969 et le 29 janvier 1970, ainsi que celle des lettres postées en mon nom entre le 1er juin 1969 et le 29 janvier 1970.

Je vous signale enfin que ma prochaine lettre mensuelle sera adressée à Mlle Matlala Tshukudu[1], en Angleterre, et je sollicite donc votre aimable autorisation de l'envoyer en recommandé par voie aérienne.

[*signature*] Nelson Mandela

Lettre de Nelson Mandela à Marshall Xaba

3 février 1970
Envoyée le 18/02/70
Poste aérienne/recommandé

Très cher oncle Marsh,

Je te prie de ne prendre aucune décision concernant la maison du 8115 Orlando West qui aurait pour effet de priver Kgatho et ses sœurs d'un toit en notre absence.

Kgatho est venu me voir samedi dernier, très énervé d'avoir appris que quelqu'un d'étranger à la famille, et

---

1. Un pseudonyme d'Adelaïde Tambo.

qui n'a ni ses faveurs ni celles de Tellie, allait s'occuper de la maison. Il préférerait que cette charge incombe à ma nièce Lulu, qui m'a rendu visite le 29 novembre. J'y suis favorable à condition bien sûr que Zami soit d'accord, aussi aimerais-je que tu lui transmettes cette suggestion de ma part. J'avoue que Kgatho m'inquiète depuis qu'il a évoqué le sujet d'un air angoissé ce 31 janvier. Je tiens à ce qu'il ne s'estime ni lésé ni fragilisé. Comme il paraît que l'arrangement avec les autorités municipales doit être finalisé cette semaine, j'espère que cette lettre te parviendra à temps, avant que tu prennes une décision qui pourrait causer du tort. J'aimerais aussi que tu fasses suivre cette lettre à Kgatho pour qu'il se sente tranquillisé avant de partir à Fort Hare.

Est-il nécessaire, oncle Marsh, de réaffirmer ma certitude que Niki et toi n'avez aucune arrière-pensée dans cette affaire et ne songez qu'à agir au mieux de nos intérêts ? Maintenant que tu connais mon avis sur la question, je suis sûr que tu feras tout ce qui est en ton pouvoir pour clore ce dossier à la plus grande satisfaction de tous.

J'ai passé si peu de temps avec Kgatho que j'ai oublié de lui demander des nouvelles de Zeni et Zindzi. N'hésite pas à me parler de leur santé et de leur scolarité quand tu me répondras. Dans sa lettre de septembre, Niki indiquait que tu avais demandé l'autorisation de venir me voir. J'espère vraiment que cela pourra se faire. Je me demande également si Ma de Bizana a reçu ma lettre de mai dernier. Dis à Bantu qu'elle peut évidemment me rendre visite et que je serais très heureux de la voir. Nali a-t-elle reçu ma lettre de juillet dernier ? Je prévois d'écrire au plus tôt à mes chers amis les Ngakane pour leur fournir davantage de précisions.

Mes amitiés à Niki, à toute la famille et bien sûr à toi.
Bien cordialement,
Nelson

Lettre de Nelson Mandela au commandant de Robben Island

23 février 1970
À l'attention du lieutenant Nel

Le gardien Van der Westhuizen m'a montré ce 11 février le registre des courriers entrants et sortants, et je dois donc me faire à l'idée que les lettres de Jane Xaba et Rebecca Kotane, ainsi que la carte de Noël de cette dernière, ne sont jamais passées par le bureau de la censure. J'estime néanmoins que ces deux personnes n'auraient pas affirmé m'avoir écrit si elles ne l'avaient pas fait.

Vous comprenez bien sûr à quel point il est important pour un prisonnier de rester en contact régulier avec sa famille et ses amis. Malheureusement, la plupart des lettres que j'ai écrites ces huit derniers mois ne sont pas parvenues à leur destinataire. Même la missive urgente que le colonel Van Aarde avait personnellement appuyée, et que j'avais fournie aux censeurs le 19 novembre 1969, n'était toujours pas arrivée à destination le 31 janvier.

Ma lettre mensuelle normale datée du même jour (19/11/69) et adressée à Nolusapho Mkwayi, lettre d'abord refusée avant d'être finalement autorisée par le brigadier Aucamp le 16 novembre, n'apparaît même pas sur le registre susmentionné.

Je souhaiterais donc que vous vous penchiez [*sur cette affaire*] avant que je me retrouve totalement coupé de mes proches.

[*signature*] Nelson Mandela 466/64

Lettre de Nelson Mandela
à sa belle-sœur Tellie Mtirara

6 mars 1970
Envoyée le 17/03/70

Ma chère Nkosazana,

J'ai bien reçu ta lettre postée à Johannesbourg le 22 octobre, dans laquelle tu m'apprends que Joel a accepté de représenter Nobandla.

J'ai aussi reçu ta deuxième lettre, datée du 28 octobre, qui précise que Joel était bien présent au tribunal lors de l'audience de renvoi tenue le jour même. Je te suis très reconnaissant de tes efforts, et en particulier du rôle important que tu as joué dans le recrutement de Joel. Quelle que soit l'issue de la procédure douloureuse dans laquelle Nobandla est engagée, rien ne me fait plus plaisir que de savoir nos affaires prises en main par un homme en qui j'ai toute confiance. Nkosazana, j'ai désormais une grande dette envers toi.

Par contre, j'ai été très déçu d'apprendre que tu n'avais pas pu approcher Nobandla lors de cette audience de renvoi. Dans ma situation, des soucis que j'aurais normalement résolus sans coup férir deviennent très difficiles à gérer. Oncle Marsh, Niki et toi, vous êtes très proches de nous et faites de votre mieux pour nous aider. Je suis sûr que si Nobandla et moi étions libres, tes différends avec ma belle-famille se régleraient rapidement. Si Marsh vient me voir bientôt, comme je l'espère, j'évoquerai tes griefs avec lui. Je me permets de conseiller que vous vous rencontriez tous les trois afin de mettre un terme à tout ce qui empoisonne vos relations et empêche une coopération harmonieuse.

Comme tu le sais, Kgatho m'a rendu visite le 31 janvier et a exprimé son inquiétude quant à la personne qui s'occupera de la maison pendant ses études à Fort Hare, insistant sur le fait que c'était un problème très urgent.

J'avais espéré pouvoir lui parler une heure, durée normale des visites, mais nous n'avons eu droit qu'à trente minutes et je n'ai pas eu le temps de lui donner mon avis sur la question. J'aurais voulu lui envoyer un télégramme, ainsi qu'à Marsh, mais ce genre de choses n'est pas toujours simple par ici. Malgré l'urgence de l'affaire, j'ai donc dû me contenter d'envoyer une lettre à Marsh par avion, lettre dont j'ignore si elle lui est ou non parvenue.

Je lui ai demandé de ne prendre aucune décision qui aurait pour effet de priver Kgatho et ses sœurs d'un foyer en notre absence. Je lui ai également indiqué que je considérais Lulu comme le meilleur choix pour prendre en charge la maison, à condition que Nobandla soit d'accord. J'espère que tout ceci a été réglé comme il se doit.

Dans ta lettre du 28 octobre, tu mentionnes une facture de trente-quatre rands que tu t'es arrangée pour payer. Et Kgatho m'a dit que tu avais acheté des robes à Zeni et Zindzi. Je ne trouve pas les mots pour exprimer notre gratitude. Peut-être aurons-nous un jour l'occasion de te renvoyer l'ascenseur, à notre modeste niveau.

En tout cas, cela m'a fait très plaisir d'apprendre que tu t'es sentie mieux après m'avoir rendu visite en octobre dernier. Je suis ravi que le nuage noir de la dépression se soit dissipé pour te laisser à nouveau percevoir les bons côtés de la vie. N'oublie pas qu'on rit toujours avec les autres, mais qu'on pleure seul !

Le 1er janvier, j'ai écrit à Vulindlela, directement à Umtata, ainsi qu'à Ntambozenqanawa par l'intermédiaire de Kgatho. Le 19 novembre, j'ai écrit à l'oncle de Nobandla, M. Paul Mzaidume, 7012 Orlando West. Comme j'ai toujours hâte de savoir si mes lettres arrivent, j'aimerais que tu te renseignes à ce sujet auprès de Ntambozenqanawa et de l'oncle de Nobandla.

Enfin, il faudrait faire savoir à Joel que j'ai un besoin urgent de cent rands pour mes études, et souhaiterais donc qu'il rassemble cette somme en mon nom. Sans Nobandla, je n'ai pas d'autre solution.

Je tiens à te remercier encore une fois pour tout ce que tu fais, et plus particulièrement pour avoir rendu possible l'intervention de Joel auprès de Nobandla. Mes amitiés à toi et à tout le monde.

Affectueusement,

Buti[1] Nelson

Lettre de Nelson Mandela au commandant de Robben Island[2]

À l'attention du colonel Van Aarde

Je suis profondément choqué par la manière dont le bureau de la censure gère mes visites, et j'aimerais donc que vous vous penchiez personnellement sur la question afin de mettre un terme à ces irrégularités dans les meilleurs délais.

Molly de Jager[3], ma belle-fille, lieu-dit Hillbrow, 7e Avenue, Retreat[4], Le Cap, essaie depuis bientôt trois mois d'obtenir un permis de visite. Elle a déposé sa première demande au tout début février, ce dont elle m'informait dans une lettre arrivée au bureau de la censure le 12 du même mois. Mais ledit bureau m'a indiqué le mois dernier que sa demande n'avait pas été « reçue ». Elle en a donc rédigé une autre au début de ce mois-ci, et l'on m'avait en conséquence averti de sa visite pour le samedi 18 avril. Elle n'est pas venue.

---

1. Frère.
2. Date inconnue.
3. Aussi connue sous le nom de Thoko.
4. Une banlieue du Cap *(NdT)*.

Pourtant, Beryl Lockman a pu rendre visite à son oncle Walter Sisulu samedi dernier, alors qu'elle réside à la même adresse que ma belle-fille et avait, selon ses dires, envoyé sa demande le même jour. D'ailleurs, quand Beryl a reçu son permis de visite, celui-ci ne mentionnait même pas la seule information importante : la date prévue. D'après ce que Beryl a dit à son oncle, ma belle-fille n'est pas venue parce qu'elle n'avait pas reçu son permis. Comme elle est à présent censée me rendre visite le 25 courant, je vous prie de vous assurer qu'on ne dressera pas de nouveaux obstacles sur sa route.

Il n'est nul besoin de vous préciser que cette requête n'est en aucun cas une critique dirigée contre le lieutenant Nel, l'officier en charge du bureau de la censure, qui ne manque pas de traiter chacune de mes demandes avec la plus extrême bienveillance.

[*signature*] Nelson Mandela

Lettre de Nelson Mandela au commandant de Robben Island[1]

29 mai 1970
À l'attention du colonel Van Aarde

Je vous ai rappelé hier les lettres que j'avais écrites à votre intention le 4 mai, l'une concernant des sujets pris en main par le brigadier Aucamp, l'autre traitant d'affaires « locales » dont la plupart ont d'ores et déjà été réglées par vos soins.

Il reste cependant deux points en suspens parmi ceux évoqués dans ma deuxième lettre du 4 mai.

Premièrement, j'attends le mois prochain la visite de ma fille Makaziwe, que je n'ai pas revue depuis

---

1. Une note manuscrite, probablement d'un agent de la prison, indique : « Pris en compte par les censeurs le 3 juin 1970 ».

mon arrestation, et j'espère vraiment qu'elle recevra l'autorisation de venir en juin, c'est-à-dire pendant ses vacances.

Deuxièmement, je tiens à revenir sur la lettre urgente adressée à Marshall Xaba, que j'avais remise à qui de droit le 3 février en demandant qu'elle soit envoyée par courrier ordinaire le 18 malgré l'importance de son contenu. Vous devez vous souvenir que lors de notre entrevue du 24 mai, j'avais signalé que cette lettre n'était toujours pas parvenue à destination le 10 mars. Ce qui me pousse à croire qu'elle s'est sans doute perdue pour une raison ou pour une autre.

[*signature*] Nelson Mandela

Lettre de Nelson Mandela à ses filles Zenani et Zindzi

1er juin 1970

Mes chéries,

Cela fait maintenant plus de huit ans que je ne vous ai pas vues, et douze mois que l'on vous a arraché votre maman.

Je vous ai écrit deux lettres l'année dernière, l'une le 23 juin et l'autre le 3 août, mais je sais à présent que vous ne les avez pas reçues. Comme vous n'avez pas encore dix-huit ans, l'âge légal pour les visites, je n'ai que le courrier pour rester en contact avec vous et me renseigner sur votre santé, votre travail à l'école, vos progrès en général. Et même si ces précieuses lettres n'arrivent pas, je dois persévérer et vous écrire dès que j'en ai l'occasion. Je suis très inquiet car cela fait plus d'un an que je manque d'informations précises sur vos progrès scolaires, sur qui s'occupe de vous pendant les vacances, sur l'endroit où vous passez ces vacances, sur qui vous nourrit, achète vos habits, paie les frais de scolarité et l'internat. Continuer à vous écrire me permet d'espérer qu'un jour, par chance, vous recevrez mes lettres. De plus, le seul fait de poser sur le papier mes pensées et mes sentiments me procure un plaisir non négligeable. C'est un moyen comme un autre de vous transmettre tout mon amour et de passer un baume apaisant sur les terribles douleurs qui m'assaillent quand je pense à vous.

Dans ma première lettre, je vous expliquais que maman était une femme courageuse plongée dans la douleur à cause de l'amour qu'elle porte à son peuple et à son pays. Elle a choisi de mener une vie de misère pour que vous, Zeni, Zindzi, Maki, Kgatho et tant d'autres puissiez grandir et vivre en paix dans un pays libre où tous les citoyens, quelle que soit leur couleur de peau, seraient unis par la même loyauté envers une nouvelle Afrique du Sud. J'en profitais pour vous donner un bref aperçu de son milieu familial, de sa carrière et de ses nombreuses arrestations. Puis je terminais ma lettre en vous certifiant qu'un beau jour, maman et moi serions de nouveau avec vous, peut-être au 8115 Orlando West, peut-être dans un autre « foyer ». Il est possible qu'elle nous revienne encore plus malade qu'avant et qu'elle ait besoin de quelqu'un pour prendre soin d'elle. Ce sera à votre tour de veiller à son bien-être. Votre amour devra guérir les blessures causées par tant d'années de privations, afin de lui offrir une belle et longue vie.

Ma deuxième lettre parlait du décès tragique de Buti Thembi dans un accident de la route près du Cap, pour lequel je vous présentais mes condoléances en mon nom et au nom de maman. J'espère qu'un bon ami a évoqué ce drame avec vous peu après qu'il s'est produit, et que vous avez déjà surmonté ce terrible choc.

Kgatho ne s'est pas inscrit à l'université de Fort Hare cette année et ne semble même pas étudier quoi que ce soit à l'heure actuelle. Je lui ai écrit en mars pour réclamer des explications. En avril, j'ai aussi écrit à l'oncle Paul Mzaidume afin qu'il s'arrange pour l'envoyer quand même à Fort Hare en dépit de délais serrés. Il est tout à fait possible qu'ils n'aient jamais reçu mes lettres, comme vous deux. Maki a passé son certificat et attaque maintenant sa dernière année de lycée. Elle a prévu de me rendre visite ce mois-ci après la fin des cours. Si elle y parvient, je la verrai pour la première fois depuis 1962. Je l'avais entraperçue quelques secondes en juin 1964, avec Kgatho, à travers la fenêtre grillagée du fourgon de police à l'entrée de la prison de Pretoria lors du procès de Rivonia. Quant à votre bien-aimée maman, je l'ai vue pour la dernière fois en décembre 1968. Elle a été arrêtée le 12 mai de l'année dernière, environ deux semaines avant la date prévue pour sa prochaine visite. Nos rencontres me remplissaient toujours de joie et je les attendais avec grande impatience. J'avoue qu'elle me manque énormément. Et vous aussi, mes chéries, vous me manquez. J'espère que vous pourrez m'écrire de longues lettres dans lesquelles vous me raconterez tout sur vous : la santé, l'école, votre classement aux examens, les endroits où vous passez vos vacances.

Dans ma cellule, j'ai cette jolie photo que vous avez prise à la Noël 1965 avec en fond le lycée d'Orlando West. J'ai aussi la photo de famille que maman m'a envoyée en mars 1968. Elles me permettent de supporter la solitude de la cellule et m'offrent chaque jour de quoi me réjouir. J'aimerais avoir une photo récente de vous deux, mais je suppose que ce ne sera pas possible avant un certain temps. Peut-être qu'un jour, dans quelques années, maman sera de retour et me fera parvenir ces petits riens chers à mon cœur. Ce jour sera alors un jour de fête, pour moi, pour vous, Zeni et Zindzi, pour Maki et Kgatho, pour tous les parents et amis fidèles qui auront veillé sur vous pendant ses longues années d'absence.

Toutes les familles rêvent de vivre heureuses ensemble, dans un foyer paisible où les parents peuvent élever leurs enfants dans les meilleures conditions, les aider à choisir leur voie et leur donner tout l'amour nécessaire au développement d'un sentiment de sérénité et de confiance en soi. Aujourd'hui, notre famille est dispersée ; papa et maman sont en prison et vous devez vivre en orphelines. Sachez néanmoins que ces difficultés ne font qu'accroître notre amour pour vous. Nous sommes persuadés que nos rêves se réaliseront ; nous sommes persuadés que nous vivrons de nouveau ensemble et partagerons ces doux moments qui nous manquent à l'heure actuelle. Mes chéries, je vous envoie tout plein d'amour.

Papa

Lettre de Nelson Mandela à sa sœur Leabie Piliso

1er juin 1970

Ma chère Nkosazana,

J'ai bien reçu ta lettre du 9 mars 1969, et j'ai été très heureux d'apprendre que Jonguhlanga[1] continuait à prendre en main toutes les difficultés causées par mon absence, à toi comme à toute la famille.

L'annonce de ton mariage m'a procuré de bien étranges sentiments. Une union heureuse étant l'ambition de tout être humain, je suis enchanté que tu aies trouvé l'homme de ta vie. Mais je me suis déjà exprimé sur ce sujet dans une autre lettre dans laquelle je vous félicitais, Sibali[2] et toi, et n'ai donc rien à ajouter à part exprimer ma fierté d'avoir un nouveau beau-frère. Mon seul regret réside dans les nombreuses années qui

---

1. Sabata Jonguhlanga Dalindyebo, roi de l'ethnie thembu à laquelle appartient Nelson Mandela.
2. Frère ou beau-frère.

risquent de s'écouler avant que je puisse le rencontrer. Et si ton mariage m'a fait grand plaisir, cette joie fut pour moi teintée d'inquiétude car je sais ce que peut ressentir une jeune femme fière de sa culture quand tous les rites traditionnels ne sont pas correctement effectués lors de son union. C'est pourquoi j'ai ressenti un immense soulagement en apprenant que Jonguhlanga t'avait acheté ce qu'il fallait et s'était arrangé pour que tu sois escortée dans les règles de l'art jusqu'à ton nouveau *kraal*. Jonguhlanga a une grande famille et de lourdes responsabilités, et c'est une preuve de l'amour qu'il nous porte d'avoir su t'apporter l'aide nécessaire en dépit de toutes ses autres obligations.

En octobre 1968, je lui avais envoyé une longue lettre pour le remercier d'avoir organisé les funérailles de Ma et engagé de telles dépenses à cette occasion. Nobandla m'avait d'ailleurs longuement écrit elle aussi pour me raconter la cérémonie en détail. Une semaine avant l'arrivée de cette lettre, Sibali Timothy Mbuzo[1] m'avait rendu visite et offert un récit de première main du décès et des funérailles. Cela m'a fait du bien d'apprendre qu'une grande foule s'était rassemblée au cimetière en son honneur. Ta présence m'a également fait très plaisir. Ma tenait beaucoup à toi et sa mort a dû te faire énormément souffrir ; j'espère que tu as réussi à surmonter cette épreuve. Tellie est venue me voir en octobre dernier et m'a dit que Baliwe[2] et toi aviez pu assister aux funérailles de Thembi à Johannesbourg. Encore un drame qui m'a beaucoup secoué. J'aurais aimé assister à ces deux cérémonies, mais ma situation actuelle ne simplifie pas ce genre de démarches. Sinon, suite aux funérailles de Ma, j'ai aussi écrit à Daliwonga[3], Nkosikazi NoEngland, Vulindlela, Wonga, Thembekile

1. Cousin de Nelson Mandela.
2. Une autre sœur de Nelson Mandela.
3. Son neveu, Kaiser Matanzima.

ka Tshunungwa et Guzana, pour les remercier de leurs interventions respectives.

J'avais pensé parler de l'enfant avec Nobandla lors de sa visite prévue en mai de l'année dernière. J'avais bien saisi la nécessité de la retirer de Mount Frere, et avais donc espéré m'arranger avec Nobandla pour l'inscrire au même internat que Zeni et Zindzi. Mais comme tu le sais, elle a été arrêtée le 12 mai, à peine quinze jours avant sa visite, et à ce jour elle croupit toujours en prison. Depuis son arrestation, il est devenu très difficile pour moi de gérer les affaires familiales. La plupart des lettres que j'envoie ne parviennent jamais à leurs destinataires. Je n'arrive même pas à rester en contact avec Zeni et Zindzi malgré mes efforts répétés et plusieurs lettres rédigées à leur intention. L'une de mes priorités est à présent de réussir à contacter l'ami qui serait le mieux à même de prendre nos affaires en main en l'absence de Nobandla. À ce propos, Zeni et Zindzi doivent se sentir parfois très seules, et je suis sûr qu'une lettre d'encouragements de ta part une ou deux fois par an leur permettrait de garder le moral. Tu peux leur écrire aux bons soins de Mme Iris Niki Xaba, BP 23, Jabavu, Johannesbourg.

En mars, j'ai écrit à Sibali, Mme Timothy Mbuzo. Aujourd'hui, je vais envoyer une lettre spéciale à Mhlekazi Sidumo. Il n'a jamais répondu à celle que je lui avais adressée en mai 1969 ; je suppose qu'il faut la compter parmi les lettres « perdues », de plus en plus nombreuses depuis l'arrestation de Nobandla. N'hésite pas à écrire ou à téléphoner à Sisi Connie Njongwe, Station Road, Matatiele, pour lui dire que ce fut un plaisir pour moi de recevoir sa très belle lettre et d'avoir des nouvelles de sa famille. Dis-lui aussi que j'ai reçu une lettre de condoléances de Robbie et Zuki en août dernier, dans laquelle ils m'apprenaient que Jimmy[1]

---

1. L'époux de Connie.

s'était déplacé une vertèbre et s'était ensuite cassé la jambe. Connie n'avait pas du tout évoqué le sujet dans sa lettre. Mais je sais que Jimmy est dur au mal, et je ne doute pas qu'il soit toujours l'homme confiant et plein d'entrain que j'ai connu. Je leur écrirai dès que possible. Connie pourra alors informer Robbie que j'étais sur le point de répondre à leur adorable lettre quand les conditions climatiques se sont détériorées dans leur secteur. J'écrirai dès que la situation sera revenue à la normale.

Je t'envoie plein d'amour.

Affectueusement,

Buti Nelson

Lettre de Nelson Mandela au commandant de Robben Island

2 juin 1970
À l'attention du colonel Van Aarde

En référence à notre discussion du 25 mai dernier, je vous serais reconnaissant de bien vouloir approuver l'envoi en recommandé des deux lettres ci-jointes[1].

La lettre adressée à Sidumo Mandela est la copie exacte de celle écrite et transmise à vos services le 4 mai 1969, lettre qui n'est, semble-t-il, jamais arrivée. Elle se rapporte entre autres aux titres de propriété de notre terrain et au paiement de la taxe d'habitation. La seconde lettre est à destination de Mme Xaba, ma belle-sœur, mais s'adresse en fait à mes deux filles âgées de dix et onze ans. Elles n'ont jamais reçu les lettres que je leur ai écrites précédemment. Au vu des difficultés bien connues qui s'abattent sur ma femme et sur mon foyer,

---

1. Une note manuscrite précise ici, dans une écriture différente, « Approuvé le 3 juin 1970 ».

j'estime nécessaire d'assurer la bonne réception de ces lettres par un envoi en recommandé.

J'attire aussi votre attention sur la visite de ma fille aînée, prévue ce mois-ci, pour laquelle je sollicite une durée d'une heure[1].

[*signature*] Nelson Mandela 466/64[2]

Lettre de Nelson Mandela à Winnie

20 juin 1970

Dade Wethu,

En effet, « les chaînes du corps sont souvent les ailes de l'esprit ». C'était vrai hier et cela le sera encore demain. Dans *Comme il vous plaira*, Shakespeare exprime la même idée d'une manière un peu différente :

Douce est l'adversité dans ses effets,
Qui (à l'instar du crapaud venimeux et difforme)
Porte pourtant un joyau rare dans sa tête.

D'autres disent encore que « seules de grandes causes soulèvent de grandes ardeurs ».

Pourtant, ma compréhension de l'idée portée par ces mots tout simples est restée superficielle, imparfaite et quelque peu scolaire, au cours de mes vingt-six années de lutte. Dans la carrière de tout militant réformiste, il existe une étape où celui-ci va monter au créneau pour y recracher les bouts d'information mal digérés qui se sont accumulés dans sa tête, dans le but d'impressionner les foules plutôt que d'entamer un exposé serein de principes et d'idées dont la valeur universelle est prouvée à la fois par l'expérience et par l'étude. À ce titre, je ne suis pas une exception ; j'ai succombé à ce défaut de jeunesse une centaine de fois plutôt qu'une.

---

1. Une note manuscrite précise ici, dans une écriture différente : « Approuvé ».
2. Une note manuscrite précise ici, dans une écriture différente et en afrikaans : « À considérer comme lettre spéciale ».

211

Je dois t'avouer qu'en relisant certains de mes premiers textes et discours, je suis positivement horrifié par leur pédanterie, leurs artifices et leur manque d'originalité. Le besoin d'impressionner est par trop évident. Quel terrible contraste avec tes lettres, Mhlope ! J'hésite à te féliciter, Ngutyana, mais tu pardonneras ma suffisance, car te couvrir de louanges pourrait apparaître comme une façon de me louer moi-même puisque toi et moi ne faisons qu'un. Mais peut-être aussi que, dans la situation actuelle, une once de vanité peut aider à te remonter le moral ?

Pendant les huit années solitaires que je viens de passer derrière les barreaux, j'ai parfois souhaité que nous soyons nés à la même heure, que nous ayons grandi ensemble et passé chaque minute de notre existence en compagnie l'un de l'autre. Je pense sincèrement que si tel avait été le cas, je serais aujourd'hui un homme sage. Chacune de tes lettres m'est précieuse et parvient à faire surgir en moi des forces que j'ignorais posséder. Entre tes mains, le stylo est plus puissant qu'un sabre. Les mots s'écoulent, libres et naturels ; les expressions les plus communes acquièrent une nouvelle portée.

Le premier paragraphe de ta lettre et, surtout, la première ligne m'ont vraiment bouleversé. J'ai eu l'impression que les millions d'atomes qui composent mon corps vibraient à en éclater. Les merveilleux sentiments dont tu m'as nourri sans arrêt depuis mon arrestation et ma condamnation, et plus particulièrement ces quinze derniers mois, sont nés de l'expérience bien plus que de l'étude. Ils viennent d'une femme qui n'a pas vu son mari depuis bientôt deux ans, qui est privée de ses enfants depuis plus de douze mois, qui souffre de solitude et d'accablement, qui doit faire face à la maladie dans des conditions déplorables, et qui, de surcroît, s'apprête à vivre la pire épreuve de toute sa vie.

Je ne te comprends que trop bien, ma chérie, quand tu dis que je te manque et que tu déplores de ne pas avoir plus de nouvelles de moi. Mais même si je ressens la même chose, il est évident que tu as vécu une expérience bien plus éprouvante que tout ce qui a pu m'arriver. J'ai pourtant essayé, longtemps et patiemment, de rester en contact avec toi. Je t'ai envoyé une longue lettre le 16 novembre, puis une carte de Noël, puis une autre lettre le 1er janvier – toutes écrites alors que tu étais en attente de jugement. Après le 13 février, j'ai été informé que je ne pouvais plus communiquer avec toi. Et malgré tous mes efforts, je n'ai pas réussi à faire lever cette restriction.

Comme ton état de santé ne s'améliore pas, j'aurais aimé recevoir un véritable rapport médical émanant des autorités pénitentiaires. Le bref aperçu de la situation fourni par le brigadier Aucamp n'a rien fait pour me tranquilliser. J'ai appris avec horreur que tu avais dû être transférée à l'infirmerie, même si ton écriture hésitante me prouvait déjà à quel point la maladie te minait. Je n'ai aucun mal à te croire quand tu prétends en être rendue à la taille de Zeni. Néanmoins, savoir que tu as pu consulter des spécialistes et subir des examens sanguins m'a quelque peu rassuré. Et je sais aussi, *Mntakwethu*[1], que chaque os de ton corps, chaque bout de chair et chaque goutte de ton sang, est taillé dans le granit ; je sais que rien, pas même la pire des maladies, ne pourrait éteindre le feu qui brûle dans ton cœur. Debout ! Le devoir nous appelle ! Que mon amour soit ton armure, et l'espoir d'un pays libre ton drapeau.

Quelques jours avant ton arrestation en mai de l'année dernière, j'avais demandé à pouvoir envoyer une lettre spéciale à mon avocat concernant divers points urgents :

1 – La désignation d'un gardien pour la maison, responsable du paiement du loyer.

------

1. Mon amour.

2 – La désignation d'un tuteur légal pour les enfants.

3 – L'organisation relative à l'entretien et à l'éducation des enfants.

4 – La collecte des fonds nécessaires à tes études et besoins matériels au cas où tu serais condamnée à une lourde peine.

5 – La collecte des fonds nécessaires à mes propres études et besoins matériels pendant que tu es en prison.

Même si cette autorisation ne m'a jamais été accordée malgré mes demandes répétées, j'ai enfin pu joindre M. Brown, du cabinet Frank, Bernadt & Joffe au Cap, pour qu'il prenne ces affaires en main. J'approuve ton idée de désigner le père Rakale et l'oncle Mashumi[1] comme cotuteurs des enfants. J'aimerais y ajouter oncle Marsh. Je lui ai écrit une lettre urgente le 3 février, en rapport avec la maison, mais je doute qu'il l'ait reçue puisqu'il ne m'a pas répondu. Quand Kgatho est venu me voir le 31 janvier, il m'a dit que Tellie et lui suggéraient d'installer chez nous Lulu, la sœur de Mxolisi. J'ai informé oncle Marsh de cette proposition, en précisant que je l'approuvais à condition que tu sois d'accord.

Mxolisi, qui m'a rendu visite samedi dernier, n'a aucune nouvelle de Marsh. Peut-être devrais-tu en discuter avec Niki et lui la prochaine fois qu'ils te rendront visite. Mashumi n'a sans doute pas reçu ma lettre du 19 novembre, renvoyée à l'identique le 4 avril. Je lui ai demandé des nouvelles détaillées de Zeni et Zindzi, ainsi que son aide pour inscrire Kgatho à l'université. Aucune réponse de sa part.

Kgatho est à la maison. J'ignore pourquoi il n'est pas allé à Fort Hare. J'avais pourtant trouvé le moyen de payer ses frais de scolarité et, quand il est venu me voir en janvier, il m'a confirmé que tout était réglé et qu'il

---

1. Mashumi Paul Mzaidume.

partait pour l'université le 14 février. Je crois qu'il ne travaille pas non plus. Ma lettre du 31 mars est demeurée elle aussi sans réponse.

J'ai écrit trois lettres à Zeni et Zindzi. Je sais à présent que les deux premières ne sont jamais arrivées ; la troisième date du 1er juin. Je n'ai reçu aucune information à leur sujet depuis ton arrestation, à l'exception de ce que tu as pu m'en dire toi-même. Dans sa lettre du 9 septembre, Niki m'a au moins certifié qu'elles allaient bien.

J'espère pouvoir mettre de l'ordre dans cette affaire grâce à M. Brown et obtenir que tu sois régulièrement tenue au courant.

J'ai une nouvelle fois soulevé la question de venir te voir, mais je ne peux pas t'en dire plus à l'heure actuelle, sauf te signaler que le brigadier Aucamp a promis d'en parler à l'administrateur des prisons. Je pense franchement que celui-ci s'est montré très dur à mon égard et n'a pas montré la considération que j'eusse été en droit d'attendre étant donné les circonstances.

Dade Wethu, j'aurais aimé pouvoir te dire quelque chose qui aurait réjoui ton cœur et dessiné un sourire sur tes lèvres. Mais je crains que ce précieux moment nous soit refusé encore longtemps. Entre-temps, nous devrons « boire le calice de l'amertume jusqu'à la lie ». J'espère – non, je suis certain – que les beaux jours reviendront et qu'une vie douce pansera nos plaies. Surtout, souviens-toi du 10 mars[1]. C'est l'origine de notre force. Je ne l'oublierai jamais.

Je t'envoie plein d'amour, Mhlope, et un million de baisers.

Avec tout mon amour,
Dalibunga

---

1. Le 10 mars 1957, date de leur premier rendez-vous.

Lettre de Nelson Mandela à M. Brown, avocat

23 juin 1970
Cabinet Frank, Bernadt & Joffe
À l'attention de M. Brown

Messieurs,

Je vous serais très reconnaissant de bien vouloir vous pencher le plus rapidement possible sur les points suivants :

1 – La désignation d'un tuteur légal pour nos deux filles mineures, Zenani et Zindziswa, respectivement âgées de onze et dix ans.

2 – L'organisation relative à l'entretien et à l'éducation de ces enfants.

3 – La désignation d'un gardien responsable de notre maison du 8115 Orlando West, Johannesbourg.

4 – La collecte des fonds nécessaires à mes études et besoins matériels pendant mon séjour en prison.

Je souhaiterais rencontrer M. Brown dans les meilleurs délais pour évoquer ces sujets avec lui, sujets que je vous prie de considérer comme extrêmement urgents.

Bien cordialement,

[*signature*] Nelson Mandela

Lettre de Nelson Mandela à sa belle-sœur Jane Xaba

Très chère Ndyebo,

Il me semble que tu étais simple infirmière lors de notre dernière rencontre, et que tu as désormais atteint le rang d'infirmière en chef. Je te félicite chaleureusement pour cette belle promotion. Ta réussite est source de joie pour nous tous. J'espère que nous pourrons nous en réjouir ensemble dans un futur pas trop lointain, quand tu seras devenue une matrone bien en chair, avec les gestes lents et graves qui conviennent à la première dame d'un hôpital.

Il m'avait fait très plaisir de te voir le 12 octobre 1968 quand tu avais rendu visite à Mkhiwa[1]. Nous nous étions croisés pour la dernière fois cette fameuse nuit de 1961, quand Zami m'avait chargé de te conduire de Bara à Mofolo. Environ trois mois plus tôt, nous avions passé tout un dimanche matin ensemble, à Jabulani, sur les traces de cet homme que tu nous recommandais pour la pose de notre carrelage. Peu de temps après, j'avais suivi mon propre chemin tandis que tu partais suivre une formation poussée en Angleterre. À l'époque, ce voyage m'était apparu comme une excellente initiative, une chance pour toi d'acquérir les compétences nécessaires à de futurs postes à responsabilités. J'avais espéré qu'à ton retour, tu me ferais profiter de tes impressions et expériences, mais nous savons que cela n'a pas été possible… Bien sûr, un beau jour, je serai de retour parmi vous, et même si tes souvenirs de l'Angleterre seront quelque peu usés, j'aurai grand plaisir à reprendre le cours de nos conversations. D'ici là…

Je n'entends presque plus parler de Dudu. Tu te souviens, nous étions allés la chercher chez mamie, à Alexandra, pour l'anniversaire de Zeni en février 1961. Elle m'avait alors semblé particulièrement éveillée et bien élevée. J'aimerais beaucoup avoir de ses nouvelles. Le 13 juin, j'ai eu la chance d'apercevoir Monica, une ancienne condisciple, qui venait rendre visite à Mkhiwa. Elle étudiait à la même époque que la regrettée Phyllis Mzaiduma, que Victoria Kabane, Edna Kgomo (désormais Mme Bam), Caroline Ramolohloane, Louisa Kumalo, Dineo Mofolo, Clarisa Mzoneli, Ulrica Dzwane, Musa Msomi, Nomoto Bikitsha et d'autres femmes talentueuses qui jouaient un rôle important

---

1. Frère de Jane Xaba.

dans la vie de l'université. Leur réussite dans des matières très variées nous faisait grande impression. Monica suivait pour sa part une filière scientifique ; elle reste gravée dans ma mémoire comme une jeune femme prometteuse et très douée, capable d'improviser un discours de haut niveau. J'ai été désolé d'apprendre qu'elle n'avait pu achever ses études, mais elle semble n'avoir perdu aucune des qualités qui l'avaient rendue chère à nos cœurs il y a trente ans de cela. La constance avec laquelle elle s'est occupée de Mkhiwa ces sept dernières années montre la profondeur et la noblesse de ses sentiments.

Peut-être au cours des quatre années à venir aurai-je la chance de voir Nkomo, Nomonde et Jerry, Thembsi et Mhlekazi Ncapayi, la petite Jane et son mari, et aussi Kwezi. J'ai formé des images mentales de chacun d'eux grâce aux bribes d'informations glanées lors de mes nombreuses conversations avec Mkhiwa. J'ai hâte de les rencontrer. Je n'ai jamais été là au bon moment pour croiser l'omniprésente Hlope, mais Mkhiwa m'en a montré une photo récente. Elle ressemble à un séraphin, elle en a la sérénité, l'innocence et le charme. Je suppose qu'elle y puise sa grande capacité de rassemblement. Parfois, je découvre au hasard des publications officielles disponibles des photos de nos amis du bon vieux temps – par exemple Siko, toujours aussi souriante et élégante. Je la vois habillée en costume traditionnel, tirant sur une longue pipe et fustigeant la superstition devant de pauvres infirmières. D'autres fois, elle fait l'ange au Paradise Hall de Bochabela ou se montre simplement en *ibhinqa elinesidanga esinomsila*[1]. Je suis ravi de la voir s'impliquer activement sur certains sujets sensibles. L'autre jour, j'ai appris que son Makwedinana avait réussi l'examen d'entrée à l'université ; je lui souhaite bonne chance, à lui et à ses sœurs. Il me semble que Thanti

---

1. Jeune femme universitaire.

enseigne quelque part au Lesotho. Je suis sûr qu'elle est toujours aussi charmante que dans mon souvenir. Et si je n'ai pas eu la chance de rencontrer tous ses enfants, je connais Lindelwa, la plus jeune (même s'il paraît qu'elle n'est plus « la plus jeune »). Dans les années cinquante, Thanti passait ses vacances à Johannesbourg ; Lindelwa et moi nous étions pris d'amitié et faisions de nombreuses promenades en voiture. Elle doit être devenue une véritable amazone, à présent. J'aimerais beaucoup renouer les fils de cette amitié née il y a presque quinze ans. George, autrefois en charge de Tladi, est quelqu'un pour qui j'éprouve une grande admiration. Elle a tant fait pour notre famille que notre dette envers elle sera bien difficile à rembourser. Il y a quelques années de cela, j'avais été surpris d'apprendre qu'elle avait refusé une bourse pour des études de médecine à l'étranger. Elle et ma plus jeune sœur, Leabie, manquaient cruellement d'expérience en 1964 ; j'aurais aimé lui écrire à ce moment-là mais, dans ma position, de telles initiatives ne sont pas toujours possibles ni même opportunes. Je voudrais lui faire savoir que je pense à elle et que notre amitié compte beaucoup pour moi. J'ai cru comprendre que Millie avait déménagé. Vous êtes restées ensemble si longtemps que la maison doit te sembler bien vide sans elle. Je vous envoie à tous mes salutations et mes vœux les plus chaleureux.

J'avoue me languir du bonheur de ma vie de couple avec Zami. Je ne l'ai pas vue depuis dix-huit mois, Zeni et Zindzi depuis huit ans. Kgatho vient me voir régulièrement et Maki m'écrit souvent, mais je n'ai aucune nouvelle de Zeni et Zindzi depuis mai de l'année dernière. Découvrir ainsi les dangers du grand monde peut s'avérer une expérience terrifiante. Mais le corps et l'âme ont des capacités de résistance infinies, et la vie finit toujours par reprendre ses droits. Zami ne doute pas, elle reste confiante et pleine d'espoir. Pour nous, la vie se résume désormais à attendre l'instant où nous serons de nouveau réunis dans le combat pour l'aboutissement de nos rêves et de nos idéaux. D'ici là, je t'envoie tout mon amour.

Affectueusement,
Nelson

Lettre de Nelson Mandela à Winnie

1er juillet 1970

Dade Wethu,

Thoko est revenue me voir en avril. Elle m'avait envoyé dix rands en février, pour « mon argent de poche » comme elle dit. Cette deuxième visite s'est déroulée plus sereinement que la première, même si Thoko porte toujours les stigmates de cette terrible épreuve qui l'a frappée si tôt dans sa vie conjugale. Nous ne nous connaissions pas encore à l'époque, mais il était aisé de se rendre compte qu'elle n'était que l'ombre d'elle-même. Sa visite m'avait bouleversé, surtout lorsqu'elle avait sorti une photo de Thembi. L'angoisse qui m'avait tordu les entrailles à l'annonce du décès recommençait à planter ses crocs dans ma chair. L'horreur de la vie réelle me rattrapait de nouveau. J'avais devant les yeux une jeune femme d'à peine vingt-cinq ans qui me regardait en espérant un mot de consolation, quelque chose qui colorerait d'un peu d'espoir la noirceur de son deuil. C'est dans ces moments-là que nous réalisons à quel point nous ignorons les rouages de la vraie vie malgré tous les livres que nous lisons et toutes les histoires que nous écoutons.

Ce fut bien différent en avril. Elle était magnifique, joyeuse, et pouvait même utiliser son bras blessé. J'ai passé un très bon moment avec elle. Quand je repense aux drames qui se sont abattus sur nous depuis vingt et un mois, je me demande où nous puisons la force et le courage de continuer. Si ces calamités possédaient une masse physique, nous aurions été écrasés depuis longtemps, ou nous serions à tout le moins courbés sous leur poids, le pas incertain, les visages marqués par un profond désespoir. Pourtant, je sens mon corps déborder d'énergie. Chaque jour m'apporte de nouvelles expériences et de nouveaux rêves. Je peux marcher droit, la tête haute. Mais le plus important pour moi reste de savoir que rien ne peut t'arrêter, que la même grâce émane toujours de tes pas, que tu gardes ton rire et ton enthousiasme communicatifs. C'est ainsi que je pense à toi, ne l'oublie pas.

Te voilà inculpée, me semble-t-il, avec une nouvelle audience prévue le 3 août. J'ai rencontré le brigadier Aucamp le 19 juin, il m'a donné l'assurance que je pourrais discuter librement de l'affaire avec toi et te prodiguer tous les conseils nécessaires. Le premier acte d'accusation me citait comme partie prenante de la conspiration, et l'une des charges se basait sur certaines conversations tenues lors de tes visites. Je ne sais pas si je suis encore mentionné, mais je suis bien sûr prêt à témoigner en votre faveur à tous si tant est que les avocats le jugent utile. Ce serait un grand plaisir de vous aider, tes vaillants camarades et toi, à rendre coup pour coup dans ce combat tant attendu et à confondre les responsables des nombreux méfaits commis à votre encontre. Les appels interjetés lors du précédent procès étaient de grande qualité – mon poing est serré, prêt à frapper. Ils brossaient les portraits de combattants de la liberté pleins de détermination, parfaitement conscients de leur responsabilité sociale et sans illusions sur la justice rendue ces temps-ci par toutes les cours du pays. Le premier procès a échoué parce que vous n'avez ni demandé pardon ni cherché le choc frontal. Cette fois-ci, les attaques seront sans doute plus vicieuses et vindicatives, plus faites pour salir que pour prouver une quelconque culpabilité.

Tes camarades et toi avez fait preuve d'une telle énergie et d'une telle vivacité d'esprit au cours des treize derniers mois que mes remarques risquent fort de vous sembler redondantes. Mais en ces temps difficiles où nos ennemis ourdissent leurs manigances et posent des pièges dans toutes les directions, nous devons tous rester très vigilants ; il n'y a aucun mal à montrer du doigt les dangers qui parsèment notre route, même s'ils paraissent évidents à certains, car il ne faut pas oublier que nous partons à l'assaut de l'une des dernières places fortes de la réaction sur le continent africain. Dans ce genre d'affaire, notre devoir est clair – affirmer haut et fort, au moment opportun, nos aspirations pour une grande Afrique du Sud. Notre cause est juste. Nous luttons pour la dignité humaine, pour une vie qui vaille la peine d'être vécue. Il ne doit y avoir ni acte ni parole susceptible d'être interprété, directement ou indirectement, comme un reniement de nos principes, même sous la menace d'une lourde condamnation. Dans un débat public, il est très important de rester poli avec ses amis comme avec ses ennemis. D'être francs et directs sans être injurieux, polis sans reculer. Voilà comment combattre le racisme et ses démons sans afficher nous-mêmes de l'hostilité envers un autre groupe racial.

Certains sujets doivent par contre être discutés en privé, sans oreille indiscrète. J'espère, ma chérie, ne pas donner l'impression de te faire la leçon. J'en serais fort marri car tu sais bien que ce n'est pas mon genre. Si je choisis de m'exprimer ainsi, c'est parce ce que nous vivons une période cruciale, aux enjeux énormes. Ce sont des hommes et des femmes comme toi, Mhlope, qui écrivent l'histoire de notre pays et façonnent un héritage dont les générations futures pourront être fières. Le matin du 3 août, même si tu es encore plus maigre que Zeni, même si la vie semble s'écouler hors de ta chair, je sais que tu tenteras de rassembler juste assez de forces pour te traîner jusqu'au tribunal et défendre les idées pour lesquelles de nombreux patriotes ont donné leur vie depuis cinq cents ans.

J'ai déjà écrit à Brown au sujet des filles et j'espère recevoir rapidement sa visite. Nyanya est-elle libre ? Peut-elle venir me voir ? Ma chérie, je t'envoie plein d'amour et un million de baisers.

Avec tout mon amour,
Dalibunga

Lettre de Winnie Mandela à Nelson

2 juillet 1970

Mfo Wethu[1],

J'ai encore du mal à croire que j'ai enfin reçu de tes nouvelles. Tu noteras la différence dans mon écriture, l'effet hypnotique de tes merveilleuses lettres sur mon âme blessée. En fait, tu es le seul médicament dont j'ai besoin. Même si mon esprit n'est pas très réceptif à l'heure actuelle, j'ai essayé de graver tes mots dans ma mémoire, puisque je n'ai pas le droit de garder tes lettres et que je dispose à peine du temps nécessaire pour les lire.

Comme tu le sais sans doute, je n'étais pas présente au tribunal le 18 juin lorsque j'ai été inculpée avec dix-huit autres prévenus au titre de la loi antiterroriste. L'audience a ensuite été reportée au 3 août. Je me suis sentie profondément blessée de ne pas avoir pu accompagner mes camarades. J'avais évidemment rencontré nos avocats avec eux, mais l'acte d'accusation n'avait pas encore été rédigé.

Jeudi dernier, j'ai eu le grand plaisir de revoir Niki et l'oncle Marsh. Ce fut un très beau moment, mon chéri,

---

1. Frère.

même s'ils étaient visiblement gênés par mon aspect. À présent, ma santé devrait s'améliorer de jour en jour. J'ignore si les spécialistes ont déjà rendu leur rapport, [*mais*] je te préviendrai dès que j'en saurai plus.

Comme tu le dis si bien, mon amour, notre objectif est une Afrique libre. Je n'en ai jamais douté. Tu me flattes beaucoup en parlant de te « louer toi-même » par vanité là où je ne vois que le médicament dont j'ai besoin. Hugo disait : « Rien n'est plus puissant qu'une idée dont l'heure est venue[1]. » Il avait mille fois raison. J'ai tant appris durant l'harassante épreuve de l'isolement carcéral ! J'ai eu tout le temps nécessaire pour rejouer le film de notre étrange existence dans cette période qui marquera à jamais l'histoire.

Le jour de notre douzième anniversaire de mariage[2], je suis restée allongée, le souffle court, sous une température de 103 degrés[3]. Mais cela ne m'a pas empêchée de revivre cette cérémonie durant laquelle une jeune femme tremblante de vingt-trois ans[4] s'est tenue à tes côtés dans cette petite église miteuse du Pondoland et a dit : « Oui. » Je me demande parfois si, dans tes pensées, je ne suis pas encore cette faible femme. Je me rappelle avec une tendresse infinie tes gestes à la fois fermes et rassurants lorsque tu m'as passé l'anneau au doigt. Ce n'est pas seulement à toi que j'ai dit « oui », mais à toi et à tout ce que tu représentes. Pour moi, l'un ne va pas sans l'autre. La nombreuse assistance avait d'ailleurs entonné un chant inhabituel pour un mariage : *« Lizalise idinga lakho… Zonk'itlanga zonkiziwe, Ma zizuze usindiso… Ngeziphithi-phithi zethu, yonakhele imihlaba[5]. »*

---

1. Citation apocryphe *(NdT)*.
2. Le 14 juin 1970.
3. 103 °F, soit environ 40 °C.
4. Winnie Mandela est censément née le 26 septembre 1936, ce qui lui aurait fait vingt et un ans le jour de son mariage, mais ce n'est qu'une estimation car elle-même n'est pas sûre de sa date de naissance.
5. « Remplissez votre promesse… Que toutes les nations du monde soient sauvées… Contemplez votre pays et pardonnez-lui ses fautes. »

L'hymne a été composé par le révérend Tiyo Soga, le jour de son retour au Cap après l'échec de la délégation envoyée auprès du gouvernement colonial pour négocier la place des Noirs dans la Constitution de 1910. Jusqu'à cet instant, il n'avait pas réalisé toute la beauté de son propre pays, et s'était alors senti poussé à chanter ses louanges. Après notre mariage, les invités ont été pris dans une rafle et interrogés. Je me rappelle les mots de mon regretté grand-père : « Faut-il maintenant que l'homme blanc choisisse aussi qui nos enfants doivent épouser et où ? » Certains événements peuvent paraître sans importance, mais selon qu'on nous laisse dire la vérité ou pas, il suffit d'une étincelle pour allumer un feu de prairie. Et mon village natal n'a pas mis longtemps à s'enflammer ! À ce jour, il est toujours sous le joug du décret 400[1].

Nous vivions ensemble depuis à peine un an quand l'histoire t'a arraché à moi. J'ai été forcée de mûrir seule. Éclipsée jusqu'alors par ton ombre massive, je me suis retrouvée nue et exposée à la dure vie d'une « veuve politique ». J'ai dû porter la couronne d'épines, mais je savais que j'avais dit « oui » pour le meilleur et pour le pire. En t'épousant, j'ai aussi épousé la cause de mon peuple. Oui, parfois, les épines piquent si fort que le sang des blessures couvre mes yeux et m'aveugle un moment. Je titube alors sur le chemin de la liberté, perdue dans d'horribles souffrances, mais je titube toujours vers l'avant, sans rien renier, même si la couronne est parfois enfoncée par des gens de mon peuple. Car ainsi le veut l'histoire. À moins, je n'aurais pas été digne de ton amour. Quand passent les minutes, les heures, les mois qui rongent peu à peu mon âme, je me souviens qu'une « armée de principes réussit là où échouerait une

---

1. Similaire à la loi antiterroriste, le décret 400 autorise la proclamation de l'état d'urgence et la détention sans procès. Il est entré en vigueur en 1960 et a été utilisé au Transkei par le régime Matanzima.

armée de soldats[1] ». J'ai aussi pris conscience que l'honneur et les convictions créaient des liens plus solides qu'un simple serment. J'ai subi « l'épreuve de [*ma*] foi, plus précieuse que l'or périssable qui cependant est éprouvé par le feu[2]. » Et qu'importe notre drôle de vie, mon amour !

L'oncle Marsh essaie de te rendre visite depuis mon arrestation, mais ses demandes ne reçoivent même pas de réponse. Il y a pourtant urgence à ce qu'il discute avec toi de nos problèmes familiaux. Je crois qu'il va te falloir agir de ton côté : pourrais-tu avertir qui de droit que tu souhaites qu'oncle Marsh soit ton prochain visiteur ? Je sais que la file d'attente est longue. Les filles ne sont pas revenues à la maison pour les vacances, mais elles sont par chance sur le passeport de Marsh, qui doit aller les voir le week-end prochain. J'avoue que cette situation m'inquiète beaucoup, car elles sont bien trop jeunes pour être privées de la sécurité d'un foyer. C'était déjà assez difficile de les élever sans toi. Je fais une rechute dès que je me prends à imaginer ce qu'elles doivent ressentir sans nous. C'est l'un des mauvais coups dont je parlais dans ma dernière lettre.

Tous les papiers de Waterford sont entre les mains de M. Carlson qui, comme tu le sais, tente désespérément de venir te voir. J'ai cru comprendre que vous aviez eu [*tous les deux*] une longue discussion à ce sujet avec le brigadier Aucamp. J'ai toute confiance en M. Brown, que j'avais rencontré lors de mon procès de 1967. Même si ce ne sera sans doute pas facile pour lui de gérer nos affaires, puisque toutes les personnes qu'il doit contacter résident à Johannesbourg. J'approuve ton idée de nommer aussi oncle Marsh tuteur des enfants ; les trois tuteurs agiront en accord avec l'oncle Allan Nxumalo, qui a vraiment été formidable avec les filles. Il est allé

---

1. Thomas Paine *(NdT)*.
2. Première épître de saint Pierre, verset 1.7.

les chercher à l'école et elles ont de nouveau passé les vacances avec lui. De plus, il est toujours ministre de la Santé[1]. Pourrais-tu demander la permission de lui envoyer une lettre spéciale, pour le remercier ? Les filles doivent être gênées de voir tout ce qu'on fait pour elles sans avoir des nouvelles de leurs parents.

J'ai été sidérée d'apprendre que Kgatho n'était pas allé à Fort Hare et ne travaillait pas non plus. Je crains que certains problèmes n'aient pas de solution immédiate. Comme le sujet me perturbe malgré tout, j'ai suggéré que Marsh et toi en discutiez aussi vite que possible. Les soucis s'accumulent alors que j'aurais besoin de me concentrer sur le procès à venir. Tu n'as pas oublié les difficultés inhérentes à la préparation d'un procès collectif ; de lourdes responsabilités pèsent actuellement sur mes épaules. Ces moments particuliers appellent des sentiments que nous sommes peut-être les seuls à connaître, mais qui ne peuvent se traduire en mots. Il suffit d'évoquer le goût doux-amer de la souffrance injuste.

Cela me rappelle encore ta lettre, tes remarques sur le 10 mars et les « mots qui s'écoulent ». Mais enfin, vouloir que nous soyons nés à la même heure ! C'est tout le contraire, mon amour, sinon il n'y aurait pas eu besoin de lutter pour combler le fossé qui nous séparait. Je suis consciente que ma piètre contribution à la cause de notre peuple ne me vaudra guère plus qu'un bout de phrase dans les livres d'histoire, mais cela me suffira tant que notre action ne se perdra pas dans les ténèbres du temps. Je sais que le jour où j'obtiendrai ce pour quoi je combats, plus rien ne pourra me l'enlever. Ceux qui nagent à contre-courant, avec l'énergie du désespoir, ont tellement peur de tout perdre. J'ai la chance d'avoir vu l'aube se lever sur ce fameux jour chanté par le révérend Soga. Toute la violence que l'on

---

1. Du Swaziland.

nous oppose, à moi et à mon peuple, ne changera plus le cours de l'histoire.

Tu m'as tellement manqué à certains moments de l'audience préliminaire. Tu te rappelles le jour où tu m'as reproché d'être « intenable » ? Un des avocats a employé le même terme pendant que nous nous disputions sur un point de détail… Quand je lui ai fait passer mes notes le lendemain, cette même personne a dit : « Vous avez raté votre vocation, vous auriez dû vivre de votre plume même si je ne suis pas d'accord avec vous. » J'ai éclaté de rire en voyant M. Bizos secouer la tête et ajouter : « C'est une personne surprenante. »

Quand tu recevras les bulletins scolaires des filles, étudie-les avec attention en pensant à leur orientation. Kgatho et Maki ont rencontré des difficultés parce que nous n'y avions pas réfléchi à temps. Zeni veut être médecin et Zindzi enseignante. Zeni est calme, très soignée, et peut passer des heures devant le miroir à peaufiner sa tenue vestimentaire. Elle adore la cuisine et la couture. Ses amies sont choisies avec soin – elle fréquente toujours Nombeko, qu'elle a connue dans sa petite enfance. Zindzi, au contraire, est capable de rassembler vingt gamines dans notre petite cour pour la transformer en salle de classe. Elle sait ce qu'elle veut et n'hésitait pas à l'affirmer haut et fort dès neuf ans : « Maman, tu sais que les enfants ont un cerveau, eux aussi ? » ou : « Quand je n'aime pas quelque chose, je n'aime pas. Donc je ne veux plus manger de chou. »

Le soir du 11 mai 1969, alors que nous étions à table cinq jours après leur retour de l'internat, elle s'est soudain écriée : « Je veux mon papa ! » et s'est mise à pleurer jusqu'à épuisement. Nous ne savions pas encore que c'était un présage, que j'allais être arrêtée quelques heures plus tard. Un moment idéal pour arracher une mère à ses jeunes enfants !

(Je crois que, pour bien faire, tu devrais étudier en parallèle leurs bulletins scolaires et la plaquette de Waterford.)

Je suis ravie que tu aies renouvelé ta demande de visite. Je ne comprends vraiment pas pourquoi on nous traite avec une telle rigueur et notamment, comme tu le soulignes, l'administrateur des prisons. Je ne t'ai pas vu depuis le 21 décembre 1968. Que veulent-ils de plus maintenant que nous sommes tous les deux derrière les barreaux ?

C'est le chaos à la maison. Seuls Kgatho et Nomfundo y résident, ce qui est loin d'être la meilleure solution. Dès novembre dernier, Niki avait pourtant ajouté un couple sur le permis avec l'aide des Ngakane[1], qui connaissaient ces personnes. Je les connais d'ailleurs très bien moi aussi. L'objectif était que Kgatho puisse partir sans crainte à l'université. Mais ce couple a tenté plusieurs fois d'emménager et s'est vu systématiquement mettre des bâtons dans les roues. Je suis surprise que Kgatho t'en ait parlé en début d'année, il connaît tous les détails de l'affaire. Comme nous avons décidé de procéder à une concertation entre les parties, tu dois en parler de toute urgence à Marsh avant d'émettre une opinion. Je suis très reconnaissante à Nkosazana Telia d'avoir fait de son mieux pour mettre un terme à cet imbroglio.

Oui, mon amour, nous ne pouvons pour l'instant que boire le calice de l'amertume jusqu'à la lie. Mais un jour viendra où cela ne sera plus nécessaire, et c'est le jour dont j'ai vu l'aube se lever. Ce jour-là, nous pourrons enfin vivre une vie de famille normale, car personne de sensé ne peut vivre une vie normale dans une société anormale. Comme le dit le regretté Luther King : « Il ne sert à rien d'être inadapté dans une société inadaptée. » Et il ajouta : « Le Nègre américain en a assez qu'on lui

---

1. Des voisins.

dise de se calmer, parce qu'il sait qu'à force de se calmer, c'est la mort qui l'attend. »

Mon chéri, je t'envoie plein d'amour, un million de
baisers et seize millions de saluts[1].

À toi pour toujours,
Nobandla

Lettre de Nelson Mandela à son ami et ancien collègue Douglas Lukhele

1er août 1970

1er août 1970

Mon cher Duggie,

Mes filles Zeni et Zindzi, âgées de onze et dix ans,
sont inscrites à l'internat catholique romain de Notre-
Dame-des-Chagrins, à Hluti. Ma femme et moi sommes
très inquiets pour elles car, depuis l'arrestation de Zami
en mai de l'année dernière, nous n'en avons plus aucune
nouvelle. J'ai cru comprendre qu'elles passaient leurs
vacances chez Allan ; j'aurais aimé lui écrire directement,
ainsi qu'à sa femme, pour les remercier de leur hospita-
lité, mais je ne suis pas sûr que ce soit une bonne idée
vu son poste actuel. J'aimerais pourtant qu'ils sachent
à quel point Zami et moi leur sommes reconnaissants.
Il me semble que Mme Birley[2], qui enseigne à présent
dans une université britannique, a obtenu des bourses
pour les filles à Waterford. Je leur ai écrit trois lettres et
une carte d'anniversaire, mais elles n'ont apparemment
rien reçu. J'aimerais que tu te renseignes au plus vite et
me fasses parvenir un rapport détaillé, si possible par
courrier recommandé.

Les lettres que j'envoie arrivent rarement à destination, et celles que l'on m'adresse ne valent guère mieux.

---

1. Référence probable à la population noire d'Afrique du Sud à cette
époque.
2. Lady Birley, l'épouse de Sir Robert Birley, ancien doyen d'Eton.

J'espère que le destin cruel, celui qui s'amuse avec mon courrier et me coupe de ma famille à un moment crucial, possède un sens de l'honneur suffisamment développé pour laisser cette lettre-ci passer entre les mailles du filet. Car je sais que si elle arrive entre tes mains, mes soucis seront quasiment résolus.

Je sais aussi que je suis d'abord et avant tout un campagnard, comme beaucoup de mes contemporains, élevé au grand air dans un village reculé au cœur de vastes paysages. Certes je vivais en ville depuis deux décennies, avant mon arrestation et ma condamnation il y a de cela huit ans, mais je n'étais jamais parvenu à me départir de mes origines paysannes et retournais parfois passer quelques semaines dans ma région natale pour me remettre en mémoire les plaisirs de l'enfance. Depuis que je croupis en prison, mon cœur et mon âme s'évadent régulièrement loin d'ici, vers les grandes étendues du veld. Je revis toutes les expériences accumulées en un demi-siècle – souvenirs des prairies où je jouais, chassais, surveillais le bétail, profitais des bienfaits de l'initiation traditionnelle. Je me revois entrer au Reef[1] au début des années quarante et découvrir les idées radicales qui germaient alors dans l'esprit du meilleur de la jeunesse sud-africaine (c'est d'ailleurs à cette époque que j'ai rencontré Allan). Je me rappelle aussi mon stage ; je collais des timbres, courais ici et là pour des raisons aussi diverses qu'aller acheter du shampoing et des cosmétiques pour des Blanches. Et la chancellerie ! C'est là qu'O.T.[2] et moi sommes devenus bien plus intimes qu'à l'université ou aux Jeunesses de l'ANC. Autour de nous se développaient de nouvelles et fertiles amitiés – Maindy, Zubeida Patel et Winnie Mandleni, nos premières dactylos ;

---

1. Surnom de l'université de Witwatersrand.
2. Oliver Tambo.

la regrettée Mary Anne, partie trop tôt ; Ruth, Mavis, Godfrey ; Freddy le boxeur et Charlie, notre célèbre gardien et homme à tout faire qui ne manquait jamais un jour à Mai-Mai[1]. Tu t'es longtemps battu presque tout seul pour maintenir le cabinet à flot pendant qu'O.T. et moi comparaissions au procès des traîtres. Te souviens-tu de l'étrange incident qui s'est produit lors de ta visite en décembre 1960 à Orlando West ? Tu t'approchais de notre portail lorsqu'un éclair a frappé si près que Zeni, qui n'avait que dix mois, a été projetée au sol et n'a plus bougé pendant quelques secondes. Quel soulagement quand elle s'est relevée et mise à pleurer ! Le couperet n'était pas passé loin. Ta présence au DOCC[2] a donné à cette occasion un sens nouveau à ta magnifique intervention de Winburg, et aussi plus de poids aux éloges que t'a valu ton extraordinaire travail auprès des femmes.

Lenvick ! C'est là où tu as fait tes débuts avec Manci, soutenu par l'énergique Joe Magame. Je n'ai pas oublié les services que tu m'as rendus à l'époque. Je me débattais encore dans le procès des traîtres et toi, pendant les ajournements, tu me donnais du travail à la fois pour me tenir occupé et pour aider Zami à faire bouillir la marmite. J'espère pouvoir un jour te rendre la pareille. En tout cas, j'ai été très heureux d'apprendre que ton pays natal[3], cette terre pleine de promesses, profitait désormais pleinement de tes capacités en t'accueillant au Sénat. Par contre, je sais qu'il a dû être très pénible pour toi de couper les ponts avec le pays où tu t'étais établi, ainsi qu'avec la communauté que tu avais vaillamment servie. Tous ces souvenirs, et bien d'autres encore, me traversent l'esprit en ces temps incertains.

---

1. Un marché de Johannesbourg.
2. Centre communautaire Donaldson d'Orlando.
3. Douglas Lukhele a été le premier avocat originaire du Swaziland.

Les armes intellectuelles sont changeantes et ont souvent un impact difficile à apprécier, sauf à la lumière de certaines situations précises.

Il leur arrive de changer les prisonniers en hommes libres, les roturiers en rois, la poussière en or.

En fait, Duggie, il n'y a que ma chair et mes os qui soient retenus derrière ces murs épais.

Sinon je conserve une réflexion cosmopolite et, dans mes pensées, je suis aussi libre qu'un faucon.

À la source de mes rêves, il y a la sagesse collective de l'humanité vue comme un grand tout. Je suis de plus en plus persuadé que l'égalité sociale est la base du bonheur humain. Mille et mille liens nous unissent aux enfants de Mswati et de Mbandzeni[1]. Nous avons une histoire et des aspirations communes ; ce qui vous est précieux est cher à nos cœurs. C'est ainsi que nous pensons au 6 septembre[2] – un événement historique qui marque la fin d'une époque, la victoire d'un peuple doté d'une conscience et d'une fierté nationale qui l'ont aidé à surmonter les affres de l'impérialisme.

Mes pensées ne cessent d'interroger ces problématiques. Elles se concentrent sur le nouveau monde qui émerge, sur les êtres humains et les idées pour lesquelles ils se battent, sur cette nouvelle génération qui déclare la guerre totale à toute forme de cruauté, à tout ordre social fondé sur les privilèges économiques de quelques-uns en condamnant le reste de la population à la pauvreté, à la maladie, à l'analphabétisme et à tous les maux d'une société inégalitaire.

Passe mon bon souvenir à Ntlabati, à la femme de Leslie, à Andrew et à son épouse, à Stanley Lollan, Maggie Chuene, Regina Twala, Wilson et Gladys s'ils sont encore dans le coin. J'ai une reconnaissance toute particulière pour Wilson, qui a pris soin de mon fils

---

1. Souverains du Swaziland.
2. L'indépendance du Swaziland date du 6 septembre 1968 *(NdT)*.

Kgatho après qu'il eut été renvoyé de l'école pour avoir organisé un mouvement de grève. Sa femme et lui l'ont beaucoup aidé.

Ne vous inquiétez pas : je garde le poing levé !

Bien cordialement,

Nelson

Lettre de Nelson Mandela à Winnie

1er août 1970

Dade Wethu,

Je suppose que tu n'as pas reçu ma lettre du 1er juillet. Sinon, comment expliquer ton silence à un moment où nous devons absolument communiquer ?

En juin, j'ai appris que tu étais restée alitée deux mois, tellement malade que tu n'avais pas pu te joindre à tes camarades lors de l'audience préliminaire qui a ajourné le procès. Ton silence est-il dû à une nouvelle dégradation de ton état de santé ? À moins que mon message de juillet n'ait subi le même sort que les trente-neuf lettres mensuelles, lettres spéciales et courriers remplaçant des visites que j'ai écrits depuis ton arrestation le 12 mai 1969 et qui, à l'exception de deux d'entre eux, semblent n'être jamais parvenus à leur destinataire. J'attends en vain des réponses de Kgatho, Maki, Zeni, Zindzi, Tellie, Ma de Bizana, Marsh ou encore Mashumi. Chaque jour qui passe nourrit mon malaise. Comme je sais que tu aurais voulu me répondre au plus vite, j'ai peur que ma missive ne soit pas arrivée ou que tu ne sois pas en état d'écrire.

Les misères sans fin subies ces quinze derniers mois hantent mes pensées. J'ai l'impression d'avoir été plongé tout entier dans la bile — ma chair, mon sang, mes os, mon âme — tant je suis amer d'être impuissant à t'aider dans les épreuves qui t'accablent. Quelle incroyable différence, ma chérie, entre ton ardeur, malgré la maladie, et ma propre angoisse dont je n'arrive pas à me défaire ! Si seulement vous pouvions nous revoir, si seulement je pouvais te serrer dans mes bras, ou du moins apercevoir les contours de ton visage à travers le grillage serré qui ne manquerait pas de nous séparer ! La souffrance physique n'est rien comparée à cette façon de piétiner les liens conjugaux qui unissent un homme et une femme. Nous traversons une bien rude période de notre vie. C'est un défi lancé à nos croyances les mieux ancrées.

Mais tant que je garde la possibilité de communiquer avec toi, même si cela reste virtuel de mon point de vue, et tant que l'on ne m'en empêche pas expressément, l'histoire retiendra que j'aurais fait tout mon possible pour t'écrire chaque mois. C'est mon devoir envers toi et rien ne saurait m'en distraire. Peut-être ces efforts finiront-ils par payer. Il y a de braves gens sur Terre, dans tous les pays, même dans le nôtre. Peut-être recevrons-nous un jour le soutien d'un homme honnête et bien placé, qui mettra un point d'honneur à protéger même les droits de ses plus féroces opposants dans la bataille idéologique qui secoue le pays. Un fonctionnaire suffisamment épris de justice pour non seulement nous accorder les droits prévus par la loi, mais aussi pour nous donner réparation de ceux dont nous avons été subrepticement privés. Malgré les revers de fortune, malgré tout ce qui nous est arrivé ces quinze derniers mois, je continue à garder espoir. J'ai parfois l'impression que ce sentiment fait partie intégrante de mon être, comme s'il était cousu dans ma chair. Je sens mon cœur battre avec allant pour expédier de l'espoir partout dans mon corps, réchauffer mon sang et soutenir mon moral. Je suis convaincu que même un ouragan de malheurs ne saurait engloutir un révolutionnaire déterminé, tout comme le brouillard de la douleur ne saurait l'aveugler. L'espoir est au combattant de la liberté ce que la bouée de sauvetage est au nageur – une chance de garder la tête hors de l'eau. Je sais, ma chérie, que si la richesse se comptait en tonnes d'espoir et de courage (c'est toi qui m'as donné cette idée), alors tu serais très certainement millionnaire. Ne l'oublie jamais.

Sinon, l'autre jour, j'ai rêvé que tu balançais ton corps au rythme d'une danse hawaïenne au BMSC[1]. Je me tenais à un bout de la grande salle, les bras grands ouverts pour t'accueillir tandis que tu tournoyais dans ma direction avec ce sourire enchanteur qui me manque tant. J'ignore pourquoi j'ai placé cette scène au BMSC. À ce que je sache, nous n'y avons dansé qu'une fois, la nuit du mariage de Lindi. Certes, il y a aussi eu ce concert que nous avions organisé en 1957, quand je te faisais la cour – à moins que ce soit l'inverse. J'hésite toujours à me rappeler que c'est toi qui as pris l'initiative dans cette affaire. En tout cas, ce rêve m'a fait passer un très bon moment. Si je dois continuer à rêver, qu'on me redonne Hawaï. J'aime te voir heureuse et pleine de vie.

J'ai adoré le livre de Fatima[2], *Portraits d'Indiens d'Afrique du Sud*, une description vivante et détaillée de la vie indienne, rédigée dans un style magnifique. Avec la modestie qui la caractérise, elle écrit dans la préface que le titre est trop prétentieux pour un ouvrage qui ne fait qu'effleurer le sujet. Mais elle présente en fait une enquête poussée, qui n'hésite pas à lancer des débats plus généraux quand elle affirme, par exemple : « Les différences qui divisent ne sont pas des différences de rituels ou de traditions, mais des différences de statut, de niveau de vie, de chance d'accès au pouvoir. Voilà les distinctions qui ont de tous temps tracé le destin des peuples et des individus, et l'on voit qu'un même peuple et une même culture peuvent selon les époques

---

1. Centre social bantou, Johannesbourg.
2. Fatima Meer.

se retrouver en haut ou en bas de l'échelle. » Le livre contient plusieurs chapitres abordant ces questions fondamentales, et je crains que certaines de ses thèses ne provoquent d'intenses débats. J'apprécie pour ma part la franchise brutale de sa plume mais, quitte à traiter ces sujets, elle devrait sans doute viser plus haut que la simple observation et tenter de donner à ses concitoyens des raisons d'aller de l'avant. J'espère que tu pourras te procurer cet ouvrage avant la fin du procès. C'est une œuvre brillante écrite par un auteur qui ne l'est pas moins.

M. Brown, notre avocat du Cap, aurait dû me rendre visite le 29 juillet pour désigner les tuteurs des enfants. Mais la mer était forte ce jour-là, et je suppose qu'il faut y voir la raison de son absence. J'espère qu'il viendra très bientôt. Entre-temps, j'écris à notre ami Duggie Lukhele pour lui demander de nous envoyer un rapport détaillé sur la situation des filles. Je te tiendrai au courant dès que j'aurai du nouveau. Ne te laisse pas submerger par le chaos de nos affaires familiales ni par nos problèmes de communication. C'est une période de notre vie qui passera sans nous briser et nous rendra peut-être même plus forts. J'ai failli oublier de te dire que ma deuxième requête pour venir te voir avait été grossièrement rejetée, malgré l'argument de ton état de santé actuel. L'administrateur des prisons n'a même pas cru bon de soulager mon inquiétude en me donnant de tes nouvelles. Il fut un temps où une telle adversité m'aurait rendu fou, mais je m'y suis habitué. Je sais rester calme.

Porte-toi bien, ma chérie, ne te laisse abattre ni par la maladie ni par l'absence de nos enfants. Lutte de toutes tes forces. Je garde le poing levé. Je t'envoie plein d'amour et un million de baisers.

Avec tout mon amour,
Dalibunga

Lettre de Nelson Mandela
à Nofumahadi Zukiswa Matji

1ᵉʳ août 1970

Chère Zuki,

La mort de Thembi m'a porté un coup terrible car il était l'un de mes amis intimes. Notre relation père/fils avait en effet posé les fondations de rapports toujours plus étroits, et j'ai encore du mal à croire que je ne le reverrai plus.

Au cours des huit dernières années, j'ai traversé une période où rien ne pouvait m'atteindre, où tout me paraissait sous contrôle. Thembi endossait peu à peu la responsabilité de la famille ; il s'était pris d'affection pour Zami et devenait une véritable idole pour Kgatho et ses sœurs. Puis le ciel m'est tombé sur la tête entre 1968 et 1969. Je l'ai perdu lui, j'ai perdu Ma, et j'avoue que la sérénité de mon âme s'est peu à peu évaporée. Deux mois avant la mort de Thembi, ma Zami avait été jetée en prison, où elle croupit encore, tandis que notre foyer sombrait dans un chaos invraisemblable. À l'heure actuelle, j'ignore où se trouvent Zeni et Zindzi (âgées de onze et dix ans), ni qui s'occupe d'elles. Aucune des lettres que je leur ai écrites ces quinze derniers mois ne leur est parvenue. Sans doute les meubles et la voiture ont-ils été saisis, et le téléphone a-t-il été coupé.

Mes économies ont fondu au point de me faire renoncer au minimum vital qui me permettait de supporter la vie en prison. Je ne peux même pas passer un examen ophtalmologique pour des lunettes de lecture. Quand il m'arrive de penser que la croix est trop lourde à porter, je relis la très belle lettre de Robbie[1] ; sa chaleur et sa simplicité me mettent du baume au cœur.

---

1. Robert Resha.

Robbie y parle de la visite de Thembi et Kgatho quand vous étiez chez Sekake. Quelle étrange coïncidence. La lettre est arrivée alors que j'étais plongé dans des livres sur le passé du Lesotho, de Matatiele, de Cedarville et de Kokstad, des documents sur Sekake, son père Sekwati, Lehana, Letsie, Lerothodi et Masupha, Mhlonto et Mditshwa, Makawula, JoJo et Mqikela. Ces huit dernières années, j'ai lu plus de livres sur l'histoire et la géographie de l'Afrique du Sud que durant tout le reste de ma vie. Cela m'a donné envie de parcourir le pays pour visiter tous les endroits qui ont su éveiller ma curiosité – même si j'imagine mal pouvoir mettre de côté l'argent nécessaire, moi qui ai toujours été pauvre comme Job, et je suppose que ce sera encore pire à mon retour. Mais les problèmes à venir ne doivent pas m'empêcher de bâtir quelques châteaux en Espagne.

[...]

J'ai aussi été ravi d'avoir des nouvelles de Khalaki, Kumani et Liz. J'avais remarqué Khalaki dès notre première rencontre ; il m'avait fait l'effet d'un garçon modeste et réservé promis à un bel avenir. Lors de nos nombreuses discussions, il m'avait frappé par sa capacité à saisir d'emblée les enjeux des problèmes les plus variés. Il a dû beaucoup mûrir en restant vingt-quatre mois loin de Bata et des enfants. Avec une fille si douée à ses côtés, il a toutes les cartes en main pour réussir. Je leur aurais écrit depuis longtemps si je connaissais leur adresse. En décembre 1968, je leur ai envoyé une carte de Noël aux bons soins de Moses Tlebere, BP 190, Maseru. J'aimerais vraiment avoir des nouvelles de leurs enfants. Je suis persuadé qu'ils nous auraient déjà rendu visite s'ils étaient encore dans cette partie du monde. Kumani m'avait fait lui aussi une forte impression lors de notre unique rencontre. Son calme et sa force de caractère laissaient présager une grande profondeur d'esprit. Durant mon voyage dans la zone du PAFMECSA[1] au début de l'année 1962, j'avais pu constater que l'on parlait déjà de lui hors de nos frontières. Est-il marié à présent ?

Le nom « Elizabeth » est fréquent dans les livres d'histoire. La Maison d'Espagne, Philippe II et son Invincible Armada doivent encore se retourner dans leur tombe en se remémorant l'année 1588. Notre Liz à nous a déjà une très belle histoire et n'a pas œuvré en vain. Peut-être y a-t-il sur cette Terre d'autres Philippe II qui cauchemardent en pensant à elle. Finalement, Paarl n'est qu'à quarante miles de chez nous, où l'attendent respect et affection. Je leur envoie à tous mes plus chaleureuses salutations. J'ai été peiné d'apprendre que notre ancien ami commun avait cessé ses activités. Quel dommage qu'un homme si capable et si astucieux ait fini par succomber à sa propre timidité ! Avez-vous des nouvelles de Jack ?

Robbie m'a quand même fait un sale coup. Il ne m'a rien dit à propos des enfants. Comment la première lettre d'un ami proche peut-elle omettre un tel sujet ? Je n'ai pas encore eu le privilège de vous rencontrer et attends ce moment avec impatience. Au lycée d'Healdtown, j'ai connu d'autres Manyani, Bangani, Ncoma et Botha. Des membres de votre famille ? Quoi qu'il en soit, vous devez vraiment être une femme extraordinaire pour avoir réussi à arracher une promesse à Robbie et, plus encore, pour qu'il la tienne. C'est un fin connaisseur — seule une femme qui possède toutes les vertus d'une parfaite épouse a pu lui faire baisser sa garde. Tout le monde connaît sa réputation de lecteur avide, d'esprit vif, de grand orateur, d'administrateur et d'homme d'action. Même séparé de ses amis et de sa famille, il n'a jamais cessé d'agir. C'est quelqu'un que

---

1. Mouvement de libération panafricain de l'Afrique centrale, de l'Est et du Sud.

l'on peut difficilement oublier. Prenez soin de lui, *mot-lose ka mafura*[1]. Donnez-lui du *mofutswela*[2], du *lesheleshele*[3] et du *motoho*[4], tous ces plats grâce auxquels les nôtres restent gais et vigoureux, tous ces plats qui ont produit leur lot de rois et de martyrs. Zami se joint à moi pour vous envoyer toute notre affection. Je garde le poing levé.

Bien cordialement,
Nelson

Lettre de Winnie à Nelson Mandela

3 août 1970

Mfo Wethu,

Vendredi 31, j'ai reçu ta lettre du 1er juillet. J'espère que tu as reçu la mienne, celle du 2 juillet. Il semblerait que nous ayons développé un incroyable lien télépathique, puisque j'ai déjà répondu dans ma lettre à tout ce que tu évoquais dans la tienne. As-tu aussi reçu tes télégrammes d'anniversaire, mon chéri ? La main invisible qui plane sur nos destinées a pourtant décidé que nos anniversaires seraient des jours sombres. En effet, j'ai appris la mort de notre fils le jour de ton anniversaire, tandis que tu apprenais le décès de Ma le jour du mien. Si l'on y regarde de plus près, ces étranges coïncidences sont à l'œuvre depuis des années. Tu étais l'accusé N° 23 du premier procès des traîtres, j'étais l'accusée N° 23 de mon propre petit procès en 1958, nous nous sommes mariés quand j'avais vingt-trois ans, etc.

Je suis ravie que Thoko aille mieux et qu'elle ait pu te rendre visite. Je lui écrirai bientôt, je n'en avais pas eu

1. Littéralement, « passez-lui de la pommade ».
2. Porridge dense, au lait.
3. Porridge doux sans sel.
4. Porridge doux.

le courage jusqu'alors. Cette rencontre t'a visiblement secoué, et c'est pourquoi je me retenais de parler d'elle dans mes lettres ; je sais ce que ça fait d'être assailli par les mauvais souvenirs derrière les barreaux. Mais l'espoir est l'un des principaux ingrédients du courage, par exemple celui d'être un jour auprès de Thoko pour l'aider à surmonter sa douleur. Tu ne peux rien faire pour elle là où tu es. Je ne serai en paix qu'après l'avoir vue à mon tour, même si Kgatho m'en donne régulièrement des nouvelles. Quel plaisir de savoir qu'elle va mieux ! Je ne doute pas qu'en allant te voir, elle ait ressenti la même chose que moi chaque fois que nous sommes ensemble. Son âme a dû panser ses plaies pour continuer à avancer, une redécouverte indispensable de la force de l'esprit.

Aujourd'hui, mon chéri, ce fut le grand jour. Quoi de plus grand en effet que d'arriver au moment de « rendre coup pour coup dans ce combat tant attendu et de confondre les responsables de ces nombreux méfaits commis à votre encontre » ? La vie est souvent gâchée par ces gens qui n'apprennent ni de l'histoire ni de leurs propres expériences. J'étais bien tourmentée quand, soudain, toute ma famille est entrée dans la salle d'audience, vêtue d'habits traditionnels. Papa avait envoyé Mama et notre belle-sœur MaNgutyana pour le représenter. Ils étaient tous si beaux… J'ai pu voir Kgatho, mais très peu de temps. Je t'écrirai quand j'aurai vu Mama. Ils comptent essayer de rendre visite aux filles, ainsi qu'à toi. Nyanya, libérée en décembre, était là aussi. J'ai parlé au brigadier Aucamp de ton souhait de la voir, qui va rédiger une demande immédiatement. Ils ont tous essayé d'en faire autant depuis mon arrestation, mais je sais à présent que leurs requêtes n'ont même pas été enregistrées.

Aujourd'hui, c'était comme le 10 mars. Si je devais écrire ma biographie, je dirais que ma vie a commencé le 10 mars. La vie ne vaut pas la peine d'être vécue tant qu'on ignore pour quoi on est prêt à mourir. J'ai quitté l'infirmerie le 27 du mois dernier. Ma chair est comme ces coquillages rejetés sur la rive par la violence des tempêtes politiques, mais mon âme, telle la mer, sera toujours là. Je me serais couverte de honte si j'avais été incapable de me lever pour défendre les idéaux pour lesquels nos héros et nos patriotes ont sacrifié leur vie. Je ne me serais jamais pardonné de laisser quelque chose me priver de cette opportunité, car je ne mérite certainement pas un départ si honorable. Je suis si petite et l'idéal est si grand.

Je perçois maintenant toute la force de la dernière phrase de ton dernier discours. J'en avais toujours eu conscience, mais j'ai mis du temps à me rendre compte qu'il n'existe en fait que deux mondes ; dans l'un la vie n'a pas de prix, dans l'autre la liberté n'a pas de prix, et ils sont pour moi irréconciliables. L'un de mes interrogateurs s'est un jour demandé : « Quelle cause peut être à ce point sacrée, surtout quand elle est si ingrate ? » Le même jour, la même bouche avait affirmé : « Les Afrikaners se battront jusqu'à la dernière goutte de sang pour l'État libre. » Notre cause est juste, mais difficile. Il nous faut même combattre ce genre de contradictions absurdes et pathétiques. Cela m'a fait penser à un cheval que j'avais vu mourir étant petite ; il ruait dans son agonie, et plus la mort approchait, plus il ruait fort. L'honneur m'ordonne de me placer à la portée de ces ultimes ruades.

Tes comparaisons entre le procès précédent et celui-ci m'ont été très utiles. Lors de l'ancien procès, j'avais regardé avec horreur un homme commettre un suicide politique avec une épée à double tranchant qui me blessait moins que lui, alors qu'il tentait pourtant de me frapper. J'avais vu cet homme faire virevolter sa robe – symbole de diplômes que j'eusse rêvé d'avoir – et s'abaisser si bas qu'il aurait eu besoin d'une échelle pour regarder un ver de terre en face. Si étroit d'esprit qu'il aurait suffi d'un coup d'aiguille pour lui crever les deux yeux. Il n'y avait aucune différence entre le procès de Socrate en -VII (*sic*)[1] et celui qui se tenait au XXe siècle. Je m'étais alors demandé si un tel personnage s'inquiétait de sa future épitaphe, lui qui se vantait tant de celle de son grand-père. Je me rappelle avec plus de tristesse que d'amertume cet argument absurde selon lequel le déve-loppement séparé serait la voie à suivre pour le peuple noir. Comment peut-on se mentir à ce point ? Mais au final, ma tâche n'en est que plus facile.

Je me suis également souvenue d'une parole de pay-san, celle d'un vieil homme qui n'avait jamais mis les pieds dans une salle de classe et qui avait dit quelque chose comme : « Mon maître entend dire que j'ai abattu un avion avec une flèche, il rit, je ris aussi, il pense que c'est drôle et moi aussi. Et quand un homme me dit qu'il est plus fort que le monde entier, je ris. C'est vraiment trop drôle. » Il était poursuivi pour les mêmes charges que moi, après être passé en voiture devant le stade d'Orlando et avoir déclaré à un groupe de sup-porters qu'ils feraient mieux de partir au combat plutôt que de jouer au football. Pour ma part, la plus terroriste de mes « activités » consiste à avoir déclaré, comme il est précisé dans l'acte d'accusation, que « je serai en première ligne le jour où la révolution commencera ».

L'oncle Marsh, qui attend toujours son permis de visite, est allé voir les filles il y a deux semaines. Il m'a rendu visite la semaine dernière et m'a affirmé que leur moral était en hausse, surtout celui de Zindzi. Le direc-teur l'a même entendue dire à Zeni : « Papa et maman ne sont pas morts, ils sont en prison. On les reverra un jour. Alors arrête de pleurer. » Voilà les nouvelles. Oncle Marsh va essayer de prendre les enfants pour les

---

1. Le procès de Socrate s'est en fait déroulé en 399 av. J.-C.

vacances, dans l'espoir de leur faire regagner un peu de poids. Elles sont toutes les deux très fatiguées. As-tu réussi à voir M. Brown ? J'ai cru comprendre que ta lettre de juin lui était parvenue le 23 du mois dernier.

J'ai avec moi des filles formidables qui sont une source d'enthousiasme inépuisable. Elles lèvent le poing pour te saluer avec respect – cela vaut en fait pour tous mes camarades. Thoko d'Alexandra se rappelle à ton bon souvenir et à celui de Xhamela. J'ai transmis à nos avocats ce que tu disais sur le fait d'être prêts à nous soutenir. Comme certains faits remontent désormais à 1962 du fait de la présence de Ramotse, j'imagine que l'accusation sera encore plus à son aise qu'au cours du premier procès.

Papa a pu ouvrir sa boutique de vente d'alcools, et c'est Thanduxolo[1] qui s'en occupe. Le 1er août, son syndicat a pris le contrôle de l'hôtel Bizana, privant ainsi la communauté blanche du seul endroit où elle pouvait étancher sa soif. C'est un grand sacrifice de sa part d'envoyer Ma et Sisi au procès, puisqu'elles gèrent en temps normal d'autres boutiques du réseau.

Mon chéri, j'ai l'impression d'apprendre comme jamais. Aucune école n'aurait pu m'enseigner ce que je découvre en subissant cette épreuve. L'expérience est inestimable. J'ai failli pleurer quand Shanti[2], les traits émaciés, a refusé de témoigner contre moi. Seule une personne ayant connu les affres de l'isolement carcéral peut saisir tous les sacrifices qui se cachent derrière une telle décision. C'est une digne fille d'Afrique.

Je t'envoie plein d'amour et un million de baisers.

À toi pour toujours,

Nobandla

---

1. Frère de Winnie Mandela.
2. Shanti Naidoo, incarcérée pendant six mois, forcée de rester debout cinq jours et cinq nuits, refusa de témoigner contre Winnie Mandela et fut condamnée à deux mois de prison.

Lettre de Winnie Mandela à son père Columbus

Mon cher papa,

J'espère que tu es aussi en forme que dans mes rêves. En mars, j'avais rêvé que tu étais au contraire très malade, et cela m'avait tellement troublée que j'avais demandé, en vain, la permission de t'écrire. J'ai été très soulagée d'apprendre courant juin que tu étais en bonne santé.

Mille mercis d'avoir envoyé Ma au procès. J'ai été bouleversée de la voir entrer dans la salle d'audience le 3. Je me suis rendu compte qu'elle était très secouée, en partie parce qu'on ne m'a pas laissée la rencontrer. Le 5, elle a pu me rendre visite en prison et a complètement craqué en me voyant arriver. J'avoue avoir moi-même été frappée par l'angoisse qui l'habitait. Ses yeux étaient tout gonflés, comme si elle n'avait pas arrêté de pleurer depuis lundi. J'ai fait de mon mieux pour la consoler, mais je crains d'avoir échoué. C'est l'une de ces situations où les mots ne savent plus exprimer les sentiments qui nous étreignent, surtout quand quelqu'un est en pleine traversée du désert.

Elle voulait des nouvelles de ma santé, ce que j'ai préféré taire vu son état. J'ai promis de lui en parler par lettre. Les spécialistes affirment que je souffre d'une affection cardiaque répondant au nom de tachycardie, littéralement « cœur rapide ». Il s'agirait d'une conséquence de mon stress permanent suite à tous les coups durs qui se sont abattus sur moi, aux années de vaches maigres, au fait de voir mes enfants [*mineurs*] poursuivis par la Police spéciale jusque dans leur école, enfants dont la mère était seule, au chômage, et ne pouvait donc pas exercer correctement ses responsabilités parentales.

Il semblerait que cette condition soit à présent devenue chronique. J'ai été admise à l'infirmerie de la prison le 6 mai, pour n'en ressortir que le 27 juillet. À cette occasion, le spécialiste m'a également appris que je souffrais d'hyperventilation, une autre complication due au manque de dioxyde de carbone dans les poumons. J'ai perdu beaucoup de poids à cause de tout ça, et je pense que c'est vraiment ce qui inquiète Ma, car elle me l'a fait remarquer à plusieurs reprises. Mais finalement, je ne me sens pas si mal, elle peut se tranquilliser. Je vais m'en sortir. On s'occupe bien de moi à présent. En plus des médicaments, le médecin m'a prescrit du pain et un grand verre de lait que je prends tous les jours. J'ai souffert d'une grave anémie au cours des derniers mois, mais ça va beaucoup mieux.

Ma m'a dit que les affaires marchaient bien. J'en suis ravie. Je me rappelle une de tes lettres, en 1956, dans laquelle tu me conseillais de me hâter avec lenteur. J'espère que c'est une théorie que tu as pu mettre en pratique et que tu ne te surmènes plus comme ces cinq dernières années. Qui sont les autres membres du syndicat qui ont pris le contrôle de l'hôtel Bizana ? Puisque les Blancs ne peuvent pas acheter d'alcool aux Noirs, comment vont-ils étancher leur soif ? Vont-ils aller jusqu'à Kokstad ou Port Edward pour une bouteille de bière ? J'espère que cela ne va pas déboucher sur un trafic lourd de conséquences. J'espère aussi que le niveau de vie du village ne baissera pas si les Blancs s'en vont – il se développait bien la dernière fois que je l'ai vu en 1962.

Ma prétend que ma petite sœur donne autant de fil à retordre à ses camarades de classe que moi à son âge. Dis-lui que je suis très fière d'elle. Cela me console de savoir qu'elle ira plus loin que moi dans les études. J'espère que tu l'orienteras vers la médecine ou vers le droit. Maman ne doit pas oublier de [la] mettre sur son passeport avec Zeni et Zindzi, afin qu'après les vacances de Noël elle puisse les ramener directement à l'école avec Zukiswa. Ma devrait visiter l'école où les filles iront l'année prochaine. Elles ont reçu une bourse de Sir Robert Birley, un spécialiste londonien des sciences de l'éducation qui se trouve actuellement dans notre pays. Je suis sûre que tu as lu quelque chose sur lui ces deux dernières semaines. J'étais très amie avec sa femme quand ils étaient rattachés à l'université de Witwatersrand. Il va voir les filles et réglera les détails de leur inscription à Waterford.

Mon frère aîné souffre-t-il toujours de troubles gastriques ? Sait-on enfin ce qu'il a ? J'espère au moins qu'il prend soin de lui. Ma m'a parlé aussi des gros progrès de Msuthu. Lungile avait fière allure pour une fois, même si j'ai appris qu'il était très paresseux. Je crois que tu devrais te montrer plus ferme avec lui pour l'aider à trouver sa voie. Ne le laisse pas changer de poste tout le temps, il doit se fixer.

J'ai demandé à Ma de s'occuper des enfants de mes beaux-parents, dont je suis la tutrice légale depuis le décès de ma regrettée belle-mère. L'aîné pose déjà des problèmes suite à un grave manque de discipline en mon absence. Ma t'a sans doute parlé du chaos qui règne dans mes affaires familiales, chaos contre lequel j'ai bien du mal à lutter de là où je suis — et où je risque d'être encore de longues années.

J'espère que tu ne laisseras pas les parents de Mxolisi le forcer à faire un stage chez un notaire avec juste sa dernière année de lycée derrière lui. Il est encore jeune et doit d'abord passer un diplôme universitaire. Comment vont Bandlakazi et Pumla ? Comment s'appelle le directeur du collège local ?

Ma devrait venir avec des oranges s'il y en a encore dans le jardin. Et aussi un grand sac de *madumbe*[1] car j'ai adoré ceux qu'elle avait apportés avec le poulet et les gâteaux. J'avais l'impression d'être de retour à la maison.

---

1. Plante tropicale à tubercule comestible plus connue sous le nom de taro.

Comment va mamie chez Ludeke ? Et tante Nomadabi et oncle Mewana ? S'il te plaît, transmets-leur tous mes vœux. Où sont Nomawonga et Thandeka ? Batshaka a-t-elle fini par rembourser ses frais pédagogiques ? Comment vont tous mes oncles ? Enfant, j'admirais secrètement l'oncle Laneginya pour son côté à la fois insouciant et très indépendant. J'espère qu'il ne s'occupe pas des boutiques. Je l'imagine incapable de vendre la moindre goutte d'alcool aux clients parce qu'il aurait commencé par se servir lui-même dès l'ouverture, devenant ensuite de plus en plus arrogant au fil des heures. Oncle Peter fait-il toujours de l'hypertension ?

Nelson m'a fait savoir qu'il t'avait écrit il y a quelque temps, ainsi qu'à Ma et à mon frère aîné, sans obtenir de réponse. Avez-vous reçu ces fameuses lettres ? J'espère que vous y avez répondu même si elles sont arrivées avec beaucoup de retard. Tu as dû entendre parler du décès de son fils aîné il y a un an. Ça lui a vraiment fait du mal, surtout si tôt après la mort de sa mère. Dans une lettre récente, il m'en parle encore en termes éplorés, et je vois bien que la douleur est toujours présente même s'il l'affronte en homme. Je serais très heureuse que Ma réussisse à lui rendre visite comme elle en a l'intention. De mon côté, toutes mes requêtes ont été rejetées. Aucun membre important de la famille n'est parvenu à le rencontrer depuis que cette série de drames a culminé avec ma propre arrestation.

J'attends avec impatience de revoir Ma le 24. Elle est resplendissante en costume traditionnel, c'est ainsi que je la préfère. J'aurais aimé avoir une photo d'elle comme ça. Si possible, je voudrais qu'elle m'apporte une photo de Zuki et une des enfants de mon frère, surtout ceux que je ne connais pas. Et une de la nouvelle boutique.

Salue toute la famille pour moi.

Ta fille qui t'aime,

Zanyiwe

Lettre de Nelson Mandela à Winnie

31 août 1970

(Le censeur m'a demandé de raccourcir cette lettre au prétexte qu'elle dépassait les cinq cents mots.)

Dade Wethu,

Je n'ai pu lire ta lettre du 2 juillet que le 14 août, soit un mois et douze jours après sa rédaction. C'était la plus belle de toutes, surpassant même la première du 20 décembre 1962. S'il y a une lettre que j'aurais absolument voulu garder pour la lire et la relire encore dans la solitude de ma cellule, c'est bien celle-là. En compensation de tout ce dont ton arrestation m'a privé, ces précieux détails que tu n'oubliais jamais – les cartes d'anniversaire de naissance et de mariage ou de Noël. Mais on m'a ordonné de la lire sur place, avant de me la retirer à peine la dernière ligne lue.

Le brigadier Aucamp a tenté de justifier cette procédure arbitraire en prétextant que, dans ta lettre, tu indiquais son adresse au lieu de celle de ta prison. Il m'a ensuite expliqué que les lettres que je t'envoyais étaient traitées de la même manière et que tu ne pouvais pas les garder. J'ai insisté pour en savoir plus, mais il est resté très évasif. J'en conclus qu'il s'agit là d'une grave atteinte non seulement à tes droits de prisonnière en attente de jugement, mais aussi à ceux qui en découlent de mon côté. Nos échanges sont soumis à une censure particulière. En fait, les autorités pénitentiaires ne veulent pas que tu montres mes lettres à tes camarades, et vice versa ; elles recourent pour y parvenir à toutes formes d'astuces plus ou moins légales. Il n'est pas impossible que notre correspondance se voie encore réduite au moins pour la durée du procès. Comme tu le sais, même le droit fondamental d'écrire et de recevoir une lettre par mois m'a été pratiquement retiré depuis ton arrestation. J'essaie de contacter Matlala depuis janvier dernier et Nolusapho depuis novembre. Le 19 juin, Aucamp m'a appris qu'un autre département lui avait intimé l'ordre de ne pas laisser partir ces lettres. Il a ajouté qu'il n'était pas autorisé à me fournir d'autres explications, mais que cela n'avait rien à voir avec le contenu des missives. Cet aveu a résolu le mystère de la disparition de presque toutes mes lettres ces quinze derniers mois. Et cette affaire va plus loin que ça. J'aimerais pouvoir faire confiance au personnel de la prison, mais je m'aperçois que cela reste un vœu pieux. Deux fois en juillet et une troisième fois au début du mois, on m'a certifié que ta lettre n'était pas arrivée. Or je sais à présent qu'elle était bel et bien là pendant qu'on m'assurait du contraire. J'ai aussi été écœuré d'apprendre grâce à toi que Marsh avait demandé un permis de visite et subi un refus au prétexte que la liste d'attente était trop longue. Rien ne pourrait être plus faux. Je n'ai reçu que trois visites ces huit derniers mois – en janvier, avril et juin. Mais je sais pourquoi ils ne veulent pas de Marsh. Comme il est en contact avec toi, le fait qu'il vienne me voir contrarierait Liebenberg[1] et la PS, qui cherchent à nous éloigner. Ce n'est pas la première fois que ce genre de choses se produit, et j'en sors toujours plus triste et plus déçu.

À part ça, il me semble que tes camarades et toi bénéficiez à présent de meilleures conditions de détention. J'ai demandé des précisions, ce qui m'a valu d'apprendre avec horreur que même après l'inculpation, vous n'étiez pas autorisées à recevoir des provisions et des vêtements de l'extérieur. Comment quelqu'un d'un tant soit peu honnête et intelligent peut-il justifier une telle barbarie ? Je suis pourtant persuadé que les prisonniers en attente de jugement ont le droit de recevoir des habits propres et des provisions de la part de leurs proches. Ce n'est pas

---

1. J. H. Liebenberg, procureur du procès des 22.

un privilège, c'est la loi. Et ce qu'il y a de tragique dans cette situation, c'est la douce ignorance dans laquelle se complaisent ceux qui profèrent plus souvent qu'à leur tour des paroles blessantes. J'en ai soupé d'entendre parler de prétendues concessions, invariablement faites en fin de journée et sur des détails si mesquins qu'elles entraînent plus d'amertume que de reconnaissance.

Mais revenons-en à ta lettre extraordinaire ! Il y a des moments dans la vie d'un couple qui ne s'oublient pas facilement, et ceux que tu décris avec passion je m'en souviens avec la même ardeur en y repensant moi-même très souvent. Merci beaucoup pour les informations sur les goûts et les manières de Zeni et Zindzi. J'aimerais vraiment en savoir plus à leur sujet, et ce sera une grande joie pour moi quand j'aurai enfin réussi à correspondre avec elles. Sinon, l'autre jour, j'ai relu le superbe télégramme que tu m'avais envoyé il y a deux ans pour mon cinquantième anniversaire. Je me suis donc aperçu que je deviendrai bientôt un « ancien », titre que même le plus ordinaire des hommes finit par acquérir en vertu de son grand âge. Je vais devoir me procurer quelques rations de corpulence supplémentaires afin de gonfler ma dignité et de donner tout le poids nécessaire à mes paroles. Si je rêvais d'obésité, j'aurais ici de quoi réaliser mes aspirations. Si je rêvais d'agiter mon gros ventre devant moi, je n'aurais qu'à me remplir l'estomac d'hydrates de carbone – porridge de maïs au petit déjeuner, épis de maïs cuits au déjeuner, porridge de maïs au dîner. Mais tes lettres m'en empêchent. Elles forment un formidable rempart qui me protège de la sénilité. Quand j'en lis une, le cours du temps semble s'inverser et je ne sais plus si je continue à prendre de l'âge ou si je rajeunis. La seconde option est plus probable.

J'ai tellement envie d'un bon vieil *amasi*[1] ! Tu sais bien, ma chérie, qu'il existe une discipline dans laquelle je suis

---

1. Boisson traditionnelle au lait aigre.

en mesure de ridiculiser tous mes contemporains, ou du moins prétendre occuper la première place : l'appétit. Il fut un temps où je pouvais engloutir d'énormes quantités de n'importe quel plat. Prendre le repas à l'envers en commençant par le dessert ne me gênait en rien. Je me rappelle certaines remarques d'une maîtresse de maison qui, à l'époque, étudiait également la médecine. Elle et son mari m'avaient invité un soir à dîner ; j'avais alors une réputation bien établie de gros mangeur de viande et, après m'avoir observé un bon moment en train de dévorer toute celle qui passait à ma portée, elle décida de me faire profiter de son nouveau savoir. Elle me déclara tout de go que je mourrai de thrombose coronarienne, probablement peu après quarante ans. Je commis l'erreur de la contredire en affirmant que je descendais d'une longue lignée de mangeurs de viande qui n'avaient jamais connu la moindre thrombose. Sur ce, elle sortit de nulle part un énorme manuel dont elle lut avec emphase le passage adéquat. Ce fut une expérience traumatisante. Je ressentis presque aussitôt un million de petites brûlures dans la région du cœur. Malgré sa brutalité, le conseil a fait son chemin dans mon esprit et depuis, même si j'adore toujours la viande, j'ai mis un frein à ma consommation. Mais mon appétit, lui, reste au plus haut – pas question de battre en retraite sur ce champ de bataille. Les somptueux repas que tu préparais avec tout ton cœur me manquent terriblement – le pain maison, les macaronis à la viande, les œufs au fromage, les queues et langues de bœuf, les côtelettes, les steaks, les tranches de foie et le porridge, avec ce miel à la saveur si particulière que tu rajoutais souvent dans tes plats. Et donc, par-dessus tout, j'ai envie d'*amasi*. Voilà l'aliment pour lequel j'aiguise mes crocs et tends mon ventre, l'aliment qui me réjouit, qui file droit dans mon sang et dans mon cœur pour y insuffler un parfait contentement. Un être humain, quelle que soit sa couleur de peau, qu'il vive parmi les chrétiens, les pharisiens, les hypocrites ou les barbares, et même s'il choisit le camp du diable, ne devrait jamais se trouver dans la situation de considérer le repas comme une corvée. Ce qui risque pourtant de se produire si les produits sont de mauvaise qualité, monotones, mal préparés et sans goût. Si seulement je pouvais avoir de l'*amasi*... Tu te rappelles sans doute le jour où nous avons transporté cette calebasse depuis Mbongweni. Quel joyeux voyage, Mhlope ! Je suis sûr que nous aurons l'occasion de revivre ça.

Entre-temps, je sais que ton courage sera à la hauteur du danger et que tu te battras jusqu'au bout. Te battre comme tes vaillants ancêtres l'ont fait de la région du Zuurveld à la rivière Ngwavuma, de Nxuba Ntaba Busuku, le Lulu, aux terres de Nyabela. Te battre comme une digne héritière de Mafukuzela, Seme, Makgatho, Rubusana et tous ces héros qui ont défendu les droits inaliénables de notre peuple. Ce 26 septembre, tu passeras ton deuxième anniversaire derrière les barreaux. J'espère que le suivant te verra libre et heureuse. Tous mes vœux t'accompagnent ! Je pense à toi sans cesse, Ngutyana. Je donnerai le meilleur de moi-même quand tes avocats m'appelleront pour me joindre à la bataille.

D'ici là, je t'envoie plein d'amour et un million de baisers.

Avec tout mon amour,
Dalibunga

Lettre de Nelson Mandela à son fils Makgatho

31 août 1970

Salut mon *bla*,
En fait, je ne sais pas si je dois encore t'appeler fils, *mninawa* ou, comme on dit chez nous, ma petite douceur.

Le lien de père à enfant qui nous a unis durant deux décennies s'est peu à peu délité au profit d'une amitié toujours plus forte et plus profonde. Je commence à te voir comme un camarade avec qui je peux évoquer espoirs et peines, échecs et réussites, quelqu'un avec qui je peux parler d'égal à égal et ouvrir mon cœur. C'est donc à un ami que j'écris aujourd'hui, à toi Lewanika, mon *bla* comme on dit là-haut dans le Rand. Toi à qui je peux écrire librement sans m'inquiéter de mon niveau de langage.

Tu dois être terriblement occupé puisque cela fait maintenant sept mois que je n'ai plus de tes nouvelles. Je sais que tu m'écriras dès que tu le pourras. J'aurais préféré ne pas te déranger, mais tu me manques énormément et j'aimerais vraiment savoir ce que tu deviens. D'autant plus que tu auras vingt ans ce 8 septembre, ce qui me donne une bonne excuse pour t'importuner. Bien sûr, ni maman ni moi ne serons à la maison pour organiser ta fête d'anniversaire, pour te souhaiter tout le bonheur du monde autour de la table familiale, pour chanter, raconter des histoires et faire la fête. Mais nous penserons très fort à toi. La famille est fière de toi et observe tes progrès avec grand intérêt. Je te souhaite beaucoup de chance, une bonne santé et les plus belles réussites. J'espère que tu as fini par recevoir notre carte de vœux.

Ces derniers jours, j'ai eu tendance à me perdre dans mes souvenirs, surtout ceux dans lesquels tu joues un grand rôle. Les séances au gymnase avec Jerry Moloi, Simon Tshabalala (torturé par la Police spéciale en 1964 et depuis en mauvaise santé), Joe Motsepe, Joe Mokotedi, Eric Ntsele, Freddie Ngidi, Selby Msimang et tant d'autres garçons formidables. Les quelques pièces que nous te donnions pour que tu puisses aller nager à la piscine de Huddlestone. Le Milner Park où tu as vu *King Kong* avec Nyanya, tout le poisson que tu as dévoré entre Qamata et Johannesbourg, et tant d'autres moments encore. Je m'en souviens comme si c'était hier. C'était pour toi l'époque de l'insouciance, l'époque où l'amour de tes parents te protégeait de la violence du monde. Tu ne travaillais pas, tu avais nourriture et vêtements en abondance, rien ne venait troubler ton sommeil. Mais certains de tes camarades de jeu se baladaient nus et sales parce que leurs parents étaient trop pauvres pour leur fournir de quoi s'habiller. Tu les amenais souvent à la maison pour qu'ils puissent manger à leur faim ; parfois, tu offrais même l'entrée à la piscine à un ami dans le besoin. Peut-être agissais-tu alors par pure amitié enfantine, sans prendre conscience des terribles inégalités qui caractérisent notre société. J'espère que, aujourd'hui, tu es toujours prêt à aider ceux qui n'ont pas la vie facile. Néanmoins, même s'il est bon de prêter main-forte à ses amis, les gestes individuels ne constituent pas une solution à long terme. Ceux qui veulent éradiquer la pauvreté de la surface de la Terre doivent utiliser d'autres armes que la simple gentillesse. Il y a des millions et des millions de pauvres, d'analphabètes, de chômeurs, d'hommes et de femmes ridiculement sous-payés qui vivent dans des logements sales et surpeuplés, qui ne se nourrissent que de *dikgobe*, de *papa*, de *mngusho*, de *motoho* et de *marhewu*[1], des gens dont les enfants ne boivent jamais une goutte de lait et sont exposés à toutes les maladies.

Ces problèmes ne pourront être résolus par une somme de gestes individuels. L'homme qui voudrait utiliser sa richesse pour aider tous les pauvres finirait par se ruiner et par rejoindre leurs rangs. L'expérience montre que ce genre de question doit être attaqué de front par un groupe de personnes déterminées, portées par les mêmes idéaux et unies derrière une cause commune. La plupart d'entre nous n'ont pas bénéficié

---

1. Divers porridges et boissons à base de maïs ou de haricots blancs *(NdT)*.

des connaissances offertes aux jeunes d'aujourd'hui – une large gamme de livres progressistes évoquant le combat de l'homme pour dompter la nature, et bien sûr les classiques immortels qui soulignent, d'un côté, l'interdépendance des êtres humains, et, de l'autre côté, les conflits sociaux provoqués par les intérêts divergents qui divisent la société en plusieurs strates. J'avais presque trente-cinq ans quand j'ai commencé à dévorer ce genre de littérature. Quel monde j'ai découvert ! Tu sembles meilleur militant et meilleur démocrate que je ne l'étais à ton âge, et j'espère que tu choisis tes lectures avec discernement. Mais nous discuterons de tout cela en détail lors de ta prochaine visite. As-tu apprécié *Le Don paisible*, de Cholokhov ? Tellie a-t-elle reçu ma lettre du 6 mars 1970 ? Je t'ai aussi écrit [*le*] 31/03/70, ainsi qu'à Maki le 1/05/70. Je te souhaite encore une fois un joyeux vingtième anniversaire. Prends bien soin du 8115.

Bien affectueusement,

Tata

Lettre de Nelson Mandela au ministre de la Justice

14 septembre 1970

Ma femme a été arrêtée le 12 mai 1969 et se trouve depuis lors derrière les barreaux.

Je l'ai vue pour la dernière fois en décembre 1968. Suite à son arrestation, j'ai demandé à deux reprises un permis de visite auprès de M. l'administrateur des prisons. Ma seconde demande faisait suite à l'admission de ma femme à l'infirmerie, dans un état préoccupant. Ces deux requêtes ayant été rejetées, je me permets de solliciter aujourd'hui votre appui.

De nombreux problèmes familiaux, urgents et importants, ne peuvent être traités à distance. Lorsque vous examinerez cette requête, je vous invite à garder à l'esprit qu'aucun texte de loi ne m'interdit, en tant qu'époux, de m'entretenir avec ma femme avant la tenue de son procès, que celui-ci soit ou non d'ordre politique. Il est au contraire de mon devoir de lui apporter toute l'aide nécessaire. Mon statut de prisonnier n'est pas en soi une raison suffisante pour m'empêcher de remplir mes obligations conjugales. Veuillez également noter que ma femme est emprisonnée depuis plus de quinze mois, dont dix passés à l'isolement – une expérience éprouvante et sans aucun doute à l'origine de la dégradation de son état de santé. J'ai la faiblesse de croire que le plaisir de nos retrouvailles lui permettrait de se remettre au plus vite et d'aborder le procès dans de meilleures conditions.

En rejetant mes requêtes, le général Steyn a piétiné l'humanité et la compassion dont il avait pourtant fait preuve à mon égard au cours des huit dernières années. Je garde l'espoir que de votre côté, en tant que responsable de la justice de ce pays, vous saurez faire preuve de droiture et d'équité au moment de prendre une décision qui, j'en suis sûr, reflétera le sens des valeurs attaché à votre fonction.

[*signature*] Nelson Mandela : 466/64

Lettre de Nelson Mandela à Winnie

1er octobre 1970

Ma chérie,

Enfin une bonne nouvelle ! J'ai bien reçu le télégramme dans lequel tu m'informes de ta libération. Je suis sûr que tu as été aussi surprise par ton acquittement que moi par le télégramme. J'aurais aimé te répondre aussitôt, mais cette commodité m'est refusée même lors d'événements si extraordinaires qu'un acquittement dans un grand procès. J'ai dû attendre deux semaines avant de pouvoir t'envoyer mes plus vives félicitations pour être sortie toujours pleine d'entrain de tes 491 jours d'incarcération.

Je vous souhaite un bon retour, à toi et à tes vaillants camarades ! Si j'avais été à la maison pour t'accueillir, j'aurais volé une chèvre à un homme riche et l'aurais sacrifiée avec du *ivanya ne ntloya* pour l'accompagner. N'est-ce pas la seule façon pour un mendiant tel que moi d'honorer ses héros ?

En conséquence, je tiens ma promesse et dis adieu à « *dade wethu* » pour t'appeler de nouveau « ma chérie », ma très chère Mhlope. Ce terme que j'employais depuis août 1962 m'avait beaucoup manqué ces temps-ci.

Et toi, maintenant que tu es de retour, tu me manques encore plus que pendant ton séjour en prison. Je me suis battu avec acharnement pour obtenir le droit de te rendre visite, sachant que cela te ferait le plus grand bien. Mais je me battais aussi pour moi, pour ne pas sombrer. Parfois, je me comportais comme quelqu'un chez qui un ressort important venait de se briser. J'étais incapable de me concentrer, obsédé par la vision de ma chère femme croupissant dans une pièce sale, sans rien à lire, sans personne à qui parler. Ta libération a effacé mes craintes, mais renforcé ma langueur. Je n'en peux plus. J'ai besoin de te voir. C'est à mon tour de me recroqueviller jusqu'à être plus petit que Zeni. Quand vas-tu venir ? J'aimerais tant bénéficier d'une visite privée pour pouvoir te prendre dans mes bras, sentir la chaleur de ton corps, me voir dans tes yeux et discuter normalement avec toi sans avoir à hurler pour me faire entendre au parloir.

J'ai envie d'être à tes côtés dans un environnement paisible, comme il sied à un couple marié qui doit parler de sa famille après presque deux ans de séparation. Mais ceux qui portent la croix ne doivent pas se plaindre quand le chemin s'élève, et je ne me plaindrai donc pas. Ta santé s'est-elle améliorée ? As-tu vu Zeni et Zindzi ? Quelles sont les nouvelles ?

Sinon, quelques heures avant de recevoir ton fabuleux message, j'avais rédigé une lettre à l'intention du ministre de la Justice pour qu'il autorise enfin notre rencontre. Je continuais à me battre alors que la bataille était déjà gagnée. Si le juge avait rejeté ton recours et le ministre ma demande, je m'en serais sans doute remis à un sorcier, ou à une divinité quelconque, ou à Marx. Heureusement, je n'ai pas eu à choisir entre ces diverses possibilités.

Je suis désolé d'apprendre que Ramotse n'a pas été relâché. J'espère qu'il s'en tirera lors du procès proprement dit.

On a dû te prévenir que notre ami M. Denis Healey m'avait rendu visite le 19 septembre en compagnie de l'ambassadeur de Grande-Bretagne. Il m'a dit que tu avais revu Helen[1] et Shanti, et que le soir même tu assistais à un bal donné en son honneur. Cela m'a fait très plaisir, car tu as besoin de te détendre et de prendre du bon temps après une telle épreuve. Amuse-toi bien, mais essaie d'éviter les excès. C'est une étrange coïncidence que tu aies choisi de rendre visite aux Joseph et aux Naidoo à un moment où je pensais beaucoup à eux.

J'eusse aimé que tu puisses rencontrer Naran, le père de Shanti, un homme courageux connu pour son dévouement et sa simplicité. Nous avons été arrêtés ensemble en juin 1950 et détenus quelques heures avant d'être libérés. Quand nous sommes revenus à sa maison de Doornfontein[2], nous étions épuisés et affamés. Amma, toujours souriante, nous a servi un plat de crabe et de riz. C'était la première fois que je voyais cette bête-là cuite, et le seul fait de la regarder m'a rendu malade

---

1. Helen Joseph.
2. Banlieue de Johannesbourg.

et mis les entrailles en déroute. Mais tu sais bien, ma chérie, que je ne renonce pas facilement une fois à table. J'ai donc essayé de m'en tirer aussi dignement que possible, parvenant même à mâchouiller une patte ou deux. Un moment fort délicat. Je suis ensuite devenu très ami avec les Naidoo – chez qui j'ai appris à aimer le crabe.

Shanti était encore toute gamine à l'époque. Je l'ai vue grandir et devenir une fille résolue qui marchait vaillamment dans les pas de son père. Mais je ne l'aurais jamais crue capable d'une telle résistance et d'une telle force de caractère.

Quant à notre amie Helen, je crois que c'est le genre de femme qui continuerait à se battre même après son enterrement, à condition que la mort autorise ses victimes à pratiquer certaines activités posthumes. Vu ses origines, ses études et son statut social, elle n'avait aucune raison de ruiner sa brillante carrière en faisant les choix qui furent les siens. Elle avait le droit de vote, pouvait adhérer à n'importe quel parti respectable et s'exprimer librement sur tous les sujets de société. Seule une personne guidée par de grands principes et totalement dévouée à la cause de la liberté aurait pu prendre une si grave décision. J'éprouve pour elle un immense respect. Ce sera certainement l'une des premières personnes à qui je rendrai visite une fois libre, tout comme Nomvula et toi l'avez fait dès le lendemain de votre libération. Elle sait donner des coups et en recevoir, et je suis sûr qu'elle continuera à cogner même le jour où tous les peuples unis d'Afrique du Sud rendront hommage à sa dépouille mortelle. Transmets-lui mes meilleurs vœux, ainsi qu'à Amma et Shanti.

Ma chérie, tes amis m'ont impressionné au-delà du possible. Je n'en attendais pas moins de David, Elliot, Mqwati, Rita, Douglas, Thoko, Martha et Livingstone. Et je sais qu'un jour j'aurai l'occasion d'en savoir plus sur Samson, Jackson, Nomvula, Paulos, Joseph,

David Dalton, Victor, George, Joseph Chamberlain, Simon, Owen, Samuel et Peter. Je leur présente à tous mes plus profonds respects. Je suis si fier de toi, ma chérie. Pour moi, tu es ce qui compte le plus au monde. Tu auras tant d'histoires à me raconter quand je rentrerai à la maison. Un beau jour, nous ferons nos valises et nous partirons, enfin libérés des soucis de ce monde.

En attendant, je t'envoie plein d'amour et un million de baisers.

Avec tout mon amour,

Dalibunga

Lettre de Winnie à Nelson Mandela

26 octobre 1970

Mfo Wethu,

Je t'écris encore une fois, même si je n'ai eu aucune réponse à mes lettres des 2 juillet, 3 août, etc. Juste avant notre libération, le brigadier Aucamp m'a certifié qu'il t'avait remis les lettres en main propre et que, à sa connaissance, tu n'y avais pas répondu.

Aujourd'hui, quand je suis revenue chez nous à midi, la porte était fermée. Je m'étais rendue chez le médecin pour mon traitement quotidien, et en avais profité pour pointer comme d'habitude au commissariat. J'ai eu la surprise d'y retrouver Nyami, arrêtée pour avoir séjourné chez moi sans permis. À la maison, il y avait un avis pour une lettre de toi, sans doute arrivé après son arrestation. Nyami sera jugée le 27 et moi le 29 pour violation de l'ordonnance judiciaire, ceci en plus de l'appel du 2 novembre. Mes sœurs et leurs maris ont été convoqués pour interrogatoire afin, je suppose, de témoigner qu'ils m'ont bien rendu visite.

Une fois la caution payée, Nyami et moi sommes allées chercher ta lettre. Quelle belle surprise ! Et quelle étrange impression de découvrir qu'une partie de son contenu n'était plus d'actualité. C'est fascinant de voir ce schéma de harcèlement grossier coïncider avec tant de forces à l'œuvre. Je ne cesse de répéter que la maigre expérience de ces deux années de tourments m'ont rendue imperméable aux mesquineries reflétant une totale méconnaissance de la réalité – en partie inconsciente – de la part de l'ordre établi. Celui-ci refuse d'accepter le fait que « l'ordre nouveau remplace peu à peu l'ancien[1] ». Mais s'opposer à ceux qui croient encore détenir du pouvoir s'avère parfois coûteux et mal vu. Je suis consciente que mes stratégies initiales n'ont pas toujours secoué l'ordre établi. Il faut dire que je n'avais tenté d'imiter personne. Au final, le pays se trouvant dans une situation inédite, seule l'histoire donnera raison à ceux qui suivent le droit chemin et discréditera les autres. Des problèmes différents réclament des stratégies différentes. D'une façon assez amusante, tout ceci me rappelle Socrate, le philosophe grec, qui passait en plein jour de maison en maison avec une lanterne allumée[2]. Les gens se demandaient si le grand sage était devenu fou mais, quand on l'interrogeait sur son geste il répondait simplement : « Je cherche un honnête homme ! »

Le test brutal qu'ont subi mes idéaux, ainsi que mes expériences dans le vaste monde à présent que j'y suis temporairement revenue, sont tels que je n'ai guère besoin d'épiloguer sur les critiques contenues dans la lettre de Nyami. Le temps et l'histoire s'en chargeront. Mon seul souci à l'heure actuelle est que tu nous rejoignes au plus vite, car n'est-on pas mieux placé pour diagnostiquer les ravages de la thalidomide chez les bébés avec un stéthoscope et du matériel moderne ? Un spécialiste qui ne s'appuierait que sur le diagnostic d'un

---

1. Lord Alfred Tennyson.
2. Il s'agit en fait de Diogène *(NdT)*.

généraliste ou sur ses propres examens datés de dix ans mettrait son patient en péril. Je sais qu'ils ne sont pas qu'une poignée à nous soutenir – ça, c'est ce que j'entendais pendant les interrogatoires au Compol Building. Tout le peuple noir est derrière nous, en Afrique du Sud et à l'étranger. C'est par contre la première fois que je suis confrontée au retrait de certains camarades. Presque la moitié des gens cités dans la lettre de Nyami sont fichés par la Police spéciale, ce qui les force à rentrer dans le rang s'ils veulent continuer à travailler, nourrir leur famille et éviter de faire comme moi d'incessantes visites au tribunal. Bangilizwe, Vulindlela et Ralangobuso ont été interrogés, Tellie l'est encore en ce moment même. Leabie et Nombulelo ont séjourné en prison tandis que Niki est menacée chaque jour de perdre son emploi si elle continue à venir me voir. Marsh a déjà dû quitter un très bon poste. Nali et Sef[1] ont fui un harcèlement commencé quand ils habitaient chez moi, de même que Gabula. George s'est lui aussi retrouvé en prison par ma faute. Mohla et Ishy ont reçu une ordonnance judiciaire et Sally a dû s'éloigner de moi pour espérer garder ses boutiques.

En prison, j'ai reçu de nombreux messages d'excuses de tes Ndlangisa[2], sans compter les milliers d'autres envoyés par des groupes semblables, mais pas tant des excuses que des confessions ou des suppliques pour être pardonnés. Il arrive un moment où l'histoire en marche étouffe toute forme de vie privée. Quand on me parle de passer du bon temps, je repense à mes six jours et six nuits d'interrogatoire, dont je garde un souvenir quasi photographique. Dans une des lettres que je t'ai écrites, je disais qu'un homme vivant une vie normale dans une société anormale était lui-même anormal. Il y a de cela quelques années, j'aurais pu être surprise par

---

1. Une des sœurs de Winnie Mandela, et son mari, Sefton Vutela.
2. Un clan xhosa *(NdT)*.

ce genre de commentaires, mais à présent, plus rien ne saurait me surprendre car je sais que j'ai choisi une vie d'épreuves, d'insultes et de larmes – unie avec mon peuple pour le meilleur et pour le pire.

C'est absurde de prédire un retour à l'atmosphère de 1961 alors que ma sœur et mes frères vont passer devant des soi-disant juges pour avoir eu le malheur de loger chez moi sans permis ! Après lecture de ta lettre, je ne suis guère surprise que Nyami ait été arrêtée ce matin. Je ne veux pas voir ma propre famille souhaiter ce retour en arrière, j'ai juste besoin d'être seule, loin de ceux qui nous en veulent – alors je pourrai recommencer à rêver. Un des paragraphes de cette lettre est censuré – quel dommage.

Je n'ai rien reçu d'autre, mon chéri. La dernière lettre de toi date de juin 1970, même si j'ai continué à t'écrire. J'espère que tu as reçu les cent rands que j'ai envoyés. Désolé, mon amour, de ne pas avoir pu faire plus pendant que j'étais derrière les barreaux. Papa est à l'hôpital King Edward, dans un état grave. Je me suis précipitée à son chevet avant mon assignation à résidence. Il a vraiment l'air au plus mal. Je suis allée sur les tombes de grand-père et grand-mère, ainsi que sur celle de Ma à Bizana. Mpumelelo a sacrifié un bœuf. Tous les MaNgutyana prient pour ton retour et pensent que c'est pour bientôt. J'ai aussi rendu visite à Fatima[1], ce fut un très bon moment. Elle m'a donné des livres magnifiques. Elle te salue et dit qu'elle a essayé de venir te voir, mais le permis de visite lui a été refusé alors qu'elle était déjà au Cap. Sa fille aînée étudie l'architecture à l'université du Natal. En fait, je voulais voir plus de monde, mais j'ai passé beaucoup de temps au chevet de papa.

Notre maison donne l'impression d'avoir été frappée par une tornade. Il va falloir recommencer à

1. Fatima Meer.

tout réparer dès que j'aurai trouvé du travail. Pour le moment, c'est mal parti. David A.[1] m'a écrit pour savoir si tu avais besoin d'une aide financière ou de quoi que ce soit d'autre. Avant que l'ordonnance tombe, Adie et Paul[2] ont appelé de la part de tout le monde là-bas afin de nous souhaiter bonne chance pour l'appel. Mary[3] a envoyé un télégramme de soutien.

D'une certaine façon, je me suis sentie très proche de toi ces deux dernières années. C'était la première fois que nous partagions aussi longtemps les mêmes conditions de vie. Manger ce que tu mangeais et dormir sur le même genre de paillasse me donnait l'impression d'être à tes côtés. Peu importe si la mesquinerie ambiante t'empêchait de recevoir ne serait-ce que quelques cartes et télégrammes, comme tu me l'expliquais dans une des lettres que je n'ai plus — un jour, je te donnerai bien plus que ça. Une amie m'a amené les filles deux jours la semaine dernière. Elles ne sont pas belles à voir, mais iront très vite mieux si nous gagnons en appel. Zeni prend tout ça affreusement mal, et toutes deux sont très tristes d'être tenues éloignées de la maison depuis mon arrestation.

Zindzi s'est mise au piano, tu pourras chanter avec elle ! J'espère que tu nous reviendras aussi joyeux qu'avant ! En attendant, mon chéri, je me bats pour te rendre visite. J'en ai tellement hâte. Et maintenant, c'est moi qui gagne sur les cheveux blancs — j'en ai plus que toi. Je ne me suis pas reconnue la première fois que je suis passée devant un miroir en prison ! Des cheveux blancs à trente-six ans ? Par contre les cernes sous mes yeux se résorbent petit à petit.

Te rappelles-tu ce que tu m'as dit au Fort lors de ma première visite après ton arrestation ? Tu t'es exclamé : « Ce n'est pas la femme que j'ai épousée, tu es devenue

---

1. David Astor, patron du journal *The Observer*, à Londres.
2. Adelaïde et Paul Joseph, militants en exil en Angleterre.
3. Mary Benson, militante en exil à Londres.

si laide ! » Puis tu m'as envoyé un magazine sur « Les reines du monde — les femmes qui se cachent derrière les grands hommes politiques ». La plupart d'entre elles étaient des premières dames d'États noirs. J'étais vraiment furieuse ce jour-là, moi qui avais pris le temps de me faire belle pour venir te voir !

Tu me manques tellement, Mntakwethu. Nous t'envoyons tous plein d'amour.

À toi pour toujours,
Nobandla

Lettre de Nelson Mandela au commandant de Robben Island

1er novembre 1970

La plupart des soucis dont j'ai discuté le 25 octobre avec le commandant Huiseman ont été réglés, ce dont je vous suis très reconnaissant. Je me réfère dans le présent courrier à ceux qui n'ont pas été traités, ou alors de manière incomplète.

1 – J'ignore toujours si une lettre de ma femme est arrivée ou pas. Ayant le plus grand mal à croire qu'elle ne m'ait pas écrit depuis sa libération le 15 septembre, je vous prie de bien vouloir vous pencher personnellement sur la question.

(a) – Dans sa lettre du 24 août 1970, mon beau-frère Marshall Xaba m'informe que des photos ainsi que les bulletins scolaires de mes enfants m'ont été envoyés avant ladite lettre. Cela fait donc maintenant plus de deux mois et je n'ai toujours pas ces documents en main.

(b) – Je vous demande de bien vouloir étudier à nouveau le cas de la lettre de Kenneth Stofile datée du 22 avril. Son arrivée ici m'a été confirmée non seulement par deux agents expérimentés du bureau de la censure, mais aussi par l'expéditeur lui-même dans une seconde lettre datée du 12 mai et qui m'a été remise en juin. Il me paraît anormal de vouloir tirer un trait sur cette affaire juste en prétendant n'avoir aucune trace de la lettre. Les censeurs doivent savoir ce qu'elle est devenue. Veuillez mettre ceci en parallèle avec les nombreuses autres lettres qui ne me sont jamais parvenues, dont je vous ai donné la liste à plus d'une occasion.

3 – J'ai écrit à Jane Xaba le 29 juin 1970. Elle m'avait de son côté écrit en octobre de l'année dernière, courrier que je n'ai jamais reçu. Pour une raison inconnue, ma lettre du 29 juin a été transférée à Pretoria. Fin juin, j'en ai montré une copie à un agent du bureau de la censure, qui s'est étonné que l'original ait été envoyé au quartier général puisqu'il n'y était question que de ma famille. Le 19 août, le brigadier Aucamp m'a assuré que ses services l'avaient expédiée à sa destinataire. Le 10 octobre, Mme Xaba a rendu visite à son frère, Fikile Bam, qui lui a dit n'avoir rien reçu de ma part. Comme vous le constaterez à sa lecture, cette lettre a subi un sort injuste, en vertu de quoi je vous demande de bien vouloir m'autoriser à en renvoyer une copie.

Auriez-vous l'obligeance de bien vouloir me fournir la liste de toutes les lettres adressées à mon nom et transmises au quartier général en 1969 et 1970 ?

4 – Dans sa lettre mentionnée au paragraphe 2(a), mon beau-frère m'informe qu'il a de nouveau sollicité l'autorisation de me rendre visite. A-t-il reçu un permis, et si oui pour quelle date ? J'ai appris de même que ma belle-mère, Helen Madikizela (Bizana, Transkei), avait elle aussi fait cette demande à plusieurs reprises sans recevoir de réponse. En conséquence, j'aimerais prendre connaissance de la liste détaillée des personnes à qui vous avez refusé l'autorisation de me rendre visite

depuis le 12 mai 1969, accompagnée des raisons – s'il y en a – de ces refus.

Ma femme a-t-elle effectué récemment une demande de permis de visite ?

5 – Le 23 octobre, le lieutenant Nel m'a affirmé qu'aucun courrier n'était arrivé pour moi de la part de M. Denis Healey. Or, le 19 septembre, M. l'ambassadeur de Grande-Bretagne avait promis de m'envoyer certains documents, et le général Nel avait confirmé ne pas s'opposer à cet envoi. Vu le délai excessif, je vous demande de bien vouloir m'autoriser à adresser une lettre recommandée à M. l'ambassadeur pour lui rappeler sa promesse.

6 – La lettre que j'ai écrite à ma femme le 1er octobre a disparu avant même son envoi. J'en ai fourni une copie le 27 octobre, assortie d'une demande de courrier recommandé. J'aimerais pouvoir consulter les bordereaux d'envoi en recommandé des lettres suivantes :

(a) – pour Makgatho Mandela, datée du 31 août 1970,

(b) – pour Mme Z. K. Matthews, datée du 1er octobre 1970,

(c) – pour Mlle Nonyaniso Madikizela, datée du 1er novembre 1970.

Vous êtes bien sûr au courant des difficultés rencontrées par ma famille, notamment les incroyables efforts que nous devons déployer pour réussir à communiquer les uns avec les autres. Je vous prierai donc de bien vouloir vous pencher sur la question avec rigueur et objectivité, afin de dégager des explications raisonnables à cet état de fait.

Je vous suis extrêmement reconnaissant de l'aide déjà apportée, et je regrette de devoir ajouter ces tracas à votre si lourde charge.

[*signature*] Nelson Mandela 466/64

Lettre de Nelson Mandela au gardien chef de Robben Island

24 décembre 1970
Gardien chef Van der Berg
Infirmerie, Robben Island

Je vous serais très reconnaissant de bien vouloir porter les deux lettres ci-jointes à l'attention du médecin militaire.

J'en profite pour vous rappeler ma demande concernant le miel.

[*signature*] Nelson Mandela 466/64

[*note manuscrite*]

Je ne suis pas l'ami de ce gredin. Je lui ai dit et répété de ne pas m'envoyer ses messages. Ce n'est pas moi le C/O (commandant).

[*autre note manuscrite*]

C/O Voir la note du D/G sur cette requête. À vous de voir.

Lettre de Nelson Mandela au médecin militaire de Robben Island, aux bons soins du commandant

24 décembre 1970
À l'attention du médecin militaire

Mon dossier médical montre non seulement que ma tension est restée dangereusement élevée pendant des mois, mais aussi que j'ai souffert de fréquents vertiges et maux de tête.

Je prends à l'heure actuelle six Rantrax (50) et six Aldimet par jour, qui me rendent somnolent pendant les heures de travail. À plusieurs reprises, et bien malgré moi, j'ai dû demander au gardien de service l'autorisation de m'allonger, aussi bien le matin que l'après-midi. Pour ce que je crois en savoir, ma tension n'a pas dépassé le niveau enregistré le 14 septembre 1970. Au contraire, j'ai noté une légère amélioration et une diminution des maux de tête.

J'ai bien conscience que mon traitement s'améliore et que je bénéficie en ce moment d'un repos complet. Je m'en suis expliqué clairement et en toute franchise avec le gardien en charge de ma section, le gardien chef Fourie et vous-même. On m'avait prescrit il y a quelque temps une période de repos en cellule, mais une fois de retour au travail, je ne me portai guère mieux. Les maux de tête et les vertiges sont réapparus, de même que la fatigue et la somnolence. Je suis donc retourné en cellule, sans oublier d'en avertir immédiatement le Dr Going, qui a promis de se pencher sur la question.

Je me permets de vous résumer à nouveau la situation car je considère important que vous soyez tenu pleinement informé de mon état de santé. Je vous fais toute confiance pour l'examiner sous un angle purement médical et humanitaire.

[*signature*] Nelson Mandela 466/64

Lettre de Nelson Mandela au médecin militaire de Robben Island, aux bons soins du commandant

24 décembre 1970
À l'attention du médecin militaire

Je vous serais très reconnaissant de bien vouloir reconsidérer votre refus de m'accorder la permission de commander quatre livres de miel pour raisons médicales.

J'ai pris connaissance du commentaire apposé sur ma première demande, dans lequel vous affirmez que je n'ai pas besoin de ce produit. Je me rappelle vous avoir montré une brochure éditée par la SABC[1], contenant un discours du Dr McGill. Ayant souhaité attirer votre attention sur un paragraphe particulier, j'avais alors manqué l'information cruciale mentionnée en page 5, que j'ai hâte de vous faire connaître.

La lecture de mon dossier médical révèle que même si ma tension a cessé de monter grâce à de plus fortes doses de médicaments, mon état est loin d'être revenu à la normale. En vous penchant de nouveau sur mon cas, veuillez garder à l'esprit qu'il s'agit de considérations d'ordre médical, mais aussi psychologique, etc. J'espère que vous me permettrez d'en discuter à nouveau avec vous si la présente lettre ne parvenait pas à vous convaincre de revenir sur votre décision.

[*signature*] Nelson Mandela

[*commentaire du médecin*]

Son traitement est à la pointe de la médecine moderne. Quant au miel, il n'a aucun effet sur l'hypertension. Je vous renvoie donc à mon premier avis sur la question. Je me tiens prêt à examiner Mandela à tout moment.

Lettre de Nelson Mandela au ministre de la Justice

13 mai 1974

Monsieur le ministre,

Je vous serais très reconnaissant de bien vouloir considérer le contenu de cette lettre comme hautement prioritaire. J'avais espéré vous transmettre ces doléances il y a déjà plus de deux mois, mais compte tenu de ma

---

1. South African Broadcasting Corporation, compagnie publique de radio et télévision sud-africaine.

situation actuelle et des lenteurs de l'administration, je n'ai pas été en mesure de vous écrire plus tôt.

1 – Je serais votre obligé si vous vouliez bien :

(a) Accorder à ma femme, Mme Winnie Mandela, 8115 Orlando West, Johannesbourg, un permis de port d'arme à fin d'autodéfense.

(b) Demander au ministre de la Police d'ordonner aux agents de la Police nationale de s'en tenir à la stricte application de la loi lorsqu'ils ont affaire à ma femme.

(c) User de votre influence auprès de la municipalité de Johannesbourg pour qu'elle relâche ses procédures migratoires et autorise mon beau-frère, M. Msuthu Thanduxolo Madikizela, et son épouse à résider en permanence avec ma femme au 8115 Orlando West, Johannesbourg.

(d) Demander au ministre de la Police d'envoyer des agents garder notre maison de 19 heures à 6 heures du matin tous les jours, et ce jusqu'à ce que mon beau-frère et sa famille s'y installent.

(e) Demander au ministre de l'Intérieur de fournir un passeport à ma femme afin qu'elle puisse passer des vacances à l'étranger.

(f) Nous accorder, à ma femme et moi, une visite privée de deux heures afin de discuter des graves problèmes mentionnés dans cette lettre.

2 – Ma femme a été placée sous ordonnance judiciaire au titre de la loi de répression du communisme votée en 1950. Même si je n'ai pas eu l'occasion de consulter cette ordonnance, j'ai cru comprendre qu'on lui interdisait de prendre part à un rassemblement et d'entrer dans une usine, un centre éducatif ou tout autre lieu semblable. Elle a le droit d'occuper un emploi dans la zone urbaine de Johannesbourg, mais doit sinon demeurer dans le ghetto d'Orlando, sans pénétrer dans le reste de la zone connue sous le nom de Soweto.

3 – Selon les termes de l'ordonnance susmentionnée, il existe une certaine plage horaire durant laquelle nul n'est autorisé à rendre visite à ma femme à l'exception de nos deux filles âgées de quinze et treize ans. Nos enfants se trouvant à l'internat la majeure partie de l'année, cela signifie qu'elle doit vivre seule à la maison.

4 – Fin 1970, ainsi que le 27 mai 1971, j'avais écrit à votre prédécesseur, M. Pelser, pour lui demander audience afin de discuter avec lui des conséquences de l'ordonnance judiciaire imposée à ma femme. Dans cette optique, je me permets de citer ci-dessous un passage de ma lettre du 27 mai 1971 :

« Je considère dangereux pour une femme et nuisible à sa santé de vivre seule dans une ville aussi dure que Johannesbourg. La mienne souffre d'une maladie causée par le stress et l'angoisse, qui lui a déjà valu de nombreux évanouissements. Croyez bien que je vis un véritable cauchemar depuis septembre dernier. Elle m'a rendu visite à trois reprises depuis sa libération, et je constate à chaque fois sur ses traits les ravages de la peur, du désarroi et des nuits de solitude. Sa pâleur dénote un grand épuisement. J'ai appris que ces tourments vous étaient connus, puisqu'ils vous ont été expliqués en détail, et sans succès, aussi bien par elle que par son avocat. J'ai du mal à croire que vous restiez indifférent aux dangers qui menacent la vie d'un autre être humain, et vous demande donc de modifier l'ordonnance afin que ma femme puisse bénéficier du soutien de sa famille et de ses amis. »

Dans cette lettre, je soulevais également d'autres problèmes familiaux importants et insistais pour obtenir une audience.

5 – Le commandant de Robben Island et le brigadier Aucamp m'ont tous deux certifié que ces lettres avaient bel et bien été envoyées à votre prédécesseur. Je dois malheureusement vous informer que M. Pelser n'a même

274

pas daigné m'honorer d'un accusé de réception, sans parler bien sûr d'une réponse en bonne et due forme.

Néanmoins, quelque temps après la lettre de mai 1971, ma femme m'a informé que les termes de son ordonnance avaient été assouplis, lui permettant d'accueillir des proches autorisés à résider dans la zone urbaine de Johannesbourg en vertu des procédures migratoires. Selon elle, même si l'ordonnance demeurait très restrictive, certains problèmes évoqués dans ma seconde lettre avaient trouvé un semblant de solution.

6 – Suite à l'assouplissement de ladite ordonnance, nos amis, M. et Mme Madhlala, sont venus vivre avec ma femme. À ma connaissance, [les] Madhlala ne sont affiliés à aucune organisation politique luttant contre la ségrégation raciale en général et la politique de développement séparé en particulier. Malgré cela, la Police spéciale n'a cessé de les emmener dans son quartier général pour leur faire subir de longs interrogatoires, un harcèlement qui a finalement contraint ces braves gens à quitter notre maison. Cette triste histoire s'est répandue comme une traînée de poudre, avec pour conséquence le fait que certains de nos amis proches, pourtant désireux de veiller sur ma femme, ont pris peur et hésitent désormais à faire quoi que ce soit pouvant attirer l'attention de la Police spéciale. De fait, aujourd'hui, quasiment plus personne n'est prêt à partager les rigueurs que ma femme est forcée d'endurer.

7 – La seule personne encore volontaire pour vivre avec ma femme n'est autre que M. Madikizela. Aussi vous demandé-je d'user de votre influence auprès de la municipalité de Johannesbourg pour qu'il soit autorisé à résider au 8115 Orlando West. J'ajoute que M. Madikizela habitait déjà avec elle avant d'être éloigné de la zone urbaine de Johannesbourg.

8 – Les craintes exprimées dans mes lettres à vos prédécesseurs n'étaient pas infondées. En effet, ma femme a

été victime à plusieurs reprises de violentes attaques nocturnes de la part de criminels dont l'identité reste encore inconnue. Je me permets à ce propos de citer un extrait de la lettre qu'elle m'a adressée le 6 décembre 1972 :

« Tu as sans doute eu vent par notre informateur commun des terribles événements qui m'ont bouleversée. Pour faire court, quelqu'un s'est introduit dans la maison vide un jour où j'avais emmené les filles au chevet de mon père. Tous les objets qui avaient la moindre valeur ont été dérobés, de même que certains livres et documents personnels, puis cet étrange cambrioleur s'est acharné sur la maison, brisant tout ce qu'il ne pouvait emporter, fracassant les portes et la cloison en verre, arrachant les tableaux des murs...

» De plus, il y a deux semaines, trois hommes noirs se sont introduits dans la maison le dimanche à 3 h 30 en passant par la fenêtre que je n'avais pas réparée puisque la police n'avait toujours pas enregistré ma plainte suite au cambriolage. Ils ont essayé de m'étrangler avec un bout de tissu. Si le criminel n'avait pas pris une grande inspiration au moment de passer à l'acte, je n'aurais rien entendu. J'ignorais pouvoir crier si fort. Ils ont aussitôt éteint la lumière et j'ai pu m'en tirer en me débattant dans le noir. Au final, des blessures sans gravité. J'ai bénéficié quelques jours d'une protection policière, le temps de trouver quelqu'un pour habiter avec moi. Mes avocats ont proposé Msuthu et Nonyaniso, le ministre penchant pour Msuthu. J'ai quand même reçu l'autorisation d'héberger M. et Mme Ntsokontsoko, des collègues de travail, mais ils n'ont obtenu qu'un permis de sept jours qui expire demain. Personne n'est prêt à partager ce qui me sert d'existence. Le problème ne fait qu'empirer. »

Voici également un extrait de sa lettre du 20 mars 1974 :

« La dernière tentative de meurtre à mon encontre (le 9 février) m'a proprement sidérée... La maison a souffert. J'ai essayé de réparer tout ce qui pouvait l'être, mais les portes du garage devront être remplacées. Il a fallu déployer une haine ahurissante pour fracasser ainsi des portes métalliques comme s'il s'agissait de simples cloisons de bois. Je me demande encore comment la porte d'entrée a pu résister si longtemps à une telle avalanche de coups. »

Ces événements sont la triste conséquence des restrictions imposées à ma femme et du refus inflexible de la municipalité de Johannesbourg d'autoriser M. Madikizela à résider chez elle. Elle est devenue une proie facile pour les mystérieux assassins qui en veulent à sa vie. Le berger allemand qu'elle avait acquis fin 1970 a été empoisonné, visiblement par une personne possédant une solide expérience dans l'approche de chiens policiers censés n'accepter de la nourriture que d'une seule personne.

Toutes les craintes que j'avais exprimées à votre prédécesseur sont devenues réalité. Aujourd'hui, ma femme vit dans un danger et une peur constants. Je me vois donc dans l'obligation, même si cela ne m'enchante guère, de vous demander de lui accorder un permis de port d'arme à fin d'autodéfense. Vu les circonstances, j'espère que vous trouverez cette requête juste et raisonnable. J'ajouterai que l'année dernière, un homme a tenté de la poignarder en plein jour, dans une rue de Johannesbourg, et que seule l'intervention de ses amis l'a sauvée d'une mort certaine. Le criminel a été arrêté, mais j'ai cru comprendre que les charges qui pesaient sur lui avaient été abandonnées.

9 – Compte tenu de ces divers événements, je vous prie de bien vouloir assurer la protection de notre maison en y postant quotidiennement des policiers entre 19 heures et 6 heures du matin, et ce jusqu'à l'emménagement de M. Madikizela.

D'autre part, toutes les informations dont je dispose montrent que les agents de la Police spéciale agissent envers ma femme d'une manière outrepassant la stricte exécution de leur mission. Elle est suivie dans ses moindres déplacements, les chauffeurs de taxi qui la prennent en charge entre son domicile et son lieu de travail sont soumis à de fréquents interrogatoires, et les gens qui lui rendent visite subissent un véritable harcèlement. L'attitude des policiers est ouvertement hostile, voire, dans certains cas, provocante. Votre intervention m'apparaît nécessaire pour mettre un terme à ces abus.

10 – En dépit de cette terrible adversité, ma femme n'a aucune envie de quitter notre maison. Mais j'estime qu'il serait intéressant pour elle de disposer d'un passeport lui permettant de prendre des vacances à l'étranger. Sans nul doute passer un mois ou deux loin d'Orlando calmerait ses angoisses et améliorerait considérablement son état de santé.

11 – Je tiens à faire remarquer que je purge ma peine depuis onze ans, et que j'appartiens désormais au « groupe A », le meilleur classement qu'un prisonnier puisse espérer atteindre. Malgré cela, je n'ai jamais été autorisé à recevoir une visite privée de ma femme. Nous avons toujours dû évoquer de graves problèmes familiaux à travers la vitre du parloir, dans un tel brouhaha qu'il me fallait parfois crier pour me faire entendre malgré la confidentialité des sujets abordés. De plus, une heure me paraît bien courte pour venir à bout de questions délicates. En conséquence, je me permets de solliciter une visite privée de deux heures, avec toutes les commodités afférentes, afin que nous puissions mener une discussion sereine.

12 – Je suis certain que si vous estimiez mes doléances fondées, et souhaitiez en conséquence nous venir en aide, tous les obstacles placés sur notre route pourraient être effacés d'un simple trait de plume.

13 – Il serait facile pour vous de rejeter toutes mes requêtes. Vous pourriez faire valoir, par exemple, que la question des procédures migratoires à Johannesbourg n'est pas de votre compétence et relève exclusivement de la municipalité. Vous pourriez adopter la même attitude

quant à mes demandes concernant la police ou les passeports, et me dire que ma femme devrait s'adresser directement aux autorités compétentes. Vous pourriez même remuer le couteau dans la plaie en ajoutant que ma femme, du fait de ses activités militantes, a bien cherché ce qui lui arrive et que la Police spéciale ne fait que son devoir en la surveillant avec la plus grande attention.

14 – J'ai bien conscience que la situation est délicate et que mes requêtes seront examinées avec une grande attention et une extrême prudence. Les choix effectués, dans un sens ou dans l'autre, auront de lourdes conséquences. Je sais que votre fonction peut vous amener à privilégier des exigences sécuritaires dont résultent de graves injustices envers certains individus. J'imagine également que les décisions prises dans le cadre de votre mandat doivent se trouver fréquemment en contradiction avec vos sentiments personnels.

15 – Les demandes énoncées dans cette lettre sont formulées de manière à pouvoir être prises en compte sans compromettre l'intérêt public ni la sûreté de l'État.

Par-dessus tout, il s'agit de protéger la vie d'un être humain, d'une citoyenne. Je vous fais confiance pour laisser votre humanité primer sur toute autre considération, et permettre ainsi à ma femme de mener une existence aussi normale et heureuse que possible.

Veuillez agréer, monsieur le ministre, l'expression de mes sentiments distingués,

[*signature*] Nelson Mandela 466/64

Lettre de Nelson Mandela au ministre de la Justice

25 mai 1974

Monsieur le ministre,

Suite à ma lettre du 13 mai 1974 évoquant les tentatives de meurtre perpétrées contre ma femme, je souhaiterais porter à votre attention ce télégramme alarmant qu'elle m'a envoyé le 22 mai 1974 :

« Nouvelle agression aujourd'hui 12 h enquête de police aucune arrestation stop mon sauveur a failli mourir stop nous allons bien enfants retournent à l'école 26/05 stop courage tu es notre force nous t'aimons tous. »

Dans ma lettre du 13 mai, j'aurais également dû citer l'extrait suivant d'une lettre adressée par ma femme le 29 avril 1974 :

« J'espère que les choses avancent en ce qui concerne Msuthu, mon frère cadet. L'angoisse qui m'étreint quand les enfants sont là devient absolument insupportable. Je suis résignée au sort qui pourrait m'échoir, mais l'idée de mettre en danger les enfants me répugne. La dernière fois, on a essayé de me tuer quatre jours après que les filles sont reparties à l'école. Du coup elles ne sont pas revenues ce trimestre-ci, surtout à cause de Zindzi qui semble avoir plus peur que Zeni. »

Vous imaginez sans peine mon inquiétude. En conséquence, je vous serais très reconnaissant de bien vouloir vous occuper de cette affaire aussi rapidement que possible.

Veuillez agréer, monsieur le ministre, l'expression de mes sentiments distingués,

[*signature*] Nelson Mandela 466/64
CONFIDENTIEL

Lettre du commandant de Robben Island à la « Sécurité »

REQUÊTE AU MINISTRE DE LA JUSTICE : N° 913 NELSON MANDELA

1 – Le prisonnier susmentionné a rencontré son excellence M. le ministre de la Justice le 27 décembre 1974,

entretien au cours duquel il a évoqué en détail les points soulevés dans sa requête écrite. Il a pris connaissance des réponses faites à ses doléances, mais ne semble pas s'en satisfaire puisqu'il souhaite transmettre une nouvelle requête écrite à M. le ministre (voir copie jointe).

2 – Cette requête ne comporte ni preuve ni information inédite, et ne semble destinée qu'à vanter les mérites de la première requête. En conséquence, je suggère de ne pas la transmettre à M. le ministre.

OFFICIER COMMANDANT
[*note manuscrite*]
B.S. (Bureau de la sécurité)
1 – Il faudra envoyer un rapport à l'administrateur des prisons concernant les précédentes requêtes du prisonnier et leurs résultats.
2 – Nous pensons que la lettre ci-jointe serait une perte de temps pour le ministre et qu'il faut en avertir le prisonnier.
[*signé et daté avec un tampon du 24/02/75*]

Lettre de Nelson Mandela au ministre de la Justice

12 février 1975

Monsieur le ministre,

On m'a lu des extraits de votre lettre du 13 janvier 1975 adressée au commandant de Robben Island.

J'ai pu noter (1) que la demande de permis de port d'arme pour ma femme avait été examinée avec soin mais finalement rejetée, (2) que ma femme n'avait déposé aucune plainte contre la Police nationale (Police spéciale incluse) et qu'aucun agent de la Police nationale (Police spéciale incluse) n'était exclusivement chargé de sa surveillance, (3) que sa maison ne serait pas protégée par la Police nationale pour cause de manque d'effectifs mais qu'elle pouvait s'adresser à l'une des nombreuses entreprises privées spécialisées dans ce genre de services, (4) que la question d'autoriser mon beau-frère à habiter avec elle était encore en suspens.

Je vous serais très reconnaissant de bien vouloir revenir sur votre décision concernant le permis de port d'arme. Suite aux attaques répétées contre ma famille et mon domicile, la police ne devrait-elle pas s'inquiéter du fait qu'en dépit de sa grande expérience et des moyens modernes mis à sa disposition pour traquer les criminels, les coupables de ces lâches agressions n'ont toujours pas été appréhendés ? Je manque d'informations pour déterminer qui persécute ainsi ma famille ; lors de notre entretien du 27 décembre 1974, vous avez clairement repoussé l'idée que la Police nationale puisse être impliquée dans cette affaire, et faute de preuves dans un sens ou dans l'autre, je ne peux guère m'aventurer plus avant dans cette voie. Je suis également bien obligé d'accepter l'assertion selon laquelle la police ne peut protéger ma maison en raison d'un manque d'effectifs. Par contre, je ne comprends pas pourquoi vous refusez de soutenir ma femme dans sa demande de permis de port d'arme alors que la police s'est révélée totalement incapable d'assurer sa protection face aux dangers qui la menacent.

Il y a littéralement des milliers de femmes sud-africaines, parmi lesquelles des Noires, autorisées à posséder une arme à feu bien qu'elles mènent des vies parfaitement normales et bénéficient de la présence d'hommes robustes à leur côté, qui vivent dans des quartiers résidentiels bien surveillés par la police et ne sont exposées à aucun danger particulier. Vous semblez même douter que ma femme ait besoin de la moindre protection malgré la gravité des événements que j'ai déjà décrits en détail.

Si l'on prend en compte la violence des deux dernières agressions, je pense que vous comprendrez aisément mon inquiétude grandissante quant à la sécurité de ma famille. La santé de ma femme est déjà défaillante et j'ai appris que nos enfants avaient de plus en plus de mal à supporter cette tension permanente. Il me semble donc que la seule solution viable consisterait à autoriser ma femme à porter une arme. J'ajoute que même si vous aviez la bonté de laisser mon beau-frère vivre avec elle, ce dont je ne doute pas un instant, le permis de port d'arme resterait malgré tout indispensable. On ne peut pas demander à quelqu'un de défendre sa famille à mains nues contre des assassins armés. Je pense que ma femme serait prête à se soumettre à certaines exigences raisonnables si vous lui accordiez ce permis. L'arme pourrait par exemple être à tout instant à disposition de la police pour vérification. Ma femme pourrait sans doute aussi, par exemple, la rendre à la police à 7 heures du matin et la récupérer à 17 heures, mais agir ainsi la priverait de protection durant la journée et j'espère que vous ne privilégierez pas cette option. Néanmoins, je crois qu'elle serait prête à accepter ce genre de condition draconienne pour être au moins en mesure de se défendre la nuit venue. Lesdites conditions devront bien sûr répondre à tous les problèmes de sécurité soulevés par la police. Je précise également que je ne lui conseillerai pas de s'attacher les services d'une entreprise spécialisée dans ce genre d'affaires, pour la bonne raison qu'elle ne pourrait pas s'acquitter des honoraires afférents. Elle doit sortir de prison le 13 avril et je vous avoue être extrêmement préoccupé à l'idée de la voir retourner chez elle affronter de nouveau les périls qui la guettent sans qu'aucune mesure n'ait été prise entre-temps pour assurer sa protection.

J'ai appris avec tristesse que nous n'aviez pas pu m'autoriser à écrire à M. Bram Fischer[1] pour prendre

---

1. Cet avocat défendit Nelson Mandela et ses camarades pendant le procès de Rivonia avant d'être lui-même condamné à perpétuité en 1966. Diagnostiqué cancéreux en avril 1975, il fut placé en résidence surveillée chez son frère à Bloemfontein et mourut le 8 mai.

des nouvelles de sa santé. Je vous rappelle encore une fois qu'il s'agit là d'un ami de longue date qui nous a beaucoup aidés, ma famille et moi. Or la gravité de son état me fait craindre de ne jamais le revoir. Ce courrier représenterait sans doute ma dernière chance de lui dire combien son amitié a compté pour moi et de l'assurer de toute ma sympathie en ces moments difficiles. Quand l'adversité frappe à la porte, peu de choses réconfortent plus que le soutien d'un ami. De tels encouragements pourraient l'aider à lutter contre la maladie, peut-être même lui sauver la vie. Le fait que ma lettre serait alors soumise à une double censure devrait tranquilliser tout le monde quant aux secrets que nous tenterions d'échanger par cette entremise. Sur ce sujet, je m'en remets encore une fois à votre bienveillance.

Ce fut en effet très aimable de votre part de m'autoriser à acquérir *Ons Eerste Ses Premiers* de Piet Meiring. J'ai hâte de le lire. Le seul inconvénient avec [*ce genre de*] lecture, c'est qu'il risque fort de m'ouvrir l'appétit. J'espère pouvoir un jour vous remercier en personne de ce noble geste.

Pour conclure, je voudrais vous dire que ce fut un grand plaisir de débattre avec vous des sujets qui nous préoccupent tous les deux. Votre idée selon laquelle les problèmes de notre pays devront être résolus de conserve par les Noirs et les Blancs coïncide avec mes propres opinions. Poussée à sa conclusion logique, et pour peu qu'elle soit mise en œuvre avec objectivité, cette approche fournira une base solide en vue de fédérer les efforts de tous les Sud-Africains désireux d'arriver à une solution durable. J'espère très sincèrement que vos efforts en ce sens trouveront leur aboutissement. Mag dit *goed gaan*[1] !

Veuillez agréer, monsieur le ministre, l'expression de mes sentiments distingués,

[*signature*] Nelson Mandela 466/64

---

1. « Bon courage ! » en afrikaans.

*
* *

« Ce fut une expérience édifiante de voir tant de services d'État et d'hommes haut placés s'unir dans le seul but de s'acharner sur une quasi-veuve, de les voir s'abaisser au point de me fournir toutes sortes d'informations visant à ternir l'image de la meilleure amie que j'aie jamais eue. J'en reste totalement ahuri. Mais j'ai toujours puisé ma consolation dans le fait que tu aies su garder la tête sur les épaules, veiller sur la famille et nous transmettre tout l'optimisme que pouvait déployer une femme soumise à de telles pressions. Bien sûr, chère maman, Zeni, Zindzi et moi sommes tes obligés, et nous voudrions que le monde entier chante tes louanges, comme pour la dame sortie de la vallée de la Caledon dans les années 1820. Plus on te calomnie et plus je me sens proche de toi. Ce ne sont pas là des sujets que nous devrions aborder dans notre correspondance, mais nous vivons à mille miles l'un de l'autre, nous nous voyons rarement et pour de courts instants, et vu tout ce qui te vient aux oreilles, tu pourrais finir par te demander ce que Madiba pense vraiment. C'est pourquoi, malgré tout, j'estime devoir te dire que JE T'AIMERAI TOUJOURS. »

Extrait d'une lettre de Nelson Mandela à Winnie, le 19 août 1976.

Épilogue

par Winnie Madikizela-Mandela

Lorsque j'ai récupéré après tant d'années les pages qui composent ce journal, j'ai d'abord refusé de les lire. J'avais peur. Peur des souvenirs qui restent confinés dans un repli du cerveau parce qu'ils se réfèrent à des événements trop douloureux pour qu'on ait envie de se les rappeler. Revenir là-dessus après plus de quarante ans a donc réveillé cette zone particulière de mon cerveau.

Je n'aurais jamais cru devoir me pencher à nouveau sur cette période, mais au final, je suis heureuse de lever un coin de voile sur ces années sombres et de les revivre pour les besoins de l'histoire, pour que nos enfants et petits-enfants puissent savoir ce que nous avons enduré.

J'étais effrayée à l'idée de ressusciter ces calamités, à l'idée de tourmenter mes enfants et moi-même, car avec du recul je ne peux m'empêcher de me demander : « Qu'ai-je donc fait subir à mes enfants ? »

Voilà la vérité. Voilà pourquoi j'hésitais à relire les fragments de journal et les notes manuscrites qui me ramenaient à cette nuit fatale, à mes enfants, Zeni et Zindzi, qui s'accrochaient à ma jupe en criant : « Maman, maman, ne t'en va pas ! » Il était alors 2 h 30 ou 3 heures du matin. Les filles étaient habituées aux coups, ceux

287

des policiers frappant à la porte ou aux fenêtres pour les défoncer. Mais ce jour-là, je me doutais que je partais pour longtemps. Je me suis retrouvée derrière les barreaux sans savoir comment les filles allaient survivre. J'ignorais où les policiers allaient les conduire, puisqu'ils n'avaient même pas pris la peine de me poser la question. C'est vraiment par la grâce de Dieu que, à leur âge, elles se sont souvenues du nom de ma sœur aînée. Zeni avait dix ans, Zindzi huit. Je n'ai su qu'un mois plus tard qu'elles s'étaient donc réfugiées chez ma sœur.

J'avais un sac tout prêt. En permanence. Parce que j'avais déjà été arrêtée et que les enfants étaient trop jeunes pour m'apporter des habits en prison. Il n'y avait pas d'autre adulte à la maison ; j'étais en résidence surveillée et le seul fait de m'adresser la parole s'apparentait à toucher une lépreuse – vous étiez infecté à votre tour et risquiez aussitôt la prison. Donc j'avais coupé les ponts avec mes proches, pour mieux les protéger. Cela s'appliquait aussi aux membres de ma famille. Je ne pouvais même pas emmener les enfants chez ma sœur.

Après l'arrestation j'ignorais quel serait mon sort, car nous étions tous des cobayes – les premiers détenus au titre de l'article 6 de la loi antiterroriste. Je devenais une sorte de baromètre politique. En arrêtant le terroriste numéro un, puis la femme du terroriste numéro un, les autorités tenaient une occasion rêvée de prendre la température de l'opinion publique. Depuis la condamnation à perpétuité de Madiba[1], j'étais la « communiste » qui continuait envers et contre tout alors que les autres avaient renoncé. Ainsi, mon incarcération était une sorte de point d'orgue. L'opposition au gouvernement et aux politiques nationalistes était enfin écrasée. Oui, j'étais vraiment le baromètre idéal. Si les nationalistes parvenaient à mettre la femme de Mandela en prison malgré les heurts qui avaient suivi sa condamnation à perpétuité

---

1. Nelson Mandela *(NdT)*.

[*de Nelson*], alors ils n'avaient plus rien à craindre. Ils pouvaient se reposer et régner en paix, pour toujours.

Arrêtée dans une telle atmosphère, je savais que mon sort était entre les mains de ces gens-là car personne n'oserait lever le petit doigt pour me défendre. À cette époque, les tenants de l'apartheid étaient des criminels. Ceux qui s'opposaient aux nationalistes signaient leur arrêt de mort. Une fois, un avocat est venu me voir à minuit pour savoir si je pouvais l'aider à quitter le pays. Je m'occupais beaucoup de ce genre de cas. La Police spéciale l'a appris et l'a conduit au John Vorster Square[1]. Le lendemain, il était mort. Ainsi allait l'apartheid en ce temps-là : nos vies ne valaient rien.

À notre arrivée à la prison centrale de Pretoria, nous fûmes d'abord rassemblés dans le même bâtiment avant que je sois transférée dans le quartier des condamnés à mort, dans cette cellule à trois portes — d'abord une grille, puis la porte proprement dite, puis une autre grille. Le bruit de la clé dans le premier verrou était si violent que mon cœur sursautait à chaque fois. Après des heures et des heures et des heures de solitude, de silence absolu, soudain se faisait entendre le cliquetis des serrures. Un bruit à rendre fou, et signifiant que les geôliers contrôlaient non seulement votre corps mais aussi votre esprit, donc qu'ils pouvaient détruire l'un comme l'autre. L'isolement carcéral est pire que les travaux forcés. Au moins, quand on travaille dur, on est avec les autres, on parle, on se sent vivre. À l'isolement, on devient un mort vivant. C'est un châtiment que l'on ne souhaiterait même pas à son pire ennemi.

J'étais emprisonnée dans une minuscule cellule. Quand j'écartais les bras, je touchais les murs. Je n'étais plus personne, un non-être. Je mourais à chaque instant, bien que restant en vie puisque je continuais à respirer. J'étais privée de tout — de ma dignité et du reste.

---

1. Quartier général de la police à Johannesbourg, de 1974 à 1997 *(NdT)*.

Nous n'avions droit à aucun contact avec l'extérieur, même avec un avocat. Nous étions totalement livrés à leur merci. Certaines familles n'ont jamais su que leurs proches disparus étaient morts en détention. Nous avions de la chance d'être encore en vie et, pour ma part, je n'ai survécu que par la grâce de mon nom car il leur aurait été facile de m'éliminer, comme ils m'en menaçaient d'ailleurs sans arrêt. « Encore en vie ? », s'étonnaient-ils. Chaque jour ils venaient et disaient : « Encore en vie ? Mais qu'en sera-t-il demain ? »

Ils estimaient les femmes noires incapables de déployer de telles ressources, de se montrer si obstinées. Parce qu'ils voulaient nous briser et n'imaginaient pas qu'on puisse leur résister ?

Quand ils nous ont libérées la première fois, j'avais les lèvres rougies par la pellagre parce que même lorsque j'essayais de manger, j'avais encore tellement faim que je finissais par vomir. Nous n'étions pas traitées comme de vraies prisonnières en attente de jugement. Nos avocats ont dû déposer un recours devant la Cour suprême pour que nous ayons droit à un peu plus de nourriture, et nous n'avons obtenu que du pain que les gardiennes émiettaient devant nous pour s'assurer qu'il n'y avait rien de caché à l'intérieur. Elles faisaient de même avec les fruits, pour le simple plaisir de nous donner de la nourriture gâtée, pour nous humilier et nous prouver que nous étions des moins que rien. Voilà à quoi nous étions réduites.

Elles passaient aussi leur temps à fouiller les cellules même si nous n'avions rien d'autre que les habits que nous portions, deux couvertures et un matelas. Sans oublier la bouteille en plastique qui contenait nos deux litres et demi d'eau quotidiens. Nous devions boire à la bouteille, sans verre, et garder un peu de cette ration pour effectuer une toilette sommaire – visage, aisselles, etc. George Bizos, l'un de nos avocats, a dû se battre pour que nous puissions nous laver correctement. Son recours devant la Cour suprême a traîné pendant des mois avant qu'il obtienne satisfaction.

L'isolement vous tue à petit feu, à tel point qu'en fait vous êtes déjà mort bien avant de mourir pour de bon. Et lorsque la mort arrive enfin, vous n'êtes plus personne. Vous n'avez plus d'âme, et un corps sans âme n'est jamais qu'un cadavre. Il paraît impensable de réussir à survivre.

Quand j'ai appris que la plupart de mes tortionnaires étaient morts, cela m'a fait mal au cœur. J'aurais voulu qu'ils voient blanchir l'aube de la liberté. J'aurais voulu qu'ils se voient perdre la bataille, qu'ils voient que nous avons survécu malgré leur traitement. Nous sommes les survivants et nous avons écrit l'histoire.

Mes enfants aussi ont bien failli mourir pendant ma détention. Lorsque je suis sortie, ils étaient décharnés, malades, couverts de plaies dues à la malnutrition. Et certaines personnes se demandent encore pourquoi je suis comme je suis. Elles osent me dire : « Mais enfin, Madiba a toujours été pacifiste, comment sa femme peut-elle être si violente ? » À Robben Island, nos dirigeants n'ont jamais vraiment souffert. Ils ne savaient pas ce que c'était de se battre au corps-à-corps avec l'ennemi. Ils étaient loin, protégés par les murs de leur prison, avec trois repas par jour. En fait, nous pourrions ironiquement remercier les autorités d'avoir gardé nos dirigeants en vie et de ne pas les avoir torturés. Mais, du coup, ils ne connaissaient pas les réalités du terrain. Quand ils entendaient parler de notre violence, de l'action de guérilla que nous menions contre les Boers, ils ne comprenaient rien parce qu'ils n'avaient jamais vécu ça, même pas Madiba – qui, lui, était intouchable.

Nous étions les troufions de base, la chair à canon, ceux qui servaient de baromètre politique chaque fois que les autorités voulaient prendre la température du pays. Nous étions torturés pour que ça se sache, pour tester les réactions du peuple. Tata[1] ne pouvait pas comprendre pourquoi la police me considérait comme violente, mais celle-ci savait que j'appartenais à la branche armée de l'ANC et que je faisais partie des leaders de la guérilla. Elle savait aussi que j'avais aidé des soldats infiltrés dans le pays.

Nous connaissions toutes sortes de ruses militaires pour assurer notre protection. J'avais appris par exemple que les endroits les plus sûrs se trouvent à proximité de l'ennemi. Tata le répétait sans cesse : « Plus c'est près, plus c'est sûr. » Donc je cachais les cadres du mouvement dans le voisinage des commissariats. La police n'en a jamais arrêté un seul alors qu'ils étaient juste sous son nez. Nos agents les plus dangereux ? Les commandants ? Ceux en mission spéciale ? Je les cachais tous près d'un commissariat. Et ils ne pouvaient pas m'attraper non plus parce que j'avais compris que, à cette époque, on ne survivait qu'en privilégiant l'action solitaire. Le seul fait de connaître quelqu'un faisait peser sur lui un risque mortel. C'est pourquoi j'ignorais le nom des agents qui s'infiltraient dans le pays. Quand ils arrivaient, je les rebaptisais de mes propres noms de guerre, qui ne correspondaient pas à ceux qu'ils portaient dans les camps d'entraînement. Personne ne savait plus qui était qui. Je parle de gens qui sont à présent généraux ou qui occupent des postes importants dans le gouvernement, mais c'est à eux de raconter cette histoire.

L'ennemi et nous partions en chasse au coucher du soleil et notre aube se levait à 6 heures du matin. Nous opérions toute la nuit, peu importe où je me trouvais. Le crépuscule était notre aube. Nous inversions le cours des heures tout comme il nous fallait inverser le cours de la société.

---

1. « Père », surnom de Nelson Mandela.

Zeni et Zindzi posaient beaucoup de questions, surtout Zindzi. C'était une enfant remuante et très curieuse, tandis que sa sœur agissait avec plus de retenue. Zeni a toujours été la princesse. Elle est née comme ça. Quand son père jouait avec elle, encore bébé, il l'appelait « princesse », et voilà comment elle est devenue et restée « HRH[1] ». Nous l'appelons toujours ainsi. Zindzi, quant à elle, était un garçon manqué qui n'hésitait pas à me traiter de menteuse.

Je cite toujours l'exemple de Tat'u Sibeko, mon voisin, un Zoulou vraiment typique du Zoulouland. Un jour, Zindzi est venue me voir, elle avait cinq ou six ans, et m'a dit :

« Maman, t'as dit que tous les papas sont en prison. Pourquoi tous les papas sont en prison ?

— Parce qu'ils se battent pour nous, pour que nous puissions vivre en ville. (Je ne pouvais pas employer le mot « libre », dont les enfants ne comprenaient pas le sens.) Ils veulent que nous ayons de belles maisons en ville près des magasins.

— Alors pourquoi Tat'u Sibeko est chez lui ? Pourquoi il est pas parti se battre ? Et puis d'abord, les autres enfants disent que les gens qui sont en prison, ils sont méchants. »

Que répondre à une fillette si curieuse ? Mes deux enfants ne cessaient de s'opposer à moi, au point de renverser les valeurs habituelles de la société – plus elles grandissaient et plus elles affirmaient que les pères qui n'étaient pas en prison étaient des « collabos », qu'il était « mal » de ne pas croupir en prison. Et comme il était devenu juste à leurs yeux d'être derrière les barreaux, je ne pouvais plus utiliser cette menace pour leur dire, par exemple, de ne pas voler. Je devais me rabattre sur les principes religieux : « Ton ange gardien te voit quand tu fais de vilaines choses. Et tu sais que Dieu ne veut

---

1. « *Her Royal Highness* », Son Altesse royale *(NdT)*.

pas que tu fasses de vilaines choses. Donc il faut prier, prier le Seigneur pour faire le bien. » Si j'avais brandi la menace de l'emprisonnement, les filles auraient vu leur père comme un criminel, avec de terribles conséquences pour leur équilibre. Peu importe l'éducation qu'un enfant reçoit plus tard dans la vie, ce que sa mère lui dit dans ses premières années reste gravé dans son esprit. Or la propagande nationaliste présentait leur père comme un terroriste, un criminel.

C'est compliqué d'infléchir ses valeurs passé un certain âge. Les gens ne réalisent pas à quel point c'était dur d'élever une famille à cette époque. Nos enfants ont vécu des vies difficiles et sont devenus comme on les voit aujourd'hui. De nombreux parents, et nous les premiers, sont tombés à genoux pour remercier Dieu d'avoir gardé leur progéniture dans le droit chemin. C'était quitte ou double – les enfants pouvaient mal tourner et nous en faire le reproche. Une fois toute la vérité connue, ils auraient pu nous dire : « Quoi ? papa et maman nous ont abandonnés parce qu'ils préféraient se battre pour le pays ? Pour d'autres que nous ? » Combien de familles auraient volé en éclats si ces questions avaient vraiment été posées ? À quel moment, en tant que parent, décide-t-on de lutter pour une cause qui peut parfois paraître ingrate bien qu'il s'agisse de préserver la dignité humaine ?

Quand Tata a été arrêté en 1962 et que j'ai reçu ma première ordonnance judiciaire, je n'avais même plus de nom – la « femme de Mandela » était assignée à résidence et le reste du monde ignorait qui j'étais réellement. Je ne pouvais rien dire qui vînt de moi, de ma propre analyse. Les autorités ont peut-être agi en toute connaissance de cause, mais moi je pensais qu'elles voulaient juste faire le ménage autour du grand homme après l'avoir arrêté. J'ai pris ça comme une insulte envers les femmes, ces petits êtres inutiles – nos maris étaient nos voix et sans eux le combat allait forcément cesser. Quant aux prisonniers, ils ne tiendraient pas le coup sans le soutien de leur famille. C'est là que j'ai compris à quel point la famille comptait derrière les barreaux.

Après l'arrestation de Tata le 5 août 1962, j'ai décidé de me battre jusqu'au bout, de défier nos ennemis et de ne jamais les laisser me briser. Je venais de comprendre que j'avais perdu mon nom, mon individualité, que j'étais seulement « la femme de Mandela ». La femme de Mandela a dit ça, la femme de Mandela a été arrêtée, etc. Je n'existais plus en tant que Madikizela, je n'existais plus en tant qu'être humain à part entière. Et bien sûr, pour l'oppresseur, la femme de Mandela méritait tout ce qui lui arrivait. Alors j'ai pensé : « Mon Dieu, je suis une princesse de la maison royale du Pondoland, et voilà que je perds mon identité à cause du combat pour la liberté. Je vais leur montrer qui je suis. Je vais les combattre et devenir pour eux une véritable ennemie. » J'ai fait ce choix de manière délibérée. Je n'allais pas rester dans l'ombre de mon mari et n'être que « la femme de Mandela ». L'oppresseur allait apprendre à connaître Zanyiwe Madikizela. Il allait découvrir que j'avais mes propres idées, mes propres combats, et pas seulement ceux de mon mari.

Je constatais aussi à quel point le mariage privait les femmes de leur identité. Je n'étais plus personne alors que j'avais grandi la tête haute dans ma région natale. Mes parents m'avaient toujours répété de marcher la tête haute. J'étais moi, j'étais noire et fière de ma négritude. Mon père m'avait enseigné l'histoire de notre pays, les neuf guerres du peuple xhosa, le rôle des Pondos dans la lutte pour l'indépendance. Il m'avait raconté l'arrivée des colons de 1820, le débarquement de Van Riebeeck au Cap en 1652. Oui, mon père m'avait appris tout cela et, soudain, je n'étais plus personne. Impossible. Je devais être la digne fille de mon père.

Marcher la tête haute. Ma grand-mère paternelle était l'une des vingt-neuf femmes de mon arrière-grand-père, un chef de tribu. Elle fut la première femme à porter des chaussures au Pondoland et, quand elle s'en vantait, elle finissait par avouer que c'étaient des baskets. Mais elle a été la première femme du chef à porter des chaussures, et elle détestait tous ces gens qui arrivaient avec le cheveu soyeux, l'œil bleu et la peau claire. Elle les détestait parce qu'elle avait tenu une boutique – là encore elle fut la première femme du chef à tenir un de ces petits commerces en zone rurale, je ne sais même plus comment on les appelait. Mais une chose est sûre, quand ces gens sont arrivés, elle a perdu sa boutique et elle a perdu sa terre. Elle les détestait. Ma mère avait la peau claire, très claire même, et donc nous n'étions pas les préférées de ma grand-mère car la plupart de mes sœurs avait la peau de ma mère. Or ma grand-mère avait les Blancs en horreur. Par conséquent, vous pouvez imaginer qu'avec une telle aïeule et les cours d'histoire de mon père, j'ai grandi en marchant la tête haute et en sachant que l'Afrique était à nous, que l'Afrique nous avait été volée par ces gens venus prendre la terre de notre grand-père.

C'est dans ce contexte que je suis arrivée à Johannesbourg. J'étais alors une jeune travailleuse sociale, puis j'ai épousé un certain homme, et à un moment donné j'ai dû me replonger dans les souvenirs de cette grand-mère qui m'incitait à marcher la tête haute. Quand les autorités m'ont exilée à Brandfort, elles pensaient que l'affaire était réglée et qu'on n'entendrait plus jamais parler de moi. Alors qu'en fait je n'ai jamais été aussi active qu'à Brandfort. J'ai claironné l'annonce de mon exil sur la scène publique et la communauté internationale a aussitôt chanté les louanges des Mandela. J'ai recruté des partisans à tour de bras dans l'État libre. Le système de l'apartheid avait créé des bantoustans, avec chacun son propre pseudo-passeport appelé *incwadana yoku ndwendwela* (« petit carnet de visite »). Ces documents n'étaient reconnus par aucun pays du monde, même pas par les protectorats voisins. Donc les gens qui voulaient quand même aller dans les pays limitrophes laissaient leur prétendu passeport à la frontière ; il y avait des accords entre ces pays et les gouvernements des bantoustans pour que les voyageurs récupèrent leurs papiers au retour en Afrique du Sud. Chaque semaine, j'envoyais des équipes de football de Brandfort jouer au Lesotho ou au Botswana. Les joueurs laissaient leurs petits carnets au passage et ne revenaient jamais. Les autorités étaient trop stupides pour se rendre compte de ces disparitions — elles étaient si contentes de voir leurs documents reconnus qu'elles n'imaginaient même pas les sacs pleins de passeports qui s'entassaient aux frontières. J'ai recruté bien plus de partisans à Brandfort qu'à Soweto.

Assignée à résidence à Brandfort, je devais signer un registre tous les jours à 18 heures. Souvent, les week-ends, j'allais signer puis rentrais chez moi pour me déguiser en vieille vendeuse de pommes avant de me glisser dans telle ou telle voiture. Je me rendais parfois jusqu'à Soweto, où je militais toute la nuit pour ensuite retrouver mon lit vers 5 heures du matin. Quand des policiers venaient s'assurer de ma présence, c'était toujours vers 5 h 30. À 6 heures, ils étaient devant chez moi pour vérifier que je sortais — les toilettes étaient dehors — et donc je jouais à celle qui bâillait et s'étirait comme au réveil. Alors que j'avais passé la nuit à Soweto. À cause d'eux, nous devions nous comporter en clandestins.

C'était un travail terriblement ingrat ; nous ne nous battions pas pour notre profit personnel — en tout cas ceux d'entre nous qui ne cherchaient pas à s'enrichir ou à entrer un jour au gouvernement. Les nouveaux militants étaient littéralement accros, comme à l'opium. Combattre au sein de l'ANC était le summum de leur existence. Rien n'était plus important que la liberté de leur peuple. Ils ignoraient qu'à côté d'eux des gens se battaient aussi pour devenir présidents.

Si c'était à refaire, je le referais. Voilà ce qu'est un véritable mouvement de libération. Voilà pourquoi on appelle ça un « combat ». Ceux qui se battaient pour obtenir de futurs privilèges ne se battaient pas comme nous. Heureusement, il y aura toujours des Oliver Tambo, des Chris Hani, des Nelson Mandela et des Sisulu. Mon mentor n'était autre que Tat'u Walter Sisulu, que je vénérais jeune mariée car il était comme un père pour Tata. À cette époque, Tat'u Sisulu vendait des montres et des bijoux. Il menait une vie modeste ; tous les jours nous passions le prendre dans sa petite maison du ghetto. Personne ne pensait à devenir ministre ou président, et c'est pourquoi, jusqu'au jour de sa mort, Tat'u Sisulu a refusé d'entrer au gouvernement. Il a même refusé de diriger l'ANC. C'était sa façon d'être : sans prétention, impliqué corps et âme dans le combat pour la libération de son pays. Voir un camarade sortir de prison était pour lui la plus belle des récompenses. Voilà ce que disait Tat'u Walter, voilà ce que disait le chef Albert Luthuli. J'ai beaucoup de chance de les avoir connus.

Et j'ai cuisiné pour ces grands hommes. Je les respectais déjà en tant que dirigeants, mais c'est longtemps après que j'ai réalisé leur véritable stature. Dans notre petite maison d'Orlando, j'ai cuisiné pour J. B. Marks et Moses Kotane[1]. J'ai même cuisiné pour Gatsha Buthelezi[2] quand il amenait le roi des Zoulous et qu'ils discutaient toute la nuit avec Tata. À l'époque, ils

---

1. J. B. Marks devint trésorier de l'ANC et Moses Kotane fut secrétaire général du Parti communiste sud-africain.
2. Prince zoulou et homme politique sud-africain, fondateur de l'Inkatha Freedom Party.

jetaient les bases de l'Inkatha[1], prévu à l'origine comme une extension des Jeunesses de l'ANC. Buthelezi voulait utiliser l'Inkatha pour combattre l'apartheid de l'intérieur – ce qui explique pourquoi, au début, l'Inkatha et l'ANC avaient les mêmes couleurs. C'était un grand guerrier qui se chargeait de la résistance intérieure avec Matanzima. Les gens l'ignorent trop souvent.

Quand je regarde en arrière avec un œil de mère, je me dis que je ne mérite pas le pardon de mes enfants car je ne pouvais rien leur dire, j'avais peur qu'ils ne me comprennent jamais. J'ai eu la chance qu'ils sachent démêler le vrai du faux et ne m'en tiennent pas rigueur. C'est d'autant plus dur pour eux quand ils constatent ce qui se passe aujourd'hui, quand ils voient ceux qui pensent plus à l'argent qu'au sacrifice. Ils ne comprennent pas pourquoi je vis toujours à Soweto. Ils ne comprennent pas que c'est une profession de foi, une décision consciente de rester là plutôt que d'aller habiter une banlieue aisée. Je me suis battue pour que mes enfants puissent mener une vie normale où bon leur semble, mais moi je mourrai à Soweto. Les banlieues aisées, je n'en connais que l'hôpital.

J'avais la conviction que ce journal et ces lettres devaient être publiés en l'état, exactement comme ils avaient été écrits, pour que mes enfants, mes petits-enfants et tous les autres lecteurs puissent se donner pour mission que mon pays ne retombe jamais aussi bas. Leur avenir est en jeu. À l'heure actuelle, les survivants de cette époque, et moi la première, sommes sidérés de nous voir tous glisser petit à petit vers un système similaire à celui de nos anciens maîtres. Je ne vois pas comment le dire autrement. Et cela m'effraie au plus haut point.

Durant les années d'oppression, mes pensées finissaient par s'émousser parce que, à force de tortures, la

---

1. Parti à dominante zouloue créé en 1975.

douleur atteint un seuil au-delà duquel on ne sent plus rien. Si l'on frappe toujours au même endroit, encore et encore, les nerfs meurent, les sensations disparaissent. C'est ce qui se passe à nouveau en ce moment.

Johannesbourg, novembre 2012

Seize mois dans la vie de Winnie Mandela
12 mai 1969-14 septembre 1970

12 mai 1969

Winnie est arrêtée au titre de la loi antiterroriste de 1967, qui autorise la détention et l'interrogatoire des suspects sans limite de temps. Caleb Mayekiso, un autre détenu, meurt en prison le 1er juin 1969[1].

26-30 mai 1969

Cinq jours d'interrogatoire continu.

18 juillet 1969 *(51e anniversaire de son mari)*

Un policier lui demande : « Qui est Thembi Mandela ? » Quand Winnie répond qu'il s'agit de son beau-fils, l'homme lui annonce : « Il est mort. »[2]

28 octobre 1969

Première audience en compagnie de vingt et un autres prévenus. Leur avocat, Joel Carlson, déclare : « Quand je les ai vus pour la première fois, ils n'avaient pu prendre ni bain ni douche depuis près

---

1. Caleb Mayekiso, accusé lors du procès des traîtres de 1956, est arrêté le 13 mai 1969 et décède dix-neuf jours plus tard.
2. Elle n'a donc pas reçu la lettre dans laquelle Nelson Mandela le lui annonçait.

de deux cents jours[1]. » Maud Katzenellenbogen est devenue amie avec Winnie après que son mari, Moosa Dinath, a rencontré Nelson Mandela en prison ; elle cherche à lui imposer Mendel Levin comme avocat, mais ce dernier se révèle être un partisan du Parti national au pouvoir. Nelson Mandela conseille vivement à sa femme de s'en remettre à Joel Carlson.

1er décembre 1969 *(début du procès à l'ancienne synagogue de Pretoria)*

Liste des accusés :

N° 1 – Samson Ratshivhanda Ndou
N° 2 – David Motau
N° 3 – Nomzamo Winnie Mandela
N° 4 – Hlengani Jackson Mahlaule
N° 5 – Elliot Goldberg Shabangu
N° 6 – Joyce Nomafa Sikhakhane
N° 7 – Manke Paulus Matshaba
N° 8 – Lawrence Ndzanga
N° 9 – Rita Anita Ndzanga
N° 10 – Joseph Zikalala
N° 11 – David Dalton Tsotetsi
N° 12 – Victor Emmanuel Mazitulela
N° 13 – George Mokwebo
N° 14 – Joseph Chamberlain Nobandla
N° 15 – Samuel Solomon Pholotho
N° 16 – Simon Mosikare
N° 17 – Douglas Ntshatshe Mvembe[2]
N° 18 – Venus Thokozile Mngoma
N° 19 – Martha Dlamini
N° 20 – Owen Msimelelo Vanqa
N° 21 – Livingstone Mancoko
N° 22 – Sexford Peter Magubane

---

1. Extrait du livre de Joel Carlson, *No Neutral Ground* (Davis-Poynter Ltd, 1973, inédit en français).

2. Douglas Mvembe, 73 ans, a été torturé pendant trois jours, pendu par les menottes aux barreaux d'une fenêtre.

Avocats de la défense : David Soggot et George Bizos, sous la houlette de Joel Carlson.

Procureurs : J. H. Liebenberg et D. W. Rothwell.

Juge : Simon Bekker.

Les prévenus sont poursuivis au titre de la loi de répression du communisme et de la loi sur les organisations illégales, notamment pour avoir servi la cause de l'ANC et conspiré en vue d'actes de sabotage. Aucun acte de violence n'est cependant retenu contre eux. Ils plaident tous « non coupable », comme le montre par exemple cet extrait de compte rendu d'audience :

« L'accusée N° 3 souhaite s'adresser à la cour.

» ACCUSÉE N° 3 (*Winnie*) : Avec tout le respect qui vous est dû, votre honneur, je voudrais attirer votre attention sur le fait que je suis détenue depuis six mois au titre de la section 6.1 de la loi antiterroriste, une loi que je considère injuste, immorale, physiquement et moralement destructrice. Vingt-quatre jours après mon arrestation, j'ai perdu un camarade, Caleb Mayekiso, qui n'a pas résisté aux épreuves subies derrière les barreaux avant même le début de ce procès. En conséquence, votre honneur, je ne vois pas l'intérêt pour moi de plaider quoi que ce soit.

» LA COUR : Dans ce cas, pour les besoins du procès-verbal, je considère que vous plaidez non coupable. Autre chose ?

» ACCUSÉE N° 3 : J'aimerais préciser, votre honneur, qu'il me paraît difficile de plaider non coupable puisque je me considère comme déjà condamnée.

» LA COUR : Vous avez tort de penser ça. Nous dirons donc non coupable.

» (*L'accusée N° 6 souhaite elle aussi s'adresser à la cour, en anglais.*)

» ACCUSÉE N° 6 : Votre honneur, je partage l'avis de l'accusée N° 3.

» LA COUR : Votre nom, s'il vous plaît ?

» Accusée N° 6 : Joyce Nomafa Sikhakhane.

» La cour : J'ai oublié de demander son nom à l'accusée N° 3. Votre nom, s'il vous plaît ?

» Accusée N° 3 : Winnie Mandela.

» Accusée N° 6 : Votre honneur, je partage les sentiments de l'accusée N° 3, Winnie Mandela, mais souhaite néanmoins plaider non coupable.

» La cour : Ce sera donc non coupable pour vous aussi. »

Les vingt-deux sont également accusés d'avoir organisé les funérailles de deux militants antiapartheid et d'avoir brandi illégalement des drapeaux de l'ANC.

Le tribunal est présidé par le juge Simon Bekker, à qui Nelson Mandela avait eu affaire lors du procès des traîtres. Le procureur J. H. Liebenberg tente de prouver que l'ANC fait partie intégrante du Parti communiste et que Mme Mandela est en lien avec le bureau londonien de l'ANC.

L'accusation présente vingt témoins, parmi lesquels Briton Phillip Golding qui reconnaît avoir été torturé. Nonyaniso Madikizela, la petite sœur de Winnie âgée de dix-huit ans et menacée d'emprisonnement si elle ne témoigne pas, affirme elle aussi avoir été torturée. Mohale Mahanyele, assistant bibliothécaire au Service d'information des États-Unis à Johannesbourg, témoigne pour sa part contre les accusés.

Shanti Naidoo et Nondwe Mankahla, deux autres militantes détenues, refusent de témoigner et écopent en conséquence de deux mois de prison. Nelson Mandela étant cité dans l'acte d'accusation comme partie prenante de la conspiration, l'avocat Joel Joffe réclame l'autorisation d'aller l'interroger à Robben Island. Sa requête étant rejetée, il demande que Nelson Mandela soit assigné à comparaître. Le procès est renvoyé au lundi 16 février 1970.

16 février 1970

Le procureur général lui-même, Kenneth Donald McIntyre Moodie, se présente devant le tribunal pour annoncer qu'il retire toutes les charges[1]. Le juge Bekker déclare donc aux accusés qu'ils sont libres de partir, mais ceux-ci n'ont même pas le temps de sortir du tribunal qu'ils sont de nouveau arrêtés par la Police spéciale. George Bizos et David Soggot tentent en vain d'empêcher la confiscation des documents de leurs clients ; Joel Joffe, pour sa part, réclame sans succès une injonction de la cour contre l'utilisation de la torture.

12 mai 1970

Une manifestation regroupant des étudiants et des membres du Black Sash[2] marque l'anniversaire de l'arrestation des accusés. La police procède à 354 arrestations sur un total d'environ 1 200 manifestants.

18 juin 1970

Quatre prévenus sont absents à l'audience préliminaire. Winnie Mandela est à l'infirmerie de la prison, Manke Paulus Matshaba souffre de troubles mentaux, Victor Emmanuel Mazitulela et Livingstone Mancoko avaient été libérés et sont à présent en fuite. Benjamin Ramotse est le seul nouvel accusé[3].

3 août 1970

L'acte d'accusation des vingt prévenus énonce 540 charges, quasiment identiques aux 528 du premier procès. Nelson Mandela n'est plus cité parmi les conspirateurs.

---

1. Les proches demandent aussitôt une interdiction de ces charges à l'avenir, mais la requête est rejetée.

2. Littéralement « écharpe noire », mouvement antiapartheid composé de femmes blanches *(NdT)*.

3. Benjamin Ramotse est blessé le 16 décembre 1961 lors d'une opération du MK au cours de laquelle son camarade Petrus Molefi trouve la mort. Accusé de sabotage, puis libéré sous caution, il quitte le pays pour suivre une formation militaire.

Nouvelle liste des accusés :
N° 1 – Benjamin Sello Ramotse
N° 2 – Samson Ratshivhanda Ndou
N° 3 – David Motau
N° 4 – Winnie Mandela
N° 5 – Jackson Mahlaule
N° 6 – Elliot Shabangu
N° 7 – Joyce Sikhakhane
N° 8 – Lawrence Ndzanga
N° 9 – Rita Ndzanga
N° 10 – Joseph Zikalala
N° 11 – David Dalton Tsotetsi
N° 12 – George Mokwebo
N° 13 – Joseph Chamberlain Nobandla
N° 14 – Samuel Solomon Pholotho
N° 15 – Simon Mosikare
N° 16 – Douglas Ntshatshe Mvembe
N° 17 – Venus Thokozile Mngoma
N° 18 – Martha Dlamini
N° 19 – Owen Vanqa
N° 20 – Sexford Peter Magubane
Avocats de la défense : Sydney Kentridge, George Bizos, David Soggot, M. Kuper.
Procureurs : J. H. Liebenberg et D. W. Rothwell.
Juge : Gerrit Viljoen.

24 août 1970

La défense dépose un recours soutenant que la cour n'est pas en droit de juger Ramotse puisque celui-ci a été kidnappé en Rhodésie et rapatrié illégalement en Afrique du Sud. La défense dénonce également des charges trop similaires à celles du précédent procès qui s'est soldé par un acquittement général.

14 septembre 1970

Le juge Viljoen valide les accusations pesant sur Ramotse, mais acquitte les dix-neuf autres prévenus.

La police menace d'arrêter le groupe en pleine effusion de joie, lequel décide alors de poursuivre la fête chez Joel Carlson.

30 septembre 1970

Winnie reçoit une nouvelle ordonnance judiciaire de cinq ans. Elle est placée en résidence surveillée, ce qui implique d'être présente chez elle de 18 heures à 6 heures du matin en semaine, et de 14 heures à 6 heures du matin les week-ends et jours fériés. Elle ne peut en outre recevoir aucun visiteur à part ses enfants ni s'associer à la moindre activité politique.

7 novembre 1970

Winnie peut enfin rendre visite à son mari à Robben Island. Ils disposent de trente minutes pour évoquer les événements des vingt-trois mois durant lesquels ils ne se sont pas vus.

Index des personnages,
organismes et lieux

ANC : Congrès national africain

AUCAMP : brigadier du département sud-africain des prisons

BEKKER (Simon) : juge du « procès des vingt-deux »

BEZUIDENHOUT : gardienne de prison

BIZOS (George) : avocat de Winnie Mandela

BRAUN (Dr) : agent travaillant prétendument pour les Soviétiques

BRITZ : lieutenante, l'une des gardiennes de prison

CARLSON (Joel) : avocat de Winnie Mandela

COETZEE : commandant de la Police spéciale

COMPOL BUILDING : quartier général de la Police spéciale sud-africaine

DALIBUNGA : nom reçu par Nelson Mandela lors de sa cérémonie d'initiation

DINATH (Moosa) : compagnon de cellule de Nelson Mandela, mari de Maud Kay

DIRKER : officier de sécurité

EVIN (Mendel) : avocat pressenti pour la défense de Winnie Mandela

FERREIRA (Petrus) : officier de la Brigade antisabotage sud-africaine

JACOBS : gardienne chef de prison

KGATHO : diminutif de Makgatho, fils de Nelson Mandela

JONGUHLANGA DALINDYEBO (Sabata) : chef de l'ethnie thembu à laquelle appartient Nelson Mandela

LIEBENBERG (J. H.) : procureur du « procès des vingt-deux »

LUDI (Gerard) : espion de la police infiltré au Parti communiste

MA : la mère de Nelson Mandela

MADIBA : nom clanique et surnom de Nelson Mandela

MADIKIZELA (Iris) : sœur de Winnie Mandela

MADIKIZELA (Nonyaniso) : jeune sœur de Winnie Mandela, surnommée « Nyanya »

MADIKIZELA (Tanduxolo) : frère de Winnie Mandela

MAGUBANE (Sexford Peter) : photographe, ami de Winnie et Nelson Mandela

MAKGATHO : deuxième fils de Nelson Mandela, surnommé « Kgatho »

MANDELA (Edna) : cousine de Nelson Mandela

MANDELA (Madiba Thembekile « Thembi ») : fils aîné de Nelson Mandela

MANDELA (Olive Nomfundo) : nièce de Winnie Mandela

MANKAHLA (Nondwe) : activiste antiapartheid qui refusa de témoigner contre Winnie Mandela

MATANZIMA (Kaiser) : neveu de Nelson Mandela, surnommé « Daliwonga », chef du parti de l'indépendance du Transkei

MAUD (Maud Katzenellenbogen, ou Maud Kay) : amie de Winnie Mandela, qu'elle soupçonna d'avoir collaboré avec la police

MHLOPE : l'un des surnoms de Winnie Mandela

MK : branche armée de l'ANC.

MORGAN (Dr) : médecin de prison

MTIRARA (Telia) : belle-sœur de Winnie Mandela

MZAIDUME (Paul) : oncle de Winnie Mandela

NUMÉROS des accusés du « procès des vingt-deux » :

N° 1 – Samson Ratshivhanda Ndou
N° 2 – David Motau
N° 3 – Nomzamo Winnie Mandela
N° 4 – Hlengani Jackson Mahlaule
N° 5 – Elliot Goldberg Shabangu
N° 6 – Joyce Nomafa Sikhakhane
N° 7 – Manke Paulus Matshaba
N° 8 – Lawrence Ndzanga
N° 9 – Rita Anita Ndzanga
N° 10 – Joseph Zikalala
N° 11 – David Dalton Tsotetsi
N° 12 – Victor Emmanuel Mazitulela
N° 13 – George Mokwebo
N° 14 – Joseph Chamberlain Nobandla
N° 15 – Samuel Solomon Pholotho
N° 16 – Simon Mosikare
N° 17 – Douglas Ntshatshe Mvembe
N° 18 – Venus Thokozile Mngoma
N° 19 – Martha Dlamini
N° 20 – Owen Msimelelo Vanqa
N° 21 – Livingstone Mancoko
N° 22 – Sexford Peter Magubane

NUMÉROS des accusés du second procès (août 1970) :

N° 1 – Benjamin Sello Ramotse
N° 2 – Samson Ratshivhanda Ndou
N° 3 – David Motau
N° 4 – Winnie Mandela
N° 5 – Jackson Mahlaule
N° 6 – Elliot Shabangu
N° 7 – Joyce Sikhakhane
N° 8 – Lawrence Ndzanga
N° 9 – Rita Ndzanga
N° 10 – Joseph Zikalala
N° 11 – David Dalton Tsotetsi
N° 12 – George Mokwebo

N° 13 – Joseph Chamberlain Nobandla

N° 14 – Samuel Solomon Pholotho

N° 15 – Simon Mosikare

N° 16 – Douglas Ntshatshe Mvembe

N° 17 – Venus Thokozile Mngoma

N° 18 – Martha Dlamini

N° 19 – Owen Vanqa

N° 20 – Sexford Peter Magubane

NAIDOO (Shanti) : activiste antiapartheid qui refusa de témoigner contre Winnie Mandela

NDOU (Samson) : accusé principal du premier procès

NEL : gardienne de prison

NEL : général

NEL (lieutenant) : officier en charge du bureau de la censure

NOBLANDA : l'un des surnoms de Winnie Mandela

NTLANTSI (Mxakeki) : militant de l'ANC

NGUTYANA : l'un des surnoms de Winnie Mandela

RAMOTSE (Benjamin) : membre de la branche armée de l'ANC

RAUTENBACH : infirmier en chef de prison

ROBBEN ISLAND : lieu de détention de Nelson Mandela

SCOTT : gardienne de prison

SIKOSANA (Joseph) : militant soupçonné d'être un informateur de la police

SISULU (Walter) : militant de l'ANC, cofondateur avec Mandela et Tambo de la Ligue de jeunesse de l'ANC

SOBUKWE (Robert) : leader du Congrès panafricain

SOGGOT (David) : avocat de Winnie Mandela qui avait conservé ses carnets

SWANEPOEL (Theunis Jacobus) : commandant de la Police spéciale sud-africaine

TATA : « père », surnom de Nelson Mandela

TAMBO (Oliver) : avocat, membre dirigeant de l'ANC, cofondateur avec Nelson Mandela du premier cabinet d'avocats noirs d'Afrique du Sud

UMKHONTO WE SIZWE : « La Lance de la nation ». Branche armée de l'ANC (MK)

VIKTOR : commandant de la Police spéciale

WESSELS : gardienne chef de prison

XABA (Iris) : sœur de Winnie Mandela

XABA (Ludumo) : beau-frère de Winnie Mandela

XABA (Marshall) : mari d'Iris Xaba, beau-frère de Winnie Mandela, dit « oncle Marsh »

ZAMI : surnom de Winnie Mandela

ZEELIE : gardienne chef de prison

ZENANI : première fille de Winnie et Nelson Mandela

ZINDZI (Zindziswa) : diminutif de la deuxième fille de Winnie et Nelson Mandela

Remerciements

Je n'aurais jamais tenu ce journal de prison sans les encouragements de maître David Soggot. Et sans les efforts de sa veuve – Greta Soggot – pour me rendre ce document, le présent livre n'aurait jamais existé. Je les remercie tous les deux.

Mille mercis à Ahmed Kathrada pour sa préface.

Swati Dlamini, ma petite-fille, ainsi que Sahm Venter, du Mémorial Nelson Mandela, m'ont accompagnée tout au long du chemin qui m'a permis d'exhumer cette partie de ma vie si profondément enterrée.

Je remercie également le Mémorial Nelson Mandela, qui accueille mon journal dans sa collection et dont les archives ont fourni de nombreuses lettres à ce livre.

Merci à mes éditeurs, Terry Morris, Andrea Nattrass et toute l'équipe de Pan Macmillan.

Et enfin, pour leur amour et leur soutien sans faille, je remercie tous mes enfants, petits-enfants et arrière-petits-enfants.

Table des matières

Mise en page : Compo-Méca
64990 Mouguerre

MARQUIS

Québec, Canada

Achevé d'imprimer par
Marquis Imprimeur
Imprimé au Canada
Dépôt légal : janvier 2014

ISBN : 978-2-7499-2152-5
LAF 1822